賢人と奴隷とバカ

酒井隆史
Takashi Sakai

AKISHOBO

凡例

- 初出時の記述に関して：状況に変化がある場合などは、主に本文中の［　］内で補足している箇所がある。
- 翻訳書の引用文に関して：原文と照らした上で、訳語や訳文に一部修正を加えた。

00 はじめに——賢人とドレイとバカ　二〇二三年、春

二〇一六年くらいのこと、こういう寓話がウェブに転がっているのをみつけた。[1] 作者はだれかと思案していたところ、なんとじぶんのよく知る人物であった。その人物に了解をとったうえで、いささかの変更をくわえ、紹介したい。

＊＊＊

ドレイのためになりたいといつも公言している賢人がいました。賢人は、ドレイの境遇をおもい悩み、立派な雑誌に立派な文章を書き、ドレイのためなにが最善か、頭を絞っていました。だから、主人にべったりの賢人たちが気に入りません。

しかし、それ以外にも気に入らないものがあります。バカです。実は賢人は、主人よりもバカの方が嫌いなのです。おおっぴらにはいいませんが、主人は賢いから主人だ、あるいは（「現物」はダメでも）本当の主人は賢くて立派なはずだと考えているふしもあり、言葉のはしばしにそれがにじみでてきます。

それにしても、いらだたしいのはバカです。バカはバカだから、見通しがききません。たとえば、「因業な大家が窓もつけてくれない」とドレイに泣きつかれるや、即座に丸太

をもちだし、ドレイの借家の壁をぶちぬき、窓をはめようとします。こまったドレイはおおあわてで、仲間のドレイと力を合わせてバカを追い払いました。そして主人に報告します。とんだ無法者のバカでしたが、われわれでとっちめてやりました。

主人はドレイのむこうをまなざしたまま、よくやったとほめてあげました。賢人もドレイに、よかったねとほめてあげました。

それにしてもバカにはこまったものです。いったん決めたらゆずりませんし、迷信のようにいろんなことにこだわります。見かけも気にしませんし、新しいも古いも気にしません。賢人のいうことも聞きません。バカだから「賢い」とはなにかすらもわからないのです。だから、バカはいつも物事をぶちこわします。ときには必要以上に主人を怒らせてしまい、賢人の思慮にあふれる計画を台無しにします。賢人が、もっといい家に住まわせてやるというのに、古いあばら屋に居座ってゆずりません。すばらしい道路ができるのに。夢のようなお店ができるのに。こうして、バカは賢人を失望させるのです。

賢人はあるときおもいつきました。バカの意見の通らない仕組みをつくればよい、と。いまの政治の仕組みは、選択肢が多すぎて、バカのバカバカしい意見もときには通ってしまいます。選択肢を二つにすればよい。バカは自然とふるいおとされるだろう。賢い意見がジャマされずに通れば、ドレイの生活もよくなるはずだ。

賢人は獅子奮迅の活躍をしました。主人のそばの賢人（かれらによれば賢人気取り）たちもバカがなにより嫌いですから、これ幸いと賛成します。いつもは仲の悪い賢人たちがいっしょになって努力した結果、仕組みは変わりました。バカがこれでいなくなるはずです。

ところが、なかなかバカは消えません。バカは賢人たちのなかにも賢人のふりをしてひそんでいます。ドレイは賢人にあこがれていますから、賢人のマネをしますし、それどころか、その多くがじぶんは賢人であるとおもいこんでいます。この国には、そんなドレイがとくにたくさんいるようだ、とよく、よその国の賢人から観察されています。でも、ドレイのなかにもバカがいますし、バカに影響されやすい者もいます。賢人はまたイライラしはじめました。バカを追いだせ。

いままでは選択肢も賢い二つしかありません。この二つは賢いので、とても似ています。バカは選ぶことをやめてしまうか、自分も賢いとおもいはじめました（そうしてドレイと見分けがつかなくなってしまいました）。自分を賢人とおもっているドレイだらけですから、賢人の意見が、オマエの家を取り壊そう、というものであっても、そうだそうだと賛成します。バカとおもわれたくないからです。こうしてバカはこの国からいなくなりました。

主人の側の賢人たちもバカがなにより嫌いです。かれらは、ドレイの側の賢人はバカにだまされているか、実はバカである、と考えています。だから、正真正銘のバカがいなくなると、勢いにのって、バカ疑惑のある賢人のことなどかまう必要などないといいはじめました。バカを追いだせ、と。バカの話なんかいらない。なぜならバカだからだ。

おれたちはバカではない、と、賢人と賢いドレイたちは口ごたえをします。バカはおまえたちのほうだ。おれたちはこんなに賢いし、バカではないから立派なふるまいかたも知っている。バカとはちがって、ゴミも拾える。だから、主人にはわかるはずだ。主人は聞いてくれるはずだ。

しかし、もうその言葉も虚しく大空に消えていくだけです。バカがやってきて、壁をいきなりぶちこわしたりすることはなくなったから、だれもとりあいません。

賢人と賢人のつもりのドレイたちは必死で叫びます。われわれはバカではない。

＊＊＊

知る人が読めば一目瞭然であるように、この一文は魯迅の「賢人と馬鹿と奴隷」[2]のパロディである。とりわけ前半はほとんどそのままといってよい。

当のエッセイの翻訳者である竹内好は、この寓話をことさら愛し、しばしば日本の近代のありようをそこに読み込んだ。

いわく、日本の近代は、優秀な賢人たちによっておしすすめられた優等生の文化である。そこには、中国の近代のような抵抗が不在であるか、きわめて乏しかった。中国においては、進歩的近代に対し、あちらこちらで反動的な抵抗が起きて、足を引っ張った。それが、ひとつには日本に遅れた原因である。

ではなぜ、日本の先の大戦における敗戦、日本の近代そのものの破局にいたったのか。本来優秀な文化であるにもかかわらず。

通説にいわく、それは優等生のなかに劣等生がひそんでいたから、あるいは大衆のうちに抱えた劣等性ゆえに負けたのだ。

しかし、と、竹内はいう。日本の近代はその優秀性ゆえに、「負けた」のではないか。

なるほど、その抵抗を放棄した優秀性からみたら、あちらこちらで時代の否応のない趨勢に対して生じる反動は、頑迷で、愚かで、劣等にみえる。連中は、仕事がなくなるからといって便利な機械を破壊してまわってじぶんの足を引っ張ったり、おかしな神様をたてまつってむかしに還ろうとむだな反乱を起こしたりしている、というわけだ。それに対して、優等生の文化では、そんな頑迷さに乏しいから、あたらしいものがそれ自体で価値を帯びる。観念と現実が不調和をきたすと、それまでさんざんふりかざしてきたりいじってきたりした観念でも、たやすく捨てて、あたらしい原則を探すことで対応する。自由主義がダメなら共産主義、共産主義がダメなら全体主義、全体主義がダメなら社会主義、社会主義がダメならネオリベ、ぜんぶダメなら「リベラリズム」、抵抗の積み重ねと試行錯誤からなにかを生みだすのではなく、あたかも性能を向上させた新商品であるかのように、あたらしい原則に人は飛びつく。

だから、原則をたやすく取り替えるのも、別に悪いことではない。それどころか、積極的によいことである。知識人も大衆も、いつも「きみ、いつまでそんな古いことをやってるの」といわれるのをおそれているのだから。

　それに対して、魯迅のような作家を生みだす土壌においては、人はいささか過大なほど自己に固執している。だから、状況がどれほど変わろうが、にわかに方向を変えることはできない。わが道を歩くしかない。しかし、かれらはのろのろ歩きながら（生きていくには前へ歩かざるをえない）、自己を変えていく。歩くことは、成長したり、困難に遭遇してみずからを変容させたり、それ自体、人が変わることでもあるからだ。しかし、それは自己に固執するがゆえに、わたしがわたしであるために、変わるのである。「私が私であるためには、私は私以外のものにならなければならぬ時機というものは、かならずあるだろう」[3]。それが個人にあらわれるとき「回心」（「転向」とは逆の）になり、あるいは社会にあらわれれば「革命」となる。

　しかし、日本には、この固執する自己がそもそもない。したがって、自己であらんとして内側から変わろうとするのではなく、環境の変転にあわせて、外部の力によって変わっていく。これが、日本の優秀さの秘密である（だからポストモダンといわれる思潮がとりわけ日本の「優等生的」風土に相性バッグンだったのだろう）。

　いうまでもなく、魯迅は（そして竹内自身も）賢人を憎んでバカを愛していた。とはいえ、賢人がドレイを救うとは考えていないのは当然としても、バカがドレイを救うと考えていたわけではない。そこに注意せよ、と、竹内はいう。日本であれば、これらのキャラクターがそろえば、すぐに賢人かバカがドレイを解放するという物語を構成してしまうであろう。しかし、魯迅にとってはそうではない。そこで提示されているのは、だれが夢を充塡してくれるかではなく、「**夢から醒めても道がない**」という苦痛をえがいた物語なのである。

賢人たちは、この幻想の空間をけんめいに補充しようとするだろう。バカも、語り方によってはそうした物語の一部を構成してしまうだろう。しかし、それらはいずれも、与えられる道の話、与えられる解放の話である。それは相変わらず主人だけあたらしくなったドレイの物語にすぎないのである。魯迅によれば、この苦痛を十全に受け止めることなしに、与えられる解放という幻想を破壊して、ドレイがドレイであることをやめる道はひらけないのである。

これはかんたんな概要である。かれらの書いたものをもっと点検してみれば、蛇行をくり返しながらずるずると沈没している現代のわれらが社会の、その本質が、どんな現代のテキストよりもより明晰に浮かんでくるだろう。

二〇一〇年代のなかばに、筆者はこの魯迅のパロディに遭遇して、目の前でみていることをおそろしくそのまま表現していることに感服したものである。それ以来、この魯迅＝竹内好の精神にならって、かれらの眼をなんとかわがものにして世の中を眺めたいと考えてきた。

以下は、かれらのその精神の巨大さに比すれば、なんとも卑小なものであることをわきまえつつ、そのひそみにならわんとして書きつづられたラフな習作である。ただし、そこでかれらの考えにつけくわえたつもりの要素がひとつある。それは「バカ的部分」というものだ。主人とも賢人ともドレイともちがったところがバカにはある。ややいかめしくいえば、位相を異にするといってもよい。つまり、バカとはひとつの人間の集団ではなく、万人にひそんでいる部分なのだ。人は人であるかぎり、このバカ的部分を根絶することはできない。だから、いつも人は、このバカ的部分を飼い馴らしたり、抑圧したり、利用したり、小出しにしたり、刺激したり、それでもってじぶんを鼓舞したり、想像を飛躍させたり、よどんだ状況を突破したりしているのである。

さて、このような発想で考えてみたテキストのいずれかが、みなさんがものを考えたり、行動したりするにあたって、いささかなりともお役に立てれば幸いである。

1　「【寓話?】賢人とドレイとバカ　2015年夏」(https://note.com/qtarocomunista/n/n76d9a00b26ab)

2　竹内好訳「賢人と奴隷と馬鹿」『魯迅選集　第1巻』岩波書店、一九五六年。

3　竹内好「中国の近代と日本の近代」『日本とアジア』ちくま学芸文庫、一九九三年、四八頁。

目次

Ⅱ　だれがなにに隷従するのか

III　この世界の外に――抵抗と逃走

I

無知と知、あるいは「大衆の恐怖」について

01

現代日本の「反・反知性主義」？

初出――『現代思想』二〇一五年二月号、青土社

1 ― 知性の（叛乱ならぬ）氾濫

現代日本で「知性」のおかれた状況、というか苦境について、「反知性主義」と名指す言説をひんぱんに目にするようになった。じぶん自身は、いまの日本の状況を「反知性主義的」と形容することに、実感としてぴたっときているわけではまったくない。ただこう名指しされる空気は、なんとなくわからないわけではない、といった程度である。

大学制度における人文科学的知の排除の傾向や、「教養主義の衰退」とみなされるような趨勢はたしかに存在している。なるほどそれらを「反知性主義的傾向」と括ることもできるのかもしれない。しかし、すこしだけ視角を変えてみれば、現代ほど「知性」があふれている時代がそうあるのかという疑念に駆られたりもしまいか。ＴＶニュースには、人文社会科学系の学者がひんぱんに登場しているし、討論番組もけっしてすくなくない。ラジオ、雑誌媒体もふくめて、本と高等教育機関、つまり大学や学会、「学術書」を唯一の知性の伝達享受の媒体と考えなければ、このような「知的」プログラムは劇的な減少を示してはいないようにみえる。その内実は空疎である、とか「劣化」いちじるしい、などといいたくなるかもしれないが、「知識人」らはやはり、文化一般において「重んじられて」いるのだ。

とはいえ、この現代の「知性」の過剰が鮮明にみえる場は、マスメディアよりもインターネットの世界である。いまや、どのようにささやかな趣味であっても、知的に彩ることへの情熱に事欠くことはない。そしてここでも、「プロ」「アマ」問わず、現代の「有機的知識人」たちが、専門領域を軽々と越境しながら「普遍的知識人」と化しつつ、ほとんどあらゆる事象にみずからの意見を表明することをやめない。そこでは「知的であること」「賢明であること」が競い合われ、「頭が悪い」「教養がない」といった言葉が、議論を打ち切り、討議の相手を一蹴する決め言葉として氾濫している。現代ほど「バカ」という言葉がサディスティクなまでに否定的な感情の負荷を高め、その両義的なニュアンスを失った時代もないのではないか。

ある立場からはどれほど欺瞞と隠蔽と「無知」に充ちているようにみえようと、ネット上にあふれる排外主義、レイシズム、あらゆる差別の攻撃的な言語が、「出典」と「引用」をあげ、かれらの敵にもそれを要求する、ある種の「知的論戦」のようなみせかけをとることも見逃すことはできない。こうした言説のうちには「論破」への執拗なこだわりがみられ、いわゆる「反知性主義」につきものの、知識人のありかたそのもの、知性そのものへの懐疑のかたちをとることはすくない。極端にいえば、「反知性主義」どころか、むしろどこにも知識人しかいなくて、だれもが「賢明」であることを競い合っているというのが現代日本の風景であるようにもおもえてくるのだ。

もちろん「ポピュリズム」と命名されるような言説において、反知性主義の典型のような構図をもったそれが流布することもしばしばである。たとえば、かつての東京都知事（石原慎太郎）や大阪市長（橋下徹［二〇一五年本章初出当時］）の話法には、ある種の反知性主義の特徴がはっきりとみえるだろう。

しかし、やはり現代日本を特徴づけるものとして目立つのは「知性の（叛乱ならぬ）氾濫」のほうにもみえるのであり、にもかかわらず、こうした日本の状況が「反知性主義」としばしば形容されているのには、この名指し自体のほうに、どこかしら現代日本の状況そのものが映しだされているようにも感じられるのだ。

2 「反知性」と断じる前に——知識人の責任と反・反知性主義

これは筆者の印象なのだが、昨今の日本の状況が「反知性主義」に侵されているとみえてしまうその文脈には、排外主義やレイシズム、セクシズム、あるいは「ポピュリズム」の言説を、その根拠に乏しくとも、貧困層や失業者に即座にむすびつけようとする傾向が執拗にあることと関連しているのではないか。つまり、そこにはそれらの忌むべき「邪悪な情熱」が、**知性の反対の産物**であるという、それこそ「偏見」がひそんではいないだろうか。

そして議論はこうつづく。それらの「邪悪な情熱」は、近年の流行語でいえば「思考停止」の産物にほかならない。したがって「知性」を働かせるならば、あるいは「事実」を知るならば、「教養」を積むならば、そうした卑しむべき態度も必然的に解消するはずだ、と。しかし、こうした言説の軌跡をたどっていくなら、それらを練り上げ、メディアを通して流布し、時代の空気の形成を主導してきたのが、もっぱら「知識人」であることはあきらかだ。現在のこのような排外主義的／レイシズムの思考の型は、こうした知識人たちによって練り上げられてきたものの映しである（この点は、「日本型排外主義」が、移民労働力との競合によって促進されるというより、対外的緊張と歴史修正主義を培養源としていることとも関連している部分があるのかもしれない）[1]。

さらに、こうした「知的」な排外主義やレイシズムがのびのびと成長するための栄養分を供給しつづけている普遍的権利への攻撃や「戦後的なもの」への否定と、その気分としてのシニシズムは、長いあいだかけて、制度内外の知識人たちによって耕されてきたものである。現代の排外主義やレイシズムの言説の構造や、さらにそれを醸成する知的気分というものは、あきらかに（狭義広義の）知識人、エリート、メディアの複合体によって「上から」主導されてきたものである。したがって、現代の知的雰囲気を、「反知性主義」と決めつけ、それをときに「群集化した大衆」に重ねたりする前に、それこそアントニオ・グラムシに謙虚に立ち返り、「市民社会」に分散し、時代を支配する感情や価値にかたちを与えている知識人、あるいは有機的知識人たちの働きの分析、知的ヘゲモニーの分析を必要としているのではあるまいか。

レイシストたちの「疑似実証主義」スタイルは、素朴な実証主義のグロテスクな濫用ともいえるのかもしれないが、そこには、現在に漂うある種の「反・反知性主義」の気分とでもいうべきものすら、とりだすことができるようにもみえる。たとえば、「アウトロー」「不良」、あるいは「ツッパリ」の「肉体言語」のようなものが、「蒼白き文化系」になにがしかの畏怖を与え、またそこにみずからの思考を挑発する課題がみいだされていた時代はそれほど遠いものではない。また、その文脈には「おまえさしずめインテリだな」という車寅次郎の有名なセリフに浮上する、「インテリ」が、不信と警戒を示すべき代名詞となる民衆文化の分厚い層があった。そもそも「ツッパリ」が、既存の秩序の圧力との関係で提示されるその人間の態度、社会あるいは世間に対する個人の屹立の仕方に対する肯定性もはらむ言葉であったのに対し、こうした用語が消えた現代は、事情がすこしちがっている。近年における「ヤンキー」という言葉の流布の仕方、あるいは「DQN」、「B層」などという言語の使用法をみると、そこには、もはや「ツッパリ」という語にはそなわっていた両義性が消え、差別への衝動をともなった「反知性」あるいは「非知性」への嫌悪がみてとれる。このことは「中二病」「トンデモ」など、近年になって日常に根づいた用語の意味作用をそれこそ記号論的に解明すれば、あるいは戦略的な言表として権力と関連づけながら点検してみれば、よりはっきりするのではあるまいか。

さらに、「反・反知性主義」の気分は、原発擁護派のみならず反原発派のうちにすらあらわれる「放射脳」といった揶揄的表現にも鮮明に表現されているようにみえる。この系列には「放射能恐怖症」や「放射能おばけ」などの一連の用語がつらなっている。たとえば、「放射能おばけ」は、その概念自体が、「無知」への軽蔑をふくんでいる。放射能を「過剰」におそれる態度は、おばけを信じるのとおなじである。つまり、「放射能おばけ」に惑わされるような人びとは、科学的な知性を欠いた、感情に流されやすく迷信深くだまされやすい、いずれにしても知的な欠陥のある層なのである。こうして、放射能へのおそれの問題は、それを恐怖する者の「未開性」とか活動家の「扇動」などに主要に帰することができるわけだ。

もちろん、このようなカテゴリー化によって、公害被害者や現地住民たちの不安を撃退するやりかたは、当該企業や日本政府、そしてそれに奉仕する知識人たちによって、幾度もおこなわれてきたひとつの「型」であり、このたびも、またそれがくり返されているにすぎない。とはいえ、それとは位相をいささか異にする現代のひとつの特徴は（原発事故の特質は措くとして）、このような「御用知識人」的な言説の型を、およそ利害関係者ともおもわれない門外漢の人間たちが、「科学」の真実性を擁護する「知識人」と化し、それらの「御用知識人的」言説の型を模倣していることであり、そこから「放射脳」のような侮蔑語がウラでひそひそとではなく、白昼堂々と流通していることである。

エドワード・サイードは、知識人のおちいる最大の危険を「専門主義」[2]にみていた。「専門主義」は、「利害や既成の価値に捕らわれず、普遍的価値を臆することなく提示し批判しつづける」独立したいとなみを毀損するというのである。この原発問題をめぐる「科学主義」にはその問題性があますところなくあらわれる。とはいえ、そのいっぽうでは、専門主義に対してサイードの推奨した「アマチュアリズム」を発揮し、利害関係に束縛されないがゆえの知性を行使して問題に取り組み、発信する人びともいる。

しかし、現在の日本にあっては、そこにいささかのひねりが入っているようにもみえる。つまり、いっぽうには専門主義のもたらす知識人の「御用化」がある。ところが、他方で、特定領域では「プロ」

とみなされる研究者あるいは知識人が、専門性を軽々と越境することで、既成の制度や見解にとらわれることのすくないアマチュア、あるいは専門性はなくとも「(おなじく知に携わっているという程度の)当事者性」はあるといったみせかけを利用しながら(あるいはみずから好んで利用されながら)、政府の諮問機関や地方自治体の施策の顧問などに採用され、普遍的価値どころではない、国家、企業などの利害などに奉仕するといった事態である。「専門主義」によってだまらせる形態があれば、「アマチュアリズム」によってだまらせる形態もあるわけであり、「知識人」という形式と地位のみのもたらす権威によって、異議申し立てを封じるといった「ポストモダン」? な事態がみられるのだ。ここには、現代日本において時代を批判的に射貫く**ごくわずか**の流行語のひとつである「エア御用」――的を射ているがゆえに反撥も強い――という概念が言い当てている次元があるようにおもわれる。

このような現代日本の「反・反知性主義」が、現代の先進資本主義における階級分布、つまり知的労働者の量的増大と役割の増大、そして、肉体労働の比重の低下を文脈としているとはいえよう。イギリスのジャーナリスト、オーウェン・ジョーンズが論じたように[3]、イギリスにおいてかつて強大な勢力を誇った労働者階級を攻撃の的にかけ、無力化させることに成功した戦略のひとつに、「チャーヴズ(Chavs)」というレッテルによる、労働者階級のステレオタイプ化の作用があった。「チャヴズ」とは、おおざっぱにいうならば、自宅である公営住宅の入口でフライドチキンを食べるジャージ姿の若者といったイメージをともなった、意欲も知識も技能も劣った怠け者といった揶揄や軽蔑のニュアンスをもつタームである。ここにネオリベラリズムと親和性の高い、自己責任の主体化の作用をみいだすのはたやすい。こうして、階級にまつわるもろもろの問題も、そもそも社会化する必要そのものがなくなるわけだ。

ここでとくに注目したいのは、オーウェン・ジョーンズが、このようなチャヴズをめぐる言説戦略のめざす地点を、労働者階級への差別や抑圧だけではなく、**階級そのものの不在化**としている点である。ジョーンズは、このような言説の蔓延の背景に、もはや労働者階級なるものは存在しない、といった世界観のミドルクラス出身のジャーナリストや政治家による促進があるという（日本における「一億総中流化」言説と、その時期の差異やもちえたイデオロギー的効果をふくめて比較できるだろう）。現代において、ここで想定されたミドルクラスとは、多かれ少なかれ知的労働者に属しているといってもいいすぎではあるまい。したがって、ここにおける労働者階級の存在、そしておそらくそこに強く含意された階級闘争の排除が、知性の優位と「肉体」の不在化、あるいは劣位化によって刻印されているのはごくたどりやすい論理である。（ところがいっぽう、最近のウォーレン・バフェットによる「露骨な階級戦争勝利宣言」にみられるように、奇妙なことに、**支配的富裕層の側は階級闘争の実在も意図も隠さない**）。こうなると、かつてポール・ウィリスが生き生きと記録してみせた労働者階級の「反知性主義」は、ただただ負の刻印のみを帯びてあらわれるだろう。ここでは、かつての労働者階級あるいは現代のプロレタリアートは、かんたんに情動に呑み込まれ、たやすく群集（モッブ）と化し、そうすることで理性や知性を脅かす存在、すなわち、一九世紀的な「危険な階級」のカテゴリーにふたたび接近することになる。

オーウェンの分析からわたしたちが教えられるのは、問われるべきは「知性の不在」あるいは「知性」の反撥」ではなく、支配的趨勢のうちで働いている諸知性の形態であるという点である。あるいはその諸知性の形態を「イデオロギー」といってもよい。「反知性主義」やそれに類する捉え方にしてしまうなら、この時代の核心を見逃してしまうのみならず、それら自体がひとつの現実、つまり、階級関係の現実の反映、ないし言い換え（言葉のただしい意味でのイデオロギー）になってしまうのではないか。ここではさらに、「イデオロギー」と**いいたくない**のはなぜか、それ自体が問いに値するようにもおもわれる。

おそらくそこに、近年の知的言説の顕著な特徴である、みずからの立場を可能なかぎり中性化したい衝動をみいだすこともできるだろう。これは「保守」をだれもが自称したがる奇妙な風潮に最もよく表現されている（こうして現代日本における「乗り越え不能の絶対的地平」は「保守リベラル」となる）。ついでにいえば「思考停止」という概念のように、活用がむずかしいとおもわれる概念がさかんに用いられるのも気になるところである。この言葉の濫用の裏で、どこかで、みずからの思考の限界を問うことなく、否定したい他者に「思考の欠落」を押しつけているのではないか、という疑問をぬぐえない。そして、やはりそれ以前に、「知性」によるヒエラルキーを自明視している、ある種の「知識人」のナルシシズムの匂いが嗅ぎ取れなくもない。

いずれにしても、批判的態度をとるさい、みずからの「保守性」を「戦略的」にであれ「盾」にするふるまいがもたらすダメージは、知の蓄積を可能にする継承性や持続性、そしてとりわけ知の発見的役割といった面でも多大なものがあるとおもう。

3 ——「いま」への断片化と収縮

ここではさらに、現代の状況を「反知性主義」とみなすことを許容している、知のおかれたいくつかの条件について、メモ程度であることの限界をわきまえつつ、すこし考えてみたい。

「反知性主義」についての偉大な小説のひとつに、レイ・ブラッドベリの『華氏四五一度』がある。このテキストを読み直してみるならば、第二次大戦後のアカ狩りと繁栄のアメリカという文脈もあるのだろう、他のディストピア小説と比較して、全体主義を駆動するのは主要には国家ではなく、資本、メディア、消費社会であり、焚書をおこなう国家はそれらからなる機構を暴力装置によって支えているというかまえになっていることがあらためて目を惹く。大学の人文科学のセクションがまず、人気がなくなって学生が登録しないというかたちで消えるのも、示唆的である。しかし、なによりもいま、その世界が切迫性を帯びて響いてくるのは、その世界の住民たちの時間的持続意識の喪失である。リビングの壁面はメディアへと変貌し、人びとは疑似双方向のニューメディア環境を生きている。そのようなメディア漬けの環境のもとでメディアとゲームに没頭するこの世界の住民たちは、時間の持続の感覚を喪失し、「いま」のうちに漂っている。夫婦はたがいの誕生日はおろか、結婚した時期も、なりそめも忘れてしまっているのである。

この点で、二〇一四年を飾ったさまざまな驚歎すべき事件のなかでも、東京都議会における女性議員へのヤジ事件は意味深長であった。その事件の内容そのものの劣悪さもさることながら、おどろくべきはある議員の露骨なウソとその処理のやりかたである。その議員は、そのヤジの悪質さが問題視されたさいにヤジ元のひとりと嫌疑をかけられていたが、潔白を主張し、もし犯人であったばあいは議員を辞職するとテレビカメラの前で見得を切ってみせた。ところがその数日後に、かれはそのヤジ主のひとりと特定された。ここまではよくある話といえばよくある話である。それからが驚愕である。そのあとのテレビ取材で、かれは、ふたたびカメラにむけて、議員辞職するなどの発言には記憶がないと言い放ったのだ。かつてロッキード事件では、証人喚問における「いっさい記憶にございません」という露骨な言い逃れが物議をかもしたわけだが、あの世界はまだ理に適っていた。あきらかに虚偽ではあるが、その不正の場面は当事者以外、確認できないのだから。倫理的にはともかく、形式的（精神分析ならば象徴的というだろう）次元においては、このような弁明は成立する。しかし、それから四〇年近くをへた「記憶にございません」はその位相を異にしている。現代のこの世界においては、だれもが映像で確認した数日前のじぶんの発言、じぶんでもかんたんに確認できるこの発言を、記憶にないと公共の場で言い放つことが可能なのである。この言明を真摯に受け止めるなら、かれの議員遂行能力の疑わしさは当然のこと、即座に病院にいくべきなのである。にもかかわらず、この出来事はたいしたスキャンダルにもならなかったのだ。

この出来事は、現代日本の「社会的」記憶喪失状態をよく示しているようにおもわれる。社会機構に刻まれた「忘却」によって、言葉が発せられるやいなや、まとわりつく社会的文脈、歴史的文脈が解体される。言葉に「いま」しかなければ、矛盾や一貫性を気にしたり、それに首尾一貫性を与える必要もない。同時に、両義性や意味の膨らみといった言葉のもつ効果も衰弱し、その領域は平板な平面と化してくる。というのも、両義性や多義性が生じるのは、一貫性や整合性がたえず参照項として想定されているがゆえにだからである。

この時間的持続の消失は、これまで、日本文化にとりわけ特徴的な現象であるとも指摘されてきた。たとえば、丸山眞男ならば、このような「いま」の時間の全面化は、日本の古層に属するということになるだろうし、日本の思想に根づいた「実感信仰」は、そもそもある種の「反知性主義」を内在させているということもできよう。他方、藤田省三ならば、敗戦後に開いたあたらしい歴史的持続の地平が、高度成長以降に収束することで、「いま」に集約される過程にみるだろう。藤田にいわせれば、そのような現象は、あらゆる耐久性そのものが否定されねばならない高度消費社会と関連しているし、その見通しからすれば、思想的にも「ポストモダニズム」というかたちで浸透したということになるだろう。どれかにただひとつの原因があるのではない。複数の時間の層が社会そのものを構成し、かつさまざまな領域に貫通しており、それがたがいに抑えあったり、変容させあったり、ひとつの衰弱がひとつを発現させたりする。そうした条件が探られるべきなのだろう。

時間的持続の消失について、もうすこし考えるならば、その現象は「断片化」と「収縮」の二面性を保持しているようにおもわれる。つまり、「いま」が全面的に支配するという現象のうちには、まず、数日前の記憶もふっとんでいるといって通るような時間の収縮の感覚がある。もうひとつ、こうした収縮は、あれこれの（たとえば歴史的）文脈のつながりの衰弱と密着した関係にある。時間が収縮することによって縦の時間の連携が衰弱すれば、当然、横の連携も弱々しくなり断片化する。歴史感覚の衰弱は、同時に地理感覚、つまり、この世界のうちにわたしたちはつながってあるという感覚の衰弱と裏腹なのである。

自身のキャリアにおいて死活的となるはずの発言すら、数日で忘れたと公言する。それでもなお、公人としてのスキャンダルにはいたらない。かくも時間感覚が収縮するためには、いくつかの条件がさらに重ならねばならないようにおもわれる。たとえば、昨年〔二〇一四年〕の都知事選では、「ここで負ければもう二度と反原発にチャンスはない」といった主張があらわれ、反原発に立つ勢力や人びとのうちに混乱がみられた。その主張は、反原発を唱えはじめた保守政治家に候補者を絞り他候補はおりろ、というものであったが、いくつかのポイントがある。反原発という争点にのみ集中すること。そして、この目先の選挙にとにかく「勝てる」ことを第一に考えよ、というものである。

このような「戦略」があらわれる背景には、緊急事態であるという意識のもたらす切迫感があるのはあきらかである。もちろん政治、とりわけ選挙政治となれば、そこに戦略はつきものであるし、その妥当性はそれ固有の次元で問われねばならず、ここで関知するものではない。しかし、そのような「切迫感」を文脈とした政治的意識は、そのような政治から相対的に自律すべき知の側をも侵食しているようにもおもわれ、それが知の「戦略」化とでもいうような現象を加速させているようにもみえる。原発に対して批判的な問題意識をもつ側にとっても、福島原発事故という大災害の「ショック」は、切迫感となって作用しているだろう。現代日本にすみずみまで浸透しているのは、この危機意識、緊急事態という切迫感にもとづく時間の収縮である。そして、このいわば「下からの」緊急事態の意識が、それ以前からの比較的長期にわたる「上からの」改革の必要への意識——あえていえば「維新」的な——の醸成と絡まり合って、時間の収縮と断片化を加速させているようにおもわれる。

ここでは、このような中短期的条件のみならず、より一般的な条件も考慮に入れなければならない。現代において資本主義のとる形態である。ひとつには、労働の不安定化と断片化。マルクス的にいえば、主要な価値取得形態としての絶対的剰余価値の回帰であるが、戻ってきた先は、ジョナサン・クレイリーのいう24／7世界[4]であって、そこでは、「資本による剰余労働の領有をさまたげているような自然的諸条件」（マルクス『経済学批判要綱』）の第一のそれ、すなわち「自然存在」としての労働者の時間的限界につきあたる労働者の生活時間、睡眠という再生産の時間さえ侵食されるといった状況がある。

もうひとつは、即効的な効果が要求されること。短期的な利益の見込めないすべてのいとなみが、減価されていること。いわゆる「日常的ネオリベラリズム」[5]の浸透である。

さらに、そこにインターネットという技術環境が重なっている。SNSは、それが新しいネットワークの形成の可能性をひらくと同時に、歴史をふり返り、みずからを省みたり、たがいの意見を吟味したりする作業よりも、ののしりあいと短時間で相手を要約するレッテル貼りの横行をもたらし、また、そこにおけるコミュニケーション様式や時間感覚はさらに現実の世界に跳ね返ってきているようにおもわれる。いずれにしても、ネット環境が、日本社会の心性や感性を大幅に変えたことは、多かれ少なかれ認められるところだろう。

先の切迫感は、このような状況と共振しあいながら、知を「戦略」に還元しつつあるようだ。だれもが知識人であるということは、だれもが「戦略家」のようにふるまうということだ。これは、ミシェル・フーコーの定義した知識人とは対極に位置している。かれは、みずからの知識人としてのモラルを「反戦略的」と形容した。「私の道徳は「反戦略的」だ。つまり、一個の特異性が蜂起する時にはこれを尊重し、権力が普遍的なものに背くなら強硬な姿勢をとる、ということだ」[6]。このことは、サイードのいうアマチュアの知識人の役割としての「批判」の行使とも関連づけることができるだろう。

とはいえ、時間感覚の「いま」への断片化と収縮について、ただ環境とその変容が必然的にもたらしていると考えるべきではない。以上にあげた複数の環境のうち、それらの特性が権力の戦略へと統合されているという点がここでのポイントだろう。そのことは、瞬時に忘れてくれるばあいと永遠に忘れてくれないばあいが、一見、ご都合主義的にわけられることからわかる（たとえばS新聞の「失態」は、即座に忘れられ、蒸し返されもしないが、A新聞の「失態」は永久かと思われるほど記憶に呼び起こされる、など）。このような時間感覚の「いま」への還元も、やはり、力関係の平面で多様な形態をとり、多様な配分をこうむっているのである。そして、その根源には時間の「いま」への還元がひらく、時間あるいは記憶の操作可能性の感覚があるようにおもう（これがおそらく、現代の「歴史修正主義」の感覚における根本的条件である）[7]。

たとえば、一貫性をいっさい省みず発言を都合に合わせて次々とひるがえすという語法は、たとえば大阪の橋下市長のような人物には露骨にあらわれる。おそらくそれは、一貫性の毀損――虚偽や違約などなど――が、大きな抵抗に遭遇しない（やがて、それが称賛すらされる）事例の積み重なるなかから、はっきりと支配の戦略のうちにコード化されてきたとみることができる。ここで最も参照すべきは、ミシェル・トゥルニエ版のロビンソン・クルーソー物語（榊原晃三訳『フライデーあるいは太平洋の冥界』岩波書店、一九八二年）だ。トゥルニエの世界にあって、孤島に取り残されたロビンソンは合理的に自己を律して行動するどころか、他者の不在である世界で、時間的持続の感覚を喪失し、みずからの一貫性をも手放し、生暖かい泥の穴のなかで、永遠の「いま」のうちにたゆたいはじめるのだ。すごく具体的レベルでいえば、発言に他者のチェックのプレッシャーがかからなければ、他者（それは摩擦の源泉であるという意味で、ミニマルな批判を含意する）のまなざしが不在であるならば、そこではじめて、人は「いま」のうちにたゆたうことができるのである。このロビンソンの他者なき世界以上に、現在の日本にふさわしいアレゴリーがどれほどあるだろう。維新の会は、大阪のメディア環境からそのような他者性を排除し、それればかりか利害共同体となすことで、トゥルニエ版ロビンソンの「他者なき世界」を構築してみせたのである。

現代におけるレイシズムの蔓延も、このような条件をふまえるならば、その性格の一端を特定することができる。時間感覚の収縮と断片化といった条件は、それを活用すれば「文脈の攪乱」として行使できる。つまり、これまでの蓄積から参照すればどのような荒唐無稽な言表でも、それが通時的・共時的文脈から切り離されるなら、もっともらしく「エビデンス」をそなえたものにみせることも可能となる。これが、先ほども述べた、ネトウヨの好む「疑似実証主義」とそれにもとづく歴史修正主義が実践していることである。かれらの言説は、真偽の平面を動いているわけではない。あえていえば、かれらの言説の動く平面は真偽の次元を超えている。問題は、あたかも真偽の平面を動いているようなみせかけを提示することなのであり、そのようにみせかけることによって、シリアスな議論の信用を失墜させること、みずからの差別的態度を支えるあらゆる「根拠」らしきものの障害となる、「事実」をはじめとするあらゆる裏づけの信憑を揺さぶることにある。[8]

今日の日本の知的状況については、しかし、フーコーのいう知と権力の編成よりは、デヴィッド・グレーバーのいう無知と権力、ないし知と暴力について考えたほうがよい。[9]というのも、その知と権力についての議論がもちえた多様なニュアンスはケインズ主義的福祉国家時代に特有の「妥協的」政治の刻印を押されているからだ。ケインズ主義的福祉国家の時代は、暴力は支配にとって副次的であるという発想が、いわばその恩恵をこうむっている世界の部分にのみ、それなりの説得力をもちえた時代である。しかし、この暴力という要素を考慮に入れないことには、現在の状況の認識の端緒につくことはできない。つまり、あいかわらずの知による個別の対象化は継続しながら、しかし、支配がもはや、生の増進への関心をさしてもたぬこと、はてしなく増殖する官僚主義的規則と、その有無をいわさぬ押しつけの関係を定式化できないのである。

官僚制にとっては知とそして無知をも視野に入れることが必要である。そしてその全体は、官僚制がつねに暴力を独占した国家装置を背景としていることを念頭におけばみえてくる。つまり、暴力があれば、人は他者を理解するコストを節約できるし、人はあれこれ考えなくてすむ。ジャイアンが、聴衆の顔色をうかがうことなくみずからの歌謡ショーに陶酔できるのは、かれにとってはのび太たちがなにを考えているか知る必要がないからである。ジャイアンに特有の無知は、その暴力に由来しているのである。暴力に裏打ちされた諸機構の「無知の知」のありようは、「人間生活が実際にはらんでいる視点、情熱、洞察力、欲望、相互理解などの間のとてつもなく複雑な駆け引きを無視し、ある規制を制定しそれを破るだれをも攻撃すると脅すこと」[10]にもとづいている。こうして、公園から野宿者を追放する、官僚機構の前線に動員された人びとの表情からは当初の苦渋の色がだんだん消えていく。「現場」の複雑な暗黙の規約や取り決めを解体しながら、増殖する際限のないルールとムダな書類、手続きの増大が、合理化の果ての不合理とカオスを生んでいるのがわれわれの状況だとして、官僚機構とは「すでに愚かである状況の管理」である。カフカを参照するまでもなく、官僚機構は、この状況を愚かでとどめておく必要のためにあるのである。これによって、官僚の「非情」、官僚主義の「バカバカしさ」とこれまでされてきたものも理解できる。公園における野宿者の炊き出しについて、それがテロに通ずるといった「知識人」による言説がまかりとおったりもする昨今であるわけだが、これが「現場」のさまざまな力学からすればどれほどバカバカしいかはわかるにもかかわらず、しかし、大上段にかまえられた学問的知とみなされるものが、警察発表的あるいはマスコミ的に単純化されたステレオタイプの上に立てられることはめずらしくもない事態である。さまざまな事象について「善悪の二項対立」と括って単純にしりぞけることができるのも、その「善悪の二項対立」に内在する「とてつもない複雑な駆け引き」――戦後の知の特性のひとつはこれを理解することにあった――への想像力を欠き、それ自体の「単純さ」がなにに奉仕しているのかに「単純に」目をつむるところにある。現代の知性を支配する「エア御用」の思考法とは、そういうものであるようにおもわれる。

1 樋口直人『日本型排外主義――在特会・外国人参政権・東アジア地政学』名古屋大学出版会、二〇一四年。

2 「自分が波風をたてていないか、あらかじめ決められた規範なり限界なりを超えたところにさまよいでてはいないか、また、自分の売り込みに成功しているか、自分がとりわけ人から好感をもたれ、論争的でない人間、政治的に無色の人間、おまけに「客観的な」人間とみられているかどうか」（大橋洋一訳『知識人とは何か』平凡社ライブラリー、一九九八年、一二三頁）に配慮する知識人としてサイードはえがく。

3 Owen Jones, Chavs: *The Demonization of the Working Class*, Verso, 2012.

4 Jonathan Crary, *24/7: Late Capitalism and the End of Sleep*, Verso, 2014.

5 Jamie Peck, *Construction of Neoliberalism Reason*, OUP Oxford, 2010.

6 高桑和巳訳「蜂起は無駄なのか」『ミシェル・フーコー思考集成Ⅷ　1979-1981　政治／友愛』筑摩書房、二〇〇一年、九九-一〇〇頁。

7 これについては、拙稿「鋳造と転調」『完全版 自由論』河出文庫、二〇一九年をみよ。

8 レイシストの言説を考えるにあたっては、いまこそサルトルの『ユダヤ人』が読まれねばならないだろう。「彼等は、自分達の話が、軽率で、あやふやであることはよく承知している。彼等はその話をもてあそんでいるのである。言葉を真面目に使わなければならないのは、言葉を信じている相手の方で、彼等には、もてあそぶ**権利**があるのである。話をもてあそぶことを楽しんでさえいるのである。なぜなら、滑稽な理屈を並べることによって、話相手の真面目な調子の信用を失墜出来るから。彼等は不誠実であることに、快感をさえ感じているのである。なぜなら、彼等にとって、問題は、正しい議論で相手を承服させることではなく、相手の気勢を挫いたり、とまどわさせたりすることだからである。あまり、こちらが勢いよく攻めれば、彼等は、心を閉じてしまい、なにか見事な一語で、もはや議論の余地はないという。といっても、それは、彼等が、説き伏せられるのをこわがっているからではない。ただ、自分が、滑稽に見えるか、あるいは、自分の困惑が、味方に引きいれようとしている第三者に、まずい効果を与えることを恐れているにすぎないのである。／以上のように反ユダヤ主義が、理論も経験も撥ねつけるからといって、その信念が固いという証拠にはならない。むしろ、まず、なにもかも撥ねつけることに決めてしまったから、信念が固くなったのである」（安堂信也訳『ユダヤ人』岩波新書、一九五六年、一八-一九頁）。

9 David Graeber, Dead zones of the imagination: On violence, bureaucracy, and interpretive labor. The 2006 Malinowski Memorial Lecture. あるいは高祖岩三郎訳『アナーキスト人類学の断章』以文社、二〇〇六年。

10 同右、一三二頁。

02

「反知性主義」批判の波動

——ホフスタッターとラッシュ

1 リチャード・ホフスタッターとクリストファー・ラッシュ

第1章には、捕捉が必要である。まず「反知性主義」というテーマで『現代思想』誌から依頼があった。だが「反知性主義」という概念のにわかな流行には、共感したことがいっさいないどころか、きわめて大きな違和感があったので、そのタームをかこむ知的フレーム、知的感性を引き受けて分析する気にはとてもなれない。しかし、同時にこの概念が流行する時代的雰囲気はなんとなくわからないではない。わからないではない、というのは、この概念が二〇一〇年代の言説の傾向をなんらかのかたちで表現しているのではないかという直感はある、という意味においてである。なので、その違和感と言説の傾向をいささかなりともあきらかにしたかったのだが、そのさい、漠然と念頭にあったのは、一時期好んで読んでいたクリストファー・ラッシュであった。

クリストファー・ラッシュは、『ナルシシズムの時代』や『エリートの反逆』といったベストセラーで知られる、アカデミズムの枠を超える社会批評的テキストで著名なアメリカ合衆国の歴史家である。まさに「反知性主義」概念を学術的にポピュラーにし、二〇一〇年代の日本での流行の背景ともなっていたテキスト『アメリカの反知性主義』の著者である、リチャード・ホフスタッターともいささか似たタイプのアメリカの知識人なのである。

似たタイプというのも根拠があって、両者は密接な「師弟関係」(制度的というより私的な)にあった。あとでもふれるラッシュの「出世作」は、そのスタイルにおいてホフスタッターの『アメリカの政治的伝統』の模倣であるし、一次資料の厚みによらず、精神分析などのラフな活用を通して、おおまかな歴史の見通しを提示し、それを現代の批判的視点に寄与していくといった方法という点からすれば、ほとんど晩年にいたるまでホフスタッターの影響のもとにあったといえよう。

そのラッシュが、みずからの師であるリチャード・ホフスタッターを批判する文脈で、その「反知性主義」論にも批判的であったのをおぼえていたのである。その脈略も、ポピュリズムの評価がひとつの軸となっていることくらいは、なんとなくおぼえていた。「反知性主義」と「ポピュリズム」とくれば、要するに、この二人の知的な争異と現在の知的布置になにやら意味深い類似があることは感じられたのである。

本来ならば、その含意を探りながら現代の「反知性主義」論を分析するに越したことはないのだが、あらためてその知的文脈を検討する時間的余裕はまったくなかったし、ただラッシュの愛読者という以上の専門的知識は欠如しているため、かぎられた時間で意味のあることをいうことはできそうにもない。そういうわけで、いつか検討したいとはおもいつつ、その時点では、このホフスタッターへのラッシュの批判というか、そのラッシュのイメージにある程度よりかかりながら、あとは自由に書いたのである。

などといいながらも、だからといっていま現在もそんな余裕があるわけでもない。しかし、ここでは補論として、おそらく二〇一〇年代に時ならぬ反復をみせたといえよう、この「反知性主義」をめぐる知的争異とその文脈について、素描しておきたい。

2 ― みずからを解決策とする知識人

一九六三年に刊行されたホフスタッターの著作『アメリカの反知性主義』は、同時代の社会を覆う空気を「反知性主義」と定義し、それを新奇な現象でも一過性の現象でもなく、アメリカ社会の基礎的な次元に根づくもの、より具体的にいうと、一八世紀の宗教復興運動からはじまるアメリカ合衆国の近代史のうちに、上昇と下降をくり返しながら表現されてきた、その盛衰を分析するものである。それは宗教に表現される民衆的エートスの次元に根をおろしながら、一九世紀のデモクラシーの進展、とりわけ「無学な男」アンドリュー・ジャクソンのもとでの「ジャクソニアン・デモクラシー」の風潮によって政治的にも強化される。そして一九世紀末のポピュリズム運動へと流れ込み、マッカーシズム、あるいは「赤狩り」の底流を構成することになる。

それでは「反知性主義」とはなにか？「知的な生き方およびそれを代表するとされる人びとに対する憤りと疑惑」であり「そのような生き方の価値をつねに極小化しようとする傾向」である。[1] なるほど、ホフスタッターのような一時代を築いた歴史家が、読むに堪えない平板な議論をしているはずはない。ホフスタッターは、アメリカの反知性主義が、アメリカの平等主義やデモクラシーと密着していることをよく了解していたし、反知性主義がたんなる知性一般の否認ではないことも了解していた。しかし、その批判的意図はあきらかである。[2]

いっぽう、一九三二年生まれのクリストファー・ラッシュは、一九一六年生まれの、気むずかしく人をあまり寄せつけないはずのホフスタッターから、熱烈な期待とサポートを受けながら（直接の指導の関係にはないにもかかわらず）、「パブリック・インテレクチュアル」にむけてのブレイクとなった一九六五年の二作目の著作『アメリカにおけるニュー・ラディカリズム（The New Radicalism in America 1889-1963: The Intellectual As a Social Type）』を、この師の推薦文つきで公刊する。とはいえ、ラッシュは、この著作が師の神経を逆なでするであろうと、当初は気を揉んだというエピソードが示唆するように、すでにこの時点で亀裂はみえていた。

この著作は、時代的・社会的文脈も異なる現代日本においてはなおのこと、理解はむずかしい。さらに、論脈からしても時間的・力量的制約からしても、その理解に、ここで力を割くわけにはいかない。それでもかんたんにその文脈を素描しておくならば、多様な諸運動や文化活動、知識人を抱え、その一部のラディカリズムをバネとしていたニューディールの知的・実践的世界が、冷戦への転換によってリベラルの保守化と赤狩りの台頭を招く、いっぽうでは公民権運動が絶頂に達してはいたものの「一九六八年」はいまだ来たらず、といった時代的文脈がある。おそらく、ラッシュの敢行したいわば「冷戦リベラル」の批判的系譜学は、いまから時代的推移を眺めてみるなら、あらゆる文脈のちがいをふまえつつも一八四八年におけるプロレタリアとブルジョアジーの同盟の決裂の反復にも近接した事態の分析とみることもできるのではないか。しかし、ここでラッシュの師との衝突を回避する意図、というより回避できるといった「余裕」そのものが、数年後にはよりクリアになる諸力の分節をあいまいにしたということもできないだろうか。

いずれにしてもここでそうした細部を無視して一点あげておくならば、ラッシュはこの著作で、ひとつには一九世紀末から二〇世紀中盤まで「進歩」を先導してきたリベラル知識人たちの政治的課題を文化的課題に癒着させてしまう傾向を批判した。いわく、かれらはアメリカの因襲的／ブルジョア的文化への攻撃をみずからの使命とすることで、民衆文化からみずからを疎外し、さらに経済的工義の追求や権力との闘いを放棄する。そして、その結果、かれらは進行中の産業化とポスト産業化による社会的断片化を促進してしまった、と。経済的正義の追求に文化的批判をおきかえるといった批判、文化と経済とを分割して、経済の正義を掲げることで文化の問題への執心——変革への無力の転移——を批判するかまえは、ある種の「ポリティカル・コレクトネス」批判のようなかたちで（あるいは「文化左翼」批判というかたちで）いまもよくみられるものである。この点については、おおまかにみてホフスタッターの後継者といえなくもない。というのも、ホフスタッターの批判の矛先は、一九世紀後半からの企業資本主義の展開のもとで、個人主義や競争といった古いモラル、あるいはそれと関連して自営農民の自立の神話をもちだしては、やがて「改革のみせかけ」に巻き込まれ、結局、あたらしい資本主義システムを促進させることに手を貸してしまった政治家や知識人にむけられていたからだ。

とはいえ、ホフスタッターの右方向への政治的転換はあきらかであった。かれは、すでに一九五五年公刊の『改革の時代』で、批判されるべき政治的伝統からの「劇的な逸脱」としてニューディールの秩序を擁護するようになっていた。**このあたらしい伝統は、管理的で知的な専門家による政府の**

運営に信をおいているという点で、それまでの伝統からたもとを分かっている、というのである。つまり、よりよいデモクラシーへの解決策をもっているのは、知識人なのである。この傾向がさらに強化されるのが、『アメリカの反知性主義』であった。

この著作の公刊後に書かれたラッシュの『ニュー・ラディカリズム』では、「知識人の反知性主義」に最終章を割り当て、すでに公刊されていたホフスタッターの反知性主義論とは異質な角度、というよりも、ある意味で衝突するような角度から反知性主義をとりあげなおす。

ラッシュによれば、知識人についての「浮世離れした教授という古いイメージや、野性的な目をした長髪の政治的扇動者というイメージは、もはや時代遅れ」で、それは「洗練された、コスモポリタンの、露骨にエリート臭を漂わせている」イメージにとってかわっている。ラッシュは、これは知識人の大衆的ステレオタイプでもあるが、いっぽうで、知識人自身がそのイメージにみずからを寄せているという。つまり、かれらは「モッブに対抗するエリート」の側にみずからを寄せるようになった、と。[3]

この文脈にはもちろん、マッカーシズムとその「赤狩り」がある。みずからを「モッブ」にかこまれているという意識、「モッブ」に迫害を受けているという意識、そのなかで知識人において、「知性そのものと一階級としての知識人の利害の混同がほとんど完璧なものとなる」。

その批判の刃が師だけはよけているようにみせたいラッシュの細心の注意にもかかわらず、ホフスタッターの「反知性主義論」が、ラッシュが批判的に捉えるこの「モッブに対抗するエリート」の意識のもとにあることはあきらかである。

3 ホフスタッターのポピュリズム論

この点を考えるには、ホフスタッターの知的文脈にもうすこしふれる必要がある。ホフスタッターはニューヨーク州バッファローで、ユダヤ系の父親とドイツ系の母親のもとに生まれ育っている。かれは一九三八年にはアメリカ共産党に入党するが、すぐに幻滅し、翌年、独ソ不可侵条約成立の直後に脱党している。

第二次大戦とその後の冷戦が、かつてのニューディール左派を構成していたコミュニストやラディカル派を、冷戦リベラルへと転向させていくなか、基本的にホフスタッターもその流れを大きく逸脱することはなかった。かれは先行世代の革新主義的歴史記述、つまり階級間の抗争を基軸とする歴史記述を批判し、合意に重点をおく歴史記述を提唱することによって「コンセンサス学派」のリーダーと目される（かれ自身はこの呼称をひどく嫌悪していた）。

要するに、「コンセンサス」学派の台頭は、第二次世界大戦と冷戦初期、つまり核の緊張に満ちた時代に、学者たちが旧来の抗争にかかわるテーマを過小評価したことから生まれたものである。第二次世界大戦後の全体主義体制であきらかになった残虐行為に恐怖を感じた元ラディカル派やコミュニストの多くは、口をつぐみ、民主党のニューディール以降のリベラリズムの仲間入りをした。かれらはユートピアの夢を捨て、「イデオロギーの終焉」と「活気ある中道」（vital center）」に与する言説を選んだ。かれらの選択したアメリカ史は、安全で安定した継続の物語を語ることになる。[4]

とはいえ、ホフスタッターがこのような流れに全面的に屈服したわけではない。一九四八年公刊の『アメリカの政治的伝統』[5]は、建国の父祖たちの民衆不信とその反デモクラシーの精神をえぐりだしつつ、かれの人生をつらぬく企業資本主義へのきびしい批判精神でもってアメリカの政治的英雄たちを容赦なく裁断していく荒削りの若々しさで名著となる。

しかしながら、一九五五年に公刊された、南北戦争以降の産業資本主義、独占資本主義システムの構築、そしてその矛盾から生まれる抗争をテーマにした『改革の時代』が物議をかもす。

とりわけその一九世紀末のポピュリズム運動の解釈について。

奴隷制廃絶運動以降で最大の大衆的抗議運動ともいわれる、ポピュリズム運動とはなにか。以下では複数のソースを参照しながら、かんたんに要約してみる。

・米国史におけるポピュリズム運動は、一九世紀後半における中西部と南部の農地改革者の政治志向の連合体であり、経済的、政治的に幅広い立法を主張した。

・一八八〇年代を通じて、不作、価格下落、販売・信用供与の不備などから不満をつのらせていた中西部や南部の農民のあいだで、農民連合と呼ばれる地方政治活動団体が生まれた。

・この同盟は、地域的には大きな勝利を収めたものの、全国的な規模では概して政治的に実効力をもちえなかった。

・一八九二年、農民同盟の指導者たちは人民党(Populist Party)を結成し、農民同盟は消滅。ポピュリストは、労働者や他の団体を取り込んで基盤を広げようとしながらも、ほぼ完全に農民志向をつらぬいた。

・かれらは、流通貨幣の増発(銀貨の無制限発行)、累進的所得税、鉄道の政府所有、歳入のみの関税、上院議員の直接選挙など、政治的民主主義の強化と農民と財界の経済的平等をめざした措置を要求。

この運動は、同時代には知識人たちによって危険なデマゴギーとみなされていたが、この要求項目のいくつかを取り込むことになる革新主義の時代になると評価は一変、「明確な党綱領と組織を保持した戦闘的政治蜂起」とされたり、労働者との連携をはかった反独占の進歩的闘争の先駆である「左翼的農民運動」とされたり、あるいは不十分ながらも白人と黒人の境界を越えて連帯に努めた動きが評価されたりもした。[6]

こうした「進歩的解釈」をさらにくつがえそうとしたのがホフスタッターの『改革の時代』だったのである。

そこでホフスタッターは、ポピュリズム運動を「ステイタス政治」あるいは「パラノイア様式」というかなりラフな精神分析的フレームで否定的に解釈する。[7] 要するに、ポピュリズム運動の主要因は、経済的苦境よりは、財産所有者である農民の抱え込んできた「ステイタス不安」にもとめられ、その政治的表現はパラノイア的と規定されることになる。

どういうことだろうか? かれの『改革の時代』におけるポピュリズム運動の批判は、現代の「ポピュリズム」批判とおどろくべき類似をみせている。

(1)「二元論」への固執

「そこには二つの国民だけがあった」、つまり「盗人と被害者」である。こうして、以下のある宣言文書が引用される。

今日この国で争われている闘争には、たった二つの陣営しかない。一方の陣営には、独占体、金権勢力、大トラスト、鉄道会社などの連合軍があり、それは自分たちに利益を与え、民衆を貧乏にするための法律の制定を求めている。他方の陣営には、農民、労働者、商人、その他の富を生み出し、課税の重荷に耐えている民衆のすべてがいる。……これら二つの陣営の間には、中間地帯はない。[8]

近年のポピュリズム論のいう「ポピュリスト的切断」をあざやかに表現したテキストであるが、ホフスタッターはこの二元論を「欺瞞」とまで呼び、その無力さに「多元主義」を対立させる。ここにはリベラリズムによる典型的なまでの「敵対性の排除」をみることができる。

(2) 陰謀論

ポピュリストに広くいきわたった考えとして、すべては「国際的金融勢力の不断の陰謀として理解しうる」という陰謀論的発想がある。たんにじぶんたちは抑圧されているだけではなく、「既得権を持った勢力」によって、故意に、意識的に、継続的に、そして気まぐれな悪意で、抑圧されているという感情が一般的だった」。

重要な点は、陰謀に動かされやすいものはだれか、である。

私の信じるところによれば、とくに動かされやすいのは、程度の低い教育しか受けておらず、知識や情報を受けにくい立場にあり、そして、権力の中枢に接近することからは、完全に閉め出されている結果、自分たちは自己防衛の手段を全く奪われており、権力を揮う人びとによる操縦に、無制限に従わされていると感じているような人々である。[9]無知な民衆ほど陰謀論に踊らされやすいというわけである。

（3）排外主義

この陰謀論は反イギリス、反ユダヤ主義とむすびつき、アメリカ社会に連綿とある排外主義のうちでもとりわけ悪性のタイプを現出させている。

ここでのホフスタッターの議論のなかで、直接にジョセフ・マッカーシーやマッカーシズムが言及されていたわけではないが、赤狩りの荒れ狂うなかにあって恐怖に駆られていた、かれに近しい知識人たちは、そこにマッカーシズムの影をみた。かれらによってこの分析は即座に流用され、ときにマッカーシズムの起源がポピュリスト運動であるかのようにみなされることにもなるのである。

このホフスタッターのポピュリズムについての議論は、その後の歴史家たちの検証によってほぼ完膚なきまでに批判され、いまでは価値を失っている。しかし、ここでみるべきは、かれの議論のうちに、現代のポピュリズム批判のレトリックが出揃っていること、このポピュリズム批判の型とその後の反知性主義批判とがあきらかに連携していること、そしてそこには、知識人たちの「大衆」への恐怖感がひそんでいることである。

一九七〇年にホフスタッターは急逝する。『アメリカの政治的伝統』の新版序文をラッシュは執筆し、決裂とまではいかないもののすでに心理的には離れていた師との亀裂を補修しようとし、ホフスタッターをそれ以外の近しいリベラルと腑分けしようと苦闘してはいるが、そこにおいても『アメリカの反知性主義』を評価することはむずかしいと匂わせている。

やがてラッシュは、そうした小技ではどうにも弥縫できなくなった師との知的亀裂を全面的に押し広げ、みずからをアメリカの伝統的「ポピュリスト」のうちに位置づけ直し、ホフスタッターの退けたその要素の多数をポジティヴなものとして定義し直すにまでいたる。

4―リベラリズムとその終焉

時代の支配的趨勢と一貫して格闘してきたラッシュの議論には晩年にいたるまで、耳を傾けるに値するなにかがある。とはいえ、社会の伝統的諸要素を守護することによって資本主義を批判するというかまえの陥穽に典型的におちいっているようにみえるラッシュの知的展開にも、ましてや、そのポピュリストという立場選択にも筆者はしたがうものではない。

ここで注目したいのは、このホフスタッターとラッシュの対立が、ニューディール左派から冷戦リベラルへと転向した知識人と、シックスティーズ世代をある意味で代表するようになるラッシュのあいだの時代的分岐をも表現していることである。

ラッシュは冷戦リベラルを、官僚制との同化の廉《かど》で批判した。もちろん、その背景のひとつにベトナム戦争がある。その後の一九六八年を中心とした激震は、ラッシュを「ニューレフト」の知識人として時代の寵児に押し上げることになる。

この二人の知的争異には、おそらく、ウォーラーステインのいうリベラリズムの帰趨が映り込んでいる。それをここで確認しておこう。

フランス革命をはじめとする一連の革命は、短期には失敗にみえたとしても、中長期には確実に世界を変革した。つまり、それは短期のあいだに、社会の変化は自明であること、主権は人民にあること、国民は市民権を有することといったように、すこし前なら考えられもしなかった常識の地平を転覆させた。支配層(『アメリカの政治的伝統』におけるホフスタッターに表現させれば「財産所有者とその同盟者たち」ということになるだろうか[10])にとって、みずからの地位をおびやかさないかぎりで、しばしば情熱に駆られて行動する民衆を管理する必要があらわれる。その立場を表現するイデオロギーがリベラリズムである。リベラルは、王党派のような復古主義者やみずからよりも権威主義的な右派を牽制しながらも、民衆の自発的動きが「過剰」になると、右派と連携して弾圧を行使してきたのである。

そのような処理のためのプログラムは、変化が漸進的であること、および指導的な家族や集団を追い出さないことを保障するために、それに必要な速度と巧みな処理法を専門家が合理的に分析して、その専門家の管理の下で、これらの諸原則を漸進的に実行することであった。要するにリベラルは、管理された変化を望んだのであり、まさしく彼らはぎりぎり持ちこたえ続けることができるほどまでに譲歩した[11]。

社会主義も、このようなリベラリズムのパラダイムと無縁であったわけではない。ウォーラーステインによれば、一八四八年革命（本書のポピュリズム論を参照のこと）以降、リベラリズム、保守主義、社会主義の三つのプログラムが三つ巴《どもえ》となって競合しあうというパターンが世界の各地でみられるようになるが、なかでも「中道リベラリズム」が世界の主流となったのは、残りの二つがそのヴァリアントになる傾向ゆえである。これが、かれの見立てであった。実際、多くの社会主義者は、やはり変化を上から管理するという手法を選んだわけである。このような変化の管理の頂点を画するひとつが、ニューディール、そして「冷戦リベラル」が称賛してやまなかったFDR（フランクリン・ルーズベルト）であった。

このようなグローバルな管理体制をトータルにくつがえしたのが、一九六八年の世界的反乱である。

それは、東西南北あらゆる諸社会で、独自課題と国際的課題を交錯させながら展開していったが、共通の地盤として、この上から管理された変化に対する拒絶があった。ここにリベラリズムは終焉し、それ以降、わたしたちはなお混乱のなかにある。クリストファー・ラッシュの知的展開にいまだわたしたちが学ぶものがあるとすれば、この混乱を「リベラリズム」や「ネオリベラリズム」の諸要素をひそかに導入したり、そのパラダイムに順応したりすることで弥縫することなく、師との格闘のなかでつかんだ独自のモラルをつらぬいた点にある。つまりわたしたちのこの世界がすでに「リベラリズム」以後にあることを、深く自覚していた点にある。

5 「一九六八年」以前への退行

こうしてみるならば、現代の反知性主義批判が、本書第1章で論じたように、「一九六八年[12]」が集約するもろもろの断絶へのバックラッシュと軌を一にしていることもあきらかだろう。筆者がまず「反知性主義批判」の流行におどろいたのは、もうそういうことは「一九六八年」以降の知的展開においてはいえなくなったとおもいこんでいたからでもある。しかし、「一九六八年」の画期性へのバックラッシュが二〇一〇年代の知の特徴でもあるならば、あらためてホフスタッター的知の布置の回帰もそれなりに理解できる。

第15章で述べるように、ミシェル・フーコーたちは、知識人による代行主義批判（これは官僚主義批判にむすびついている）、そして、大衆（囚人）自身がすでに有している知を強調した。これはあきらかに「反知性主義」のヴァリアントである。かれは、そのような知をのちに「従属した知（savoirs assujettis）」と名づけ、そのような知の浮上、ないし叛乱が一九六八年以降を画していると述べた。後述するが、それは制度的な知の要求する形式的一貫性のもとに不可視化されていた歴史的内容、あるいは「資格剝奪されてきた大衆の知」のことである。

3・11以降、科学や専門性への不信が噴出し、人びとのあいだでの自発的な学びと、自発的な放射能汚染にかかわる測定の実践も広がった。こうした動きが、日本でも六八年以降の「大学解体」の実質をなした、知のデモクラシー化、具体的にいえば、自主講座や科学を民衆のものにしていく運動とむすびつける動きもあったが、それが大きくなることはなく、ネトウヨ的イデオロギー、あるいは「エア御用」とむすびついた「素朴実証主義」ないし「理系イデオロギー」の大波、バックラッシュがやってきた。この大波には、たしかに「反知性主義」成分がふくまれているともいえるかもしれない（たいていそこで科学とは実用にむすびつく科学のことであり、知のいとなみそのものには減価がひそんでいる）が、ここで述べてきたように、この概念はなにかをつかむより、なにかをみえなくするリスクのほうが高いようにおもわれる。

方向性への示唆はある。たとえば、近年、ホフスタッターとの「反知性主義」をめぐる対立について、歴史家のアダム・ウォータースとE・J・ディオンヌJr.が、『ディセント』誌であらためて検討をおこない、結論として、こう述べている。

反知性主義の形態には、それぞれ異なる目的と根源があり、純粋にデモクラティクな衝動を、精神生活に対する徹底的な攻撃と誤解する危険性がある。知識人がエリート主義的にじぶんたちの階級以外の人びとを蔑視するばあいもあれば、デモクラシーの価値の真の表現に対抗して知識人のスタイルが動員されるばあいもある。[13]

日本の二〇一〇年代の「反知性主義」といえるものがあるとして、それはこの後者、「デモクラシーの価値の真の表現に対抗」する「知識人のスタイルの動員」であろう。しかし、知をどのように人びとにひらかれたものにするのか、知がどのような条件のもとで人びとの解放に寄与するものとなるのかといったヴィジョンや模索を欠いた「反知性主義」批判は、ラッシュが一九六〇年代に批判したような、「知性と知識人の混同」、そして「大衆（ヤンキー化した？）に包囲される孤立した知識人」というナルシシスティクなイメージを通して、「エリート対モッブ」という構図をくり返すことになるだろう。

6 支配する知——反知性主義はなぜ生まれるか

最後にすこし、もうすこし深く、なぜ「反知性主義」のような現象が生まれるのか、かんたんにコメントをしておきたい。

知そのものは人を解放するために機能することもあれば、人を拘束したり押さえつけたりするために機能することもある。いっぽうで、ヒエラルキーを解体し、わたしたちの共にある条件をよりよくすること、促進することにも決定的に寄与することもあるが、いっぽうで、ヒエラルキーを形成・強化し、専制支配を正当化し、不平等な富の配分に寄与することもある。

一九六八年以降において、知や知性そのものになにか価値があるといった物言いはもはやできなくなった。日本でならば、たとえば、「大学解体」以降、自主講座運動がなにを問題にしたか、それを想起してみよう。二つの大戦をかろうじて生き延びた知の無垢への信憑も、この時代以降、もはやほとんど全面的に困難になる。問われるべきは、知識人そのものが知を介して組み込まれたヒエラルキーとどうわたりあうかにもなる。そして、知識人は、みずからの知について、どのような条件のもとで人を束縛するものとなるのか、どのような条件で解放的になるのか、自問を強いられることになる。

それでは、本論の文脈で、知がどのように支配の条件に転化するかをすこし考えてみよう。

第1章で述べたように、暴力は支配すべき対象について知る負担から支配する側を免除する。したがってジャイアンはのび太たちの感情や考えに対して無知であった。それに対して、先ほどふれた「従属した知」は、のちの第15章も参照してほしいが、けっしてもろもろのおごそかな儀礼によって真理性ないし通用性を裏打ちされたものではないインフォーマルな大衆の知であった。ここではこの「従属した知」について、第9章で説明するような、ヒエラルキー上の下位に位置するものが強いられる「解釈労働」（要するに、のび太たちはジャイアンの気持ちの動きをつねに読んでいるということである）によって積み上げられるものと位置づけ直すことができるかもしれない。

それに対して、知が支配とむすびつくとき、それはどこかで暴力と縁をむすんでいる。たとえば、国家において、人はつねに動員の対象となっている。それは富の抽出の対象であり、賦役や軍事のための動員の対象であり、逃亡を阻止するために監視される対象である。人びとをそのような対象に仕立て上げるためには、なんらかの知が必要である。文字が必要であり、計算が必要であり、合理的配置が必要なのである。そのような知は、人びとをその生きる平面から抽象化し、それを通して操作的対象とする官僚の知でもある。ここには知でありながら、解釈労働における知の個別性や具体性を欠いている。わたしたちは、上司の顔色をうかがうとき、上司一般の行動パターンを知り、それをあてはめるわけではない。「この」上司の性格やくせをつかみ、「この」上司のいまの感情の動きをつかみ、それによって「この」上司の機嫌を損ねないようにふるまうのである。いっぽう、官僚の知、支配の条件と展開した知は、そうした具体性の平面には無知である。あるいは、つねにその無知とそれによる冷酷を「合理性」と誇るのも、この知である。したがって、この知は、つねに国家の暴力にどこかで繋留している。

ここではさらに、もうすこし基盤的な次元でも考えておきたい。

いっぽうで、人類は好奇心をもって独自の知を蓄積してきた。わたしたちのこの近代技術のもとで発達した社会においても、その暮らしの土台は、先史時代から無名の人たちが蓄積し、シェアしてきた知や技術から構成されている。

そのいっぽうで、たとえば、シャーマンのような人びとの力は、かれらだけがある種の知を独占しているところに源泉をおいている。そして、その知の独占がシャーマンのカリスマを形成している。精神分析的にいえば、「知を想定された主体」である。「知を想定された主体」は、実際にはなにも知らないとしても、世界の、そしてなによりも「あなた」自身の謎を知っているというふるまいによって、人を惹きつけ、それによって操作する。つまり、当然ながら、その延長線上で、人を服従させ、支配することもできる。このような知は、ヒエラルキーを形成し、支配を行使する基盤ともなりうるのだ。だから、未開社会をはじめとする多くの社会は、シャーマンのカリスマが潜在的にふくみもっている知の配分の不均等による権力の発生を、あの手この手で阻止してきた。シャーマンには、暴力の契機をいっさい与えないことによって、あるいは、社会的周縁に維持することによって（最下層におくことによって）、あるいは、その力の衰弱をみてとると追放したり殺害することによって、などである。

反知性主義が、アメリカにおいて、デモクラシーや平等意識とむすびついていることは、指摘した通りである。そして、その基層には、このような知をめぐる普遍的な力学があるようにおもわれる。

1 Richard Hofstadter, *Anti-Intellectualism in American Life*, Alfred A. Knopf,Inc., 1963（田村哲夫訳『アメリカの反知性主義』みすず書房、二〇〇三年、六頁）.

2 森本あんり『反知性主義——アメリカが生んだ「熱病」の正体』新潮選書、二〇一五年。

3 Christopher Lasch, *New Radicalism in America : The Intellectual As a Social Type*, Knopf Doubleday Publishing Group, 1965, p.366.

4 Jeff Ludwig, From Apprentice to Master: Christopher Lasch, Richard Hofstadter, and the Making of History as Social Criticism, in *Essays in History*, Volume 45, 2011.

5 Richard Hofstadter, *The American Political Tradition and the Men Who Made It*, A. A. Knopf, inc. 1948（田口富久治、泉昌一訳『アメリカの政治的伝統——その形成者たち』I・II、岩波書店、二〇〇八年）.

6 これらについてはここではとても追尾できない。その運動の複雑さについては、手に取りやすいテキストとして、ハワード・ジン『民衆のアメリカ史』上・下、明石書店、二〇〇五年を参照せよ。

7 Yokoyama Ryo, “Populism” and “populism”: Aporia of the Historiography of American Populism, in *Nanzan Review of American Studies*, Volume 39, 2017, pp.103-4.

8 Richard Hofstadter, *The Age of Reform*, 1955（清水知久ほか訳『改革の時代——農民神話からニューディールへ』新装版、みすず書房、一九八八年、五九頁）.

9 同右、六五頁。

10 ウォーラーステインによるならば、「無限の資本蓄積」という基本的優先事項の守護者たち。

11 Immanuel Wallerstein, *Utopistics Or Historical Choices of the Twenty-first Century*, The New Press, 1998,（松岡利道訳『ユートピスティクス』藤原書店、一九九九年、三三頁）.

12 ここではそれを実体として述べているわけではない。ドゥルーズとガタリにならうならば、「1968年は存在しなかった」といってもよい。ただしこのことの筆者なりの具体的含意については、第5章を参照していただければ幸いである。

13 Adam Waters and E. J. Dionne Jr., Is Anti-Intellectualism Ever Good for Democracy? in *Dissent* , Winter 2019,（https://www.dissentmagazine.org/article/is-anti-intellectualism-ever-good-for-democracy）.

03

ピープルなきところ、ポピュリズムあり

――デモクラシーと階級闘争

初出｜『福音と世界』二〇一七年一二月号、新教出版社

1 あいまいな「ポピュリズム」——極右から急進左派まで

ポピュリズム、という言葉で、ここ日本ではどのようなイメージが浮かぶでしょうか？　メディアの劇場政治を通して単純なフレーズで人気取りをおこなう政治家と、それに踊らされる愚かな大衆、といったところが、一般的通念でしょうか。

おそらく、現代の世界の政治の一番の特徴はなにか、と問われるならば、真っ先にあがるひとつが、ポピュリズムであるとおもいます。現代が、ポピュリズムの時代であることはまちがいないのです。

しかし、この言葉は、少し前まで、研究者にはなじみのあるものでしたが、日本語で一般的に流布していたとはいいがたいものでした。ここには興味ぶかい示唆がひとつあるとおもいます。つまり、おそらく、日本はすくなくとも戦後、ポピュリズムを経験していないのです。それが変わったのは、たぶん小泉純一郎が首相になったあたりから、そしてとりわけ、大阪の橋下市長と維新の会の擡頭とともにではないでしょうか。

ポピュリズムにはときに訳語があてられますが、そのひとつが「大衆迎合主義」です。ここにはポピュリズムに対するネガティヴな価値意識が露骨に投影されていますが、もともと「ポピュリズム」という用語にそういうニュアンスがなかったとはいえません。popular は people の形容詞ですが、ポピュラーである、すなわち大衆的である、一般的である、人気がある、といった状態それ自体、ある時期は、否定的な含意をもっていたのです。日本で、この言葉が流布しはじめてからは、とにかく、じぶんの気に入らない政治家や政治勢力に投げつけるレッテルのように機能してきました。さすがに、最近はそういう風潮は徐々にあらたまりつつあるようにみえますが、しかし、その意味は、いまだ漠然としています。

ポピュリズムといわれる現象には、多様なものがあります。橋下徹という人物は、おそらく現代の右翼ポピュリストないし権威主義的ポピュリストの典型といえますが、その特徴をいくつかあげると、現代の世界のポピュリストの姿がみえてきます。

1 敵をつくり、それを労働組合、自治体官僚、左翼、批判的メディア、マイノリティ組織などと同一視すること。

2 民衆、あるいは一般大衆、マジョリティの「ふつうの人びと」と、そうした敵たちとを対立させること。

3 じぶんをそのマジョリティの「ふつうの人びと」と同一視すること。

4 それによって、デモクラシーの枠内で交渉すべき勢力から、「敵対者」たちを外そうとすること。

5 選挙を完全に否定しないが、選挙をみずからへの白紙委任状と捉え、デモクラシーの機能を極端に縮小する傾向があること。代表制デモクラシーの代表機能を、可能なかぎり独裁的に解釈しようとすること。

6 三権分立や法の支配、表現の自由といった、リベラルな諸理念、諸制度を軽視し、これも縮小しようとする傾向があること。

7　排外主義や歴史修正主義、レイシズムに親和的であること。好戦的であること。

8　中間組織を嫌い、意思決定のトップダウン構造を構成しようとすること、指導者と、指導者に喝采する大衆という図式を好み、マスメディアを介したスペクタクルによってそれを調達しようとすること。つまり、権威主義的であること。

これらはトランプの特徴にもあてはまりますが、第二次大戦後の右翼ポピュリズム体制に共通する特徴なのです。

しかし、むかしもいまも、ポピュリズムといわれる現象は、このような要素では割り切れません。これがポピュリズムという用語に混乱をもたらしているのです。

橋下にしても小池百合子にしても、かれらは、みずからが排外主義的で歴史修正主義的であることを隠そうとしません。むしろ、それをテコにして、民衆の排外意識を掘り起こし、それに訴えながら、支持を広げようとしてきました。トランプもそうです。かれはしばしば、「レイシズムの見本市」と揶揄されるような話法を駆使して大衆の差別意識をあおり立て、また実際に、「不法移民」をあぶりだして強制送還しようとしています。ところが、そのいっぽうで、たとえば、ヨーロッパをみると、スペインのポデモスという若い世代を中心とした急進左派もポピュリストといわれています。

というより、自称していますが、かれらは、移民の投票権を主張しています。またギリシアの与党〔二〇一五～二〇一九年まで〕であるシリザもそうです。かれらは急進左派を自称しながら、移民への排外主義には強く批判的であり、むしろ極右ポピュリズムの擡頭を抑えてきました。それぞれ、一九九〇年代からネオリベラルグローバリゼーションに対抗して世界規模で生まれた多様な民衆運動のなかからあらわれてきました。

いまは退潮期ですが、ラテン・アメリカでは近年、ベネズエラのチャベスやボリビアのエボ・モラレスのような、急進左派のポピュリズムが擡頭していました。ラテン・アメリカは、ポピュリズムという政治スタイルを主要に経験してきた地域です。二つの大戦後、アルゼンチンには、フアン・ドミンゴ・ペロンという政治家があらわれ、長期にわたって支配しますが、ペロンは、その存在自体が、ポピュリズムのあやふやさを体現しているような人物です。というのも、ペロンのいうことは、右から左を包摂しており、実際にやることも、情勢に応じて、右から左の両極のあいだを、ぶれつづけたからです。

こうみると、ますますわからなくなってきます。ポピュリズムとはなんでしょうか？

2 ―ポピュリズムとはなにか？

ポピュリズムのルーツは、さまざまにいわれます。古代にさかのぼる人もいます。たしかに、古代ギリシアのデモクラシーの歴史をみると、基本的に貴族であるプラトンをはじめとする哲学者たちは、大衆（デモス）の支配するデモクラシーとむすびついた、政治家やソフィストといわれる知識人たちを、人気取りの扇動家である「デマゴーグ」と、しばしば指弾しています。これをみると、ポピュリズムは大昔からあったのだと推測するむきがあってもおかしくはありません。

しかし、ポピュリズムを論じる研究者たちは、おおよそのところ、ポピュリズムのルーツを、一九世紀後半のロシアとアメリカ合衆国にみています。ロシアはナロードニキで、アメリカ合衆国は人民党（People's Party あるいは端的に Populist と名乗りました）です。

ナロードニキは、一九世紀後半（一八六〇年代から一八七〇年代にかけて）のロシアにおける、「インテリゲンチャ」を中心とした運動のことです。日本でも「ヴ・ナロード」という標語がよく知られていますが、これは「人民のなかへ」という意味です。ナロードニキの活動家たちは、農民を遅れた帝政を打倒する革命的階級、しかしみずからは解放にたどりつけない階級とみなし、かれらを指導するために農民のなかへ入っていきました。その試みは挫折しますが、その挫折と苛烈な弾圧がかれらの一部をテロリズムへと手引きします。これは資本主義社会への移行期における、前近代的支配や収奪への抵抗ですが、そこから、この運動を「アウフヘーベン」するかたちで、レーニンらの二〇世紀ロシアの革命家たちも生まれてきます。いっぽう、より現代のわたしたちの条件に近いのは、アメリカの人民党です。アメリカの代表制デモクラシーが二大政党体制として確立したあと、その危機の表現としてあらわれたのが人民党とその文脈にある「ポピュリスト」の運動でした。南北戦争以降の、産業の発展、独占の擡頭、不況などを背景として、産業家、富裕層、既成政党、政治家の癒着のなかにある二大政党制ではもはや代弁しえなくなった、「ピープル」の声を表現しようとの試みでした。たとえば、それは排外主義どころか、すくなくとも当初、南部では、白人貧困層と黒人農民との連帯への努力としてもあらわれます。それだけに、支配層の危機感、恐怖感は強く、その連帯の機運を破壊するものとして、レイシズムが強力に動員されたのです。

ナロードニキも人民党も、基本的に、政治的スペクトラムでいうところの、左派に属しています。いずれにしても、これらは、民衆と支配層の対立関係を明確化して、ピープルに訴えました。ここは押さえておかねばなりません。つまり、ポピュリズムのとる形態にはさまざまな否定的見方が可能ですが、ポピュリズムを発生させる根源には正当な理由があるのです。それともうひとつ。この社会が、ある種の不当な支配構造にあってそこには対立があるのだといった認識は、それ自体にはいっさいおかしなところはありません。ポピュリズム批判には、つねに、こうした構造自体を認めたくないといった支配的リベラルの視線、さらには、民衆を愚かとみなす、それこそ長い歴史をもつ、エリートの愚民意識がひそんでいます。いま世界中でそうですが、ポピュリストは、こうしたリベラルの批判をもろともしません。なぜなら、人びとの苦境とそれを救いとる回路が不在であるという意識は、人びとがそこに救済を認める回路がどれほど幻想的であるか、あるいは危険なものであるかを言い立てても消えるわけではないからです。それと、もうひとつ。この社会がデモクラシー、すなわちピープルによる支配という建前をとるかぎり、それをより実質化させようという動きとぶつかります。そのジレンマを自覚しない言説は、どうしてもエリート主義、あるいはデモクラシーの否認という火種をそのうちに抱えてしまう。こうしたリベラルの批判がポピュリズム現象とすれちがうより深い理由はここにあります。結論の先取り的になりますが、わたしは、ポピュリズムはデモクラシーの過少であるところには必ず生まれてくるとおもいます。これをデモクラシーの過剰とみなすところに、リベラリズムの限界があるのです。

先走ってしまいましたが、それでは、これと現在のポピュリズムはどういう関係にあるのでしょうか?

以上のロシアとアメリカ合衆国のポピュリズムを、「オリジナル・ポピュリズム」として、現代のポピュリズムと区別する人たちもいます。直近の研究をみてみましょう。歴史学者フェデリコ・フィンケルステインの『歴史のなかのファシズムからポピュリズムまで』[1]です。

この著作は、現代のポピュリズム論議の大きな欠点は、歴史的視点の欠落とヨーロッパ中心主義にあるといいます。それは古代にみいだすべきでもないし、一九世紀にみいだすべきでもない。その起源は、はっきりしています。一九四六年のラテン・アメリカです。先ほどあげた、ペロン、そしてブラジルのヴァルガスです。とりわけペロンが重要です。アルゼンチンでは第二次大戦中の一九四三年にクーデターで軍事政府が成立します。この政府は、労働組合に容赦のない弾圧をくわえますが、他方で、国民の支持の獲得も画策し、労働局長として実績をあげていたペロンの地位をさらに引き上げると、ペロンはそれを活かし、次々と労働者の要求を実現していきました。当初は抵抗していた労働組合も、ペロン支持に変わっていきます。それに不満をもった軍内部の保守派は、ペロンの排除を狙って幽閉しますが、労働者をはじめとした大衆的支持によって、ペロンは復帰し、労働者をひとつの支持基盤として大統領となると、それから長期政権を維持します。しかしかれは、左派や、みずからを支えた労働組合の活動家を邪魔とみなすと、次々と排除していきました。その手法は、独裁的で権威主義的なものです。

ペロンはファシズムに親近性をもっていますが、あきらかにファシストではありません。フィンケルステインは、現代にいたるまでの固有の意味でのポピュリズムは、ファシズムとその徹底的否定なしにはなかったという点を強調します。「歴史的にみて、ファシズム以降のポピュリズムは、デモクラシーにかかわる権威主義的立場の再生であり、その体制への翻訳であって、それ自体はファシストの想像世界に基盤をおいている」。そして、それは「デモクラシー的代表制の広範囲にわたる危機に対する権威主義的応答をあらわしている」のです。たしかに、ポピュリストとされる政権は、選挙において不正を大々的におこなうにしても、それでも選挙で敗れれば退陣しますし、みずからも、しばしばファシズムや全体主義への反対を公言します。ファシズムのようにいったん政権をとるとデモクラシーを否定しにかかることはしないのです。その点で、固有の意味でのポピュリズムとは、ファシズムの否定が前提となった大戦後のポストファシズムの時代の政治形態なのです。しかし、同質的で一体のものとして想像された「ピープル」を唯一代表する者を公言し、三権分立、立憲主義、表現の自由、多元主義的要素を、最大限に制約しようとしたり、あるいは、対立者たちへの迫害をいとわない、といった点で、ファシズムと共通しています。というより、それらは、ファシズムに根をおろしてもいるのです。

この研究から学ぶところは多くあります。とりわけ、わたしは、ポピュリズムをファシズムとの連続でみながらも、それとはっきりと区別したところが大事だとおもいます。というのも、日本でも（日本にかぎりませんが）、ポピュリストをファシストと安直に重ねる傾向は強いからです。それだと、ポピュリズムに固有の力学はみえなくなるでしょうし、代表制デモクラシーの危機などの、ポピュリズムを生み出す構造的問題の根源がみえなくなります。そして、それへの対応も誤ってしまうのです。

ただし、疑問もあります。ここでは、ポピュリズムは権威主義的なデモクラシーの形態であるとされています。しかし、これでは、たとえば、権威主義を遠ざけて、民衆とその組織の多様性を認め、アッセンブリー的合意を重視しようとする、「水平主義」[2]の影響のもとにあるスペインのポデモスは理解できません。また、フィンケルステインはじめ、現代の研究者たちの多くが現代の権威主義的ポピュリズムの代表のひとりにあげる、チャベスのベネズエラですら理解できません。チャベスのポピュリズムが基盤としていたのは、ベネズエラにすでに強力に発展をみせていたコミューンの運動とそのネットワークです。生産から消費、地域の運営、さらには自警組織（ベネズエラではギャングやそれと結託する警察からコミュニティを守る動きが革命化して、チャベス政権の支持者となっていたのです）などからなる民衆の多様なコミューンと運動が基盤だったのです[3]。スラヴォイ・ジジェクのような哲学者は、それを右翼ポピュリズムとは区別して、現代にもし「プロレタリアート独裁」といえるようなものがあれば、チャベスのベネズエラがそうだ、といっています。

こうした言葉づかいには、いささかどきりとさせるものがあるかもしれません[4]。しかし、代表制デモクラシーの根本的危機のなかで、その危機に、上から権威主義的にではなく、下から民衆の自治によって応答したものである、つまりデモクラシーの深化によって応じようとする衝動の派生体と考えると、すくなくとも、右翼ポピュリズムとのちがいは、もしかすると本質的かもしれないのです。

3　ポピュリズムという健全な病理——ピープルによるデモクラシーのために

そうした下からのデモクラシーの要素それ自体はポピュリズムとはいえない、と反論されるかもしれません。しかし、こうした議論では、たいがい、それははっきりとしないのです。

それに対し、ポピュリズムそれ自体の力学を捉えようとする試みもあります。言説やシンボルの動きに注目する研究です。それによればポピュリズムとは、「**シンボリックに社会をピープルとその「他者**

（other）」に分割することで、政治的空間を単純化する、反現状の言説[5]」（強調引用者）となる。むずかしそうなことをいっていますが、敵をつくってシンプルなフレーズで「既成のもの」を破壊することを唱える、ということで、よく実感できるとおもいます。右翼のポピュリズムであれば、ここでいうピープルの「他者」には、労働組合、左派政党、移民、フェミニスト、セクシュアル・マイノリティなどが代入されるでしょうし、左翼のポピュリズムであれば、金融資本家、富裕層、軍事政権、ファシストなどなどが代入されるでしょう。このような研究は、ピープルは構築される、といった点に力点をおきます。つまり、ピープルとは、言説による構築の前からごろんとそこにあって、だれかに代表されるのを待っているのではなく、むしろ、本来多様なアイデンティティや利害を抱えた存在である生地としての集合体としての人間が、言説を通してピープルとして構成されるというのです。かれらはたいてい「ポストマルクス主義」という立場をとりますが、それは資本制生産様式の支配する社会における闘争を労働者階級を主体として捉えることを認識上も実践上もやめるということを意味しています。マルクス派においては、革命を達成するためにつねに、労働者階級以外の諸階級、諸主体とどう同盟をむすぶかが問われ、それが理論的にも実践的にも難問を構成していました。西ヨーロッパのようにすでに労働者階級が単体で多かれ少なかれ強力な勢力をなしている諸地域においてもそうなのですから（たとえば当時、建前上はマルクス主義を掲げながら「国家内国家」といわれるくらいの強力な労働組合を抱えていたドイツは、農民をはじめとする非労働者階級からナチズムに掘り崩されました。組織労働者はナチズムには相対的に最も屈しなかった層です）、ロシアのように少数の労働者階級と多数の農民階級を抱える社会では、それが死活の問題となります。

ポピュリズム研究のこの潮流を主導した理論家のエルネスト・ラクラウはアルゼンチン生まれで、当初はマルクス派としてラテン・アメリカのポピュリズムに取り組みすぐれた成果をあげていました。初期の著作では、世界システム論をめぐる論争への介入から出発して、ラテン・アメリカにおいて顕著にあらわれる、階級を主体にした闘争とは区別される人民《ピープル》という諸階級の同盟からなる闘争の次元をどうマルクス派のフレームで理解するかに、かれはエネルギーを注ぎました。[6] わたしとしては、この時期の著作にはとてもよく学びましたし愛着もあります。しかし、その難問をかれは、マルクス派のフレームのほとんどを放棄し、「ポストモダニズム」を多く導入することで解消しようとします。そしてさらに「ポピュリズム論的転回」とでも呼ぶべきプロセスをへながら、階級闘争との緊張関係をすべて清算したようにみえます。それがかれの言説論的ポピュリズム論です。

このような研究は、こうしたピープルの構築が、どのようにラディカルに解放的で多元的でありうるのかを示唆します。つまり、これはポピュリズムが必ずしも権威主義的だったり右翼的、排外的であったりするのではない、という実情をよく表現し、また、デモクラシーを理念にすえた社会においてポピュリズムが必須であること、そして、それがいかなるときに解放的たりうるのかということを教えてくれます。実際、このような議論は、ポデモスなどヨーロッパの左翼ポピュリズムに大きな影響を与えています。

先述したように、わたしは、ポピュリズムはデモクラシーの過少の表現ではないかと考えていますから、たとえポピュリズムを左にむけてあれこれしても、最終的にはどこか的を外した感じをもっています。[7] ここで問題にしてきたのは、ポピュリズムを負の記号として扱う傾向にはきわめて問題があるということです。だから、現存のシステムの制約のなかで突破口を切りひらく端緒としてポピュリズムを戦術としてとるという路線はわかります。しかし、原則的にはやはり、ポピュリズムは乗り越えられるべきであるようにおもいますし、それを念頭においておかないとまずいことになるように感じています（ざっくりいうと、結局は「ヒーロー／ヒロイン政治」に終始するようになる）。だから、いささか別の角度からみてみたいのです。

ここで、別の人物のポピュリズム論が役に立ちます。マリオ・トロンティというイタリアの思想家によるものです。[8] かれの主張はひとことでまとめられます。「ピープルが不在であるがゆえに、ポピュリズムがある」というものです。[9]

いったいこれはなにをいっているのでしょうか。かれは、ポピュリズムという発想の基軸にある観念、ピープルという観念にさかのぼって考えます。

これには、二つの起源があります。まず、たいていあげられる、古典古代のギリシア、ローマです。しかし、ピープルにはもうひとつ系譜があって、それは聖書の伝統に由来するものです。モーゼの創設したピープルです。そのピープルは、広場に集まって討議する市民というよりも、抑圧や隷属、そして解放やエクソダスといったイメージをまとっています。

トロンティは、近代において、ピープルという概念は、後者の系譜にあるといいます。それは、「世俗化された神学の観念」なのです。わたしはおそらく両者の混合ではないかとおもいますが、トロンティの指摘は有益です。というのも、近代は、まさにこの神学の生みだすパラドクスに憑かれているからです。ものすごくかんたんにいうと、近代においてこの社会あるいは法的秩序を最終的に根拠づける至上権が神から、ピープルに移行します。王のかつて保持した権力は、ピープルという実体がいまや保持している、と、宣言されたのです。ところが、これは、ただちに問題をひきおこします。というのも、ピープルとは定義からして、そもそも法によって拘束されていることで統一された、個人からなる集合体だからです。たんに地表にばらんばらんに生きている個人や小集団を、デモクラシーの主体としてのピープルとはいえないでしょう。としたら、かれらがその法を創造できるということはなにを意味しているのでしょうか？

近代思想は、この矛盾に悩まされました。たとえば、ピープルを根本法である憲法制定権力の位置においたとします。しかしその権力や権利を、ピープルに授けるのはなんでしょうか？　それに、なぜ、至上の位置を占めるはずのピープルが法によって拘束されるのでしょうか？

これは、まさに秩序の究極の正当性の根拠を求める神学的議論です。ピープルに主権があるという発想をとるかぎり、そしてそのうえでデモクラシーというシステムを選択するかぎり、この難問から脱出する方法はありません。そこで、問題そのものを、さまざまに緩和する装置が設けられます[10]。

トロンティの議論は、しかし、ここに力点があるのではありません。ピープルの政治的意味が、一八四八年にあらわれるということです。一八四八年とはなんでしょうか？　それはヨーロッパの「世界革命」の年であり、その後の、世界の様相を決定づける出来事がいくつかありました。そのひとつが、ブルジョアジーと労働者のあいだの決裂です。つまり、一七八九年の大革命以来、アンシャンレジームに対してともに革命勢力を構成していたブルジョアジーとプロレタリアートとが、一八四八年革命において、はっきりと分裂して、労働者が固有のイデオロギー、すなわちソーシャリズムあるいはコミュニズムとむすびつき、両者が対立をはじめるということです。ソーシャリズムは一八四八年に生まれた、といわれますが、そこにはこのような含意があるのです。つまり、ここではじめて、資本制のもとでのピープル、その枠組み自体にとって転覆的な意味をはらむピープル、あるいは政治的なピープルである「人民」が誕生するのです。

この発想は、多くの示唆を与えてくれます。先ほど、日本ではポピュリズムという言葉は最近まで流布していなかった、といいました。不思議ではありませんか？　二〇世紀には、一九七〇年代にいたるまで、労働組合は強力で、日本でもある程度はそうでした。そして、民衆やとりわけ人民というピープルの訳語は、解放という政治性を帯びていました。その意味で、ピープルの現前は、いまよりまったく強かった。にもかかわらず、ポピュリズムという現象は最近にいたるまで、あらわれなかったのです。言葉を知らなかった、というわけではありません。あきらかに、「ポピュリズム」が存在しなかったのです。これは相関しています。「階級闘争」、もうすこしひらたくいうと、ひとつの社会体の内部に亀裂があることがはっきりしていたこと――排外主義的ポピュリズムに顕著な同質的国民といった幻想が抑えられていました——、そして、それがピープルという政治性を帯びた表現としてあらわれていたことによって、抑止されていたのです。

これは、わたしたちの資本主義社会が、現実には分裂しているという根源的条件を背景にしています。どんなに国民の一体化をいおうが、なにをしようが、この社会は、「一%対九九%」という標語がさらけだそうとしたように、根本から分裂しているのです。しかも、大戦後に、たまさかのあいだ、先進国では弥縫されるようにみえたその分裂は、一九八〇年代からもう手の施しようもなくふたたび広がりをみせています。

しかし、実はこのことは、現在のデモクラシーと代表制（代表制は本来デモクラシーとは関係なく、貴族と王の対峙の枠組みからあらわれたリベラリズムのものです）とを接合しようとした、一八世紀、一九世紀の革命家や政治家たちはよくわかっていました（たとえば、アメリカの建国にあたって、連邦主義者と呼ばれる人たちは、富の不平等に基盤をおいた社会ではデモクラシーは不可能であると公然と認めていました）。かれらの多くは、じぶん自身、富裕層や中産階級だったので、なんとかデモクラシーの強度を抑えるかたちで対応しようとしました。**ポピュリズムは、このように理念上ではピープルに主権を与えるということと、実態上では支配や搾取、収奪にピープルがさらされているということの亀裂からあらわれてきます。**すこし逆説的な表現ですが、ある種の「健全な病理形態」なのです。

ホワイトハウスにドナルド・トランプという露骨な右翼排外主義のポピュリストが君臨したという事態は、おそらく、デモクラシーを代表制というかたちで抑え込み、それと資本制のもたらすヒエラルキーとを和解させるといった、二〇世紀に主流であった社会の構成が根本的なデッドロックにつきあたったことの表現です。そして、この「病理」を、権威主義的ポピュリズムは、デモクラシーを抑え込むかたちで「解決」しようとします。それに対して、人間が生き延びるべきであるとしてですが、唯一の見込みのある方向性は、ただひとつ、デモクラシーをもっと深化させる道のみであろうと、わたしは考えます。

1 Federico Finchelstein, *From Fascism to Populism in History*, University of California Press, 2017.

2 水平主義（horizontalism）は、スペイン語のholizontalidadに由来しています。たとえば、つぎのような用法における「水平」から、その意味を汲みとってください。「占拠［オキュパイ］運動はダイレクト・デモクラシーを通して、参加者がオープンにたがいに関与できる、水平的で、非ヒエラルキー的な社会関係を形成しようとした」。この語がはじめてあらわれたのは、アルゼンチンです。二〇〇一年、経済危機のただなかで街頭にくりだしたアルゼンチンの人びとは、ポットやなべかまを叩きながら「みんな出て行け、一人も残るな」と叫びました。ここでの「みんな」とは、議会を構成する政治家のことです。この民衆反乱における運動の組織方法が「水平主義」と呼ばれました。人びとは五つの政府を次々と倒しながら、それと並行して地域単位の集会《アッセンブリー》組織を形成しはじめます。holizontalidadに基盤をおく集会組織です。運動参加者たちは、それをたがいの意見に耳を傾け合いつながり合う、最も自然なやりかたとみなしていたといわれています（https://www.dissentmagazine.org/article/horizontalism-and-the-occupy-movements）。これについては、Marina Sitrin, *Horizontalism: Voices of Popular Power in Argentina*, AK Press, 2006が最良の手引きとなります。

3 この点についての一番アクセスしやすい文献は、George Ciccariello-Maher, *Building the Commune Radical Democracy in Venezuela*, Verso, 2016.

4 とはいえ、「プロレタリアート独裁」という言葉は、いまではネガティヴなニュアンスしか与えないのかもしれませんが、いまの日本語圏における右翼の普遍化ぶりは、こうした文脈ぬきに（またあえていえば「感情的」に）かつての「革命の産物」をはねのける態度、そしてその普遍化にひとつには起因しているようにおもわれます。とすれば、もう一度、この概念を提起したブランキに立ち戻り、どのような時代状況とブランキ、そして大衆運動の思考が、このような概念に結実したのか、そしてそれがマルクス＝エンゲルスとどうからんで、どう展開をみせたのか、一考してみるべきだとおもいます。

5 Francisco Panizza, Introduction: Populism and the Mirror of Democracy in, Pannizza, F.(ed.), *Populism and the Mirror of Democracy*, Verso, 2005, p.3.をみよ。

6 とくにErnest Laclau, *Politics and Ideology in Marxist Theory : Capitalism, Fascism, Populism*, NLB（大阪経済法科大学法学研究所訳、横越英一監訳『資本主義・ファシズム・ポピュリズム――マルクス主義理論における政治とイデオロギー』柘植書房、一九八五年）。

7 これについてはラクラウと理論的に近しいシャンタル・ムフのインタビュー“We urgently need to promote a left-populism”［わたしたちは切実に左翼ポピュリズムを促進する必要があるのです］が参考になります。（https://www.versobooks.com/blogs/3341-chantal-mouffe-we-urgently-need-to-promote-a-left-populism）。そこで質問者は、ウォール街占拠運動における、ダイレクト・

デモクラシーにおいて中核をなしていたコンセンサス形成に懐疑をみせています。「あなたがいうピープルの構築は、ウォール街を占拠せよやその「九九%」の幻想、つまり全会一致、合意のもとに集うピープルと似ていないでしょうか」。それに対するムフの応答は以下のとおりである。「「ウォール街を占拠せよ」とのつながりを通して、わたしは『タイダル(Tidal)』誌というかれらの理論的レビューに文章を書く機会をえました。そこでわたしは、すべての問題は超富裕層の少数派に起因しており、ピープルが疎外を解消するためには、たんにその少数派を排除すればよいという考え方に反対しました。わたしはいささかのユーモアをもって、ここで毛沢東を引用してみました。毛沢東によれば、人民自身のなかにも矛盾がある、と。ピープルが多種多様であり、差異や、これらの差異のあいだの生産的緊張から構成されているという事実は、わたしたちにこれらの差異を受け入れ、抗争を交渉するための枠組みをできるだけ多元主義的なものとして受け入れるようにみちびくはずです。これが政治的リベラリズムが民主主義にもたらすものなのです。民主主義とは、多数者の支配だけでなく、少数者の尊重も意味するのです」。このやりとりは、どちらの側も近年のアナキズム的直接民主主義の核心をまったく外している点でおどろくべきものがあります。まず一%対九九%という標語が、すべての悪が超富裕層からやってくるという発想に矮小化されているのが目につきますが、それは措いておきます。そこでのアナキズム的直接デモクラシーの実践は、デモクラシーとはなにかについての支配的考えと根本から異なるものを提示することに意味があったはずなのに、その点についての考慮はまったく不在です。ムフは、多数派の支配だけでなく少数派も尊重せよ、といったありきたりの議論をもって応答したことにしているのです。これは不思議なことですが、かれらの直接デモクラシーの提起していたのは、多数決的意思決定を必然的にもたらす、デモクラシーと代表制をむすびつける発想そのものであり、近代的デモクラシーの歴史限定性/ヨーロッパ中心主義だったからです(それに対するオルタナティヴなデモクラシーのルーツのひとつはアメリカ先住民の意思決定方法にもとめられていました)。このムフの議論は、代表制の枠のなかで、どれほどマイノリティもそこに参入させるか、という発想をでていないのです。左翼ポピュリズムはデモクラシーをラディカル化させるといいますが、社会民主主義政党が女性、LGBTQ、あるいは先住民の意思をより反映させるよう、あたらしくピープルを再定義しよう、そのとき社会民主主義の意味も変わってくるだろう、という漠然としたイメージを超えるようなものはここからはみえてきません。ただ、これもちょっとおどろくのですが、ムフもようやく、その社会民主主義が機能しないことには気づいているのですよね。でもそうするとますます、いったいどのようなデモクラシーがそこにありうるのか、みえてこなくなります。そうした事態への根本的な対案的試行錯誤が、アナキズム的意思決定方法であったのに、このすれちがいには、ムフもあいかわらず脱出できない、マルクシズム/リベラリズムの枠の反映があるようにおもわれます。つまり、かれらが話題にしている運動の核心にある「予次的政治」にもひそむ、アナキズムの古典的スローガン「古い社会の外殻のなかにあたらしい社会を形成する」の含意がつかめているとはいいがたいのです。それと、かれらにおける資本主義分析の欠落も致命的です(これはかれらの「ポスト」マルクシズム全体の問題ですが)。アナキズム的合意形成の提起は、それが世界総体の分析や未来像と不可分であったのであり、ムフの議論からはそれも不在なのです。

8 Mario Tronti, We have populism because there is no people, Verso, 27 Mar, 2013 (https://www.versobooks.com/blogs/1261-mario-tronti-we-have-populism-because-there-is-no-people).

9 ここはトロンティのエッセイのここでの関心に即する要素のみをとくに抽出しています。ときに「最後のコミュニスト」とも形容される、二〇世紀を生き抜いたマリオ・トロンティというこのイタリアの理論家を、わたしは敬愛していますし、このテキストは、左派ポピュリストの理論家のようにつねに現在と足並みを揃えようとする人間にはけっして期待できないような、むしろ反時代的であることのもたらすアクチュアルな見解が散見されます。が、それでもすべてに同意するわけにはいきません。トロンティがとりあげている、労働、党、階級の問題は、あらためて取り組む機会を期しつつ、ここではひとまず避けています。

10 フランス大革命における憲法をめぐる議論の展開と紆余曲折(一七九一年憲法、九三年憲法、九五年憲法)、そして一九世紀のフランス民衆運動が九三年憲法の実現を掲げていたこと(マルクスはこれに批判的だった)は、大革命がどのようなパンドラの箱をあけてしまったのかを集中的に表現しています。

04

「この民主主義を守ろうという方法によってはこの民主主義を守ることはできない」

——丸山眞男とデモスの力能

初出｜『世界』二〇二二年一一月号、岩波書店

1―戦後民主主義はどのような意味でデモクラシーか

「戦後民主主義」をめぐる議論は膨大にあり、筆者の手に負えるものではない。ただ、わたしたちがある時期までまだ頻繁に接していた負の記号としての戦後民主主義が、正の記号に転倒してきたという空気は感じられる。もちろん、あいかわらず「ネトウヨ」を筆頭に、保守派や右翼は、それを負の記号として的にかけ、糾弾しつづけるであろう。しかし、そうでない側からの「戦後民主主義」に対する激しい批判は息をひそめ、ほぼ正の価値をもって語られつつあるようにみえる。[1]

そんな空気のなかでいつもおもうのだが、「戦後民主主義」を担ったとされる人たちは、たいてい「戦後民主主義」なるものを担おうとか、守ろうとか考えていたわけではなく、たんに、デモクラシーの確立や、深化、根づき、あるいは実現をもとめていたであろう、ということだ。「戦後民主主義」をどうするか、などという問いがそもそも「戦後民主主義」的ではないかもしれないのである。「戦後民主主義」という呼称が批判として（あるいは蔑称として）登場して、しばらくは葛藤があっただろう。ところが「戦後民主主義」という語彙が、論争的・抗争的性格を弱めていくにつれ、より正確にいえば、「戦後民主主義」を左から批判する流れが退潮するにつれ、いささか奇妙な転倒が起きてきたような気もしている。つまり、「デモクラシー」の「実現」ではなく「戦後民主主義」の「保全」という意識への転倒である。

こうした転倒の危うさを、最もよく認識し、的確に批判していたのは、実はその「戦後民主主義」

を代表的に担うとされる知識人たる丸山眞男であるとおもわれる。

丸山眞男の、とりわけ晩年のインタビューや談話を読むならば、丸山の議論にも「デモクラシーの実質」とでもいうべき経験の裏づけがひそんでいることがよくわかる。ここでいう「デモクラシーの実質」とは、制度的手続きに限定されない、いわば最小の理念に還元されたむきだしのデモクラシー、民衆の民衆による自己統治といった基本的理念の次元から直接にあらわれる実践である。筆者は戦後知識人の議論が現在とは異なり、どこかしらにラディカルな成分をふくんでいる要因のひとつはこの具体性にあるとみている。

自身の知識人としての制約性に敏感な丸山は、それを前面に押しだしたりはしない、が、たとえば、丸山が一九六〇年安保闘争とともに積極的に関与した運動としてあげる「庶民大学三島教室」（皮肉なことにのちに「反大学」の源流ともされる「自主講座」運動への講師としての参加）についての回想に、よくみいだすことができる。[2]

丸山はその時代を「民主主義の状況化」と表現している。

> この時代〔敗戦直後〕というのは、民主主義が最も状況化した時代です。こっちの端に制度化がある。こっちの端に状況化がある。状況化というのは制度が融解したものなんです。制度化というのは状況が凝固したものなんです。

二島教室自体、民主主義の状況化の極限の産物である。ここにあるように丸山は、デモクラシーを状況化と制度化の振幅、「運動と制度の弁証法的統一」として捉え、さらにそれらと区別されたデモクラシーの理念的原則がその運動の動因とみなしている。

ここには、現在の「戦後民主主義擁護」のスタンスよりはるかにラディカルな姿勢があることがわかる。

丸山によれば、「戦後民主主義批判」はたいてい「戦後政治批判」である。つまり、まず、戦後政治という「現実」が戦後民主主義と等しいものとされ、戦後政治はひどい、戦後民主主義は欺瞞である、といった理路になる。ここには日本的な「現実主義」がある。つまり、そこでは民主主義の原則と照合されることがなく、戦後政治の「現実」が、そのまま戦後民主主義とみなされ、否定される。もし、戦後政治の現実がそのまま戦後民主主義であり、さらに高度成長以降の過程がひたすら民主主義の制度化の過程であるとするなら、戦後民主主義を「否定するのは当たり前だと思うんだな、僕は、心情的に」。

このような「現実主義」は、いまでも変わらない。もちろん、戦後民主主義が擁護されるとき、たいていそこでは**現在の**「戦後政治」は否認される。しかし、そこで擁護される戦後民主主義は、かつて制度化されていた民主主義、すなわちやはり「戦後政治」なのである。たとえば、二〇一〇年代に顕著になった批判的言説の「保守リベラル化」のなかで、現在の議会政治の「劣化」に、かつての自民党政治やあるいは天皇制すら担ぎ上げて対抗させるというかまえがあらわれた。そのかまえとひと揃いになるのが、たいてい現在の制度をデモクラシーと疑わない態度である。丸山のいうように、デモクラシーの原則に照合させるならば、そもそも現在デモクラシーとされるものがはたしてデモクラシーなのか、という問い返しがあって当然だ。

ところが、代議制そのものの批判も（あれほど熱意をもって批判されていたはずの）小選挙区制すらもほとんど疑義にさらされることなく、現行選挙制度での政党の動き、選挙の結果、投票への参加などによってデモクラシーの度合いが測定されるようになった。デモクラシーは、ひたすら制度化の次元、いわば「物象化」された次元でのみ語られるようになった（デモもそれに奉仕するかぎりのものである）。そうなると、選挙に参加しないのは意識の欠如、あるいはデモクラシーの放棄ということになる。しかし、丸山の議論からすれば、現在の代表制が民衆の民衆による自己統治というデモクラシーの原則からしてデモクラシーに値しないという見解、参加しないことがデモクラシーの擁護であるとする見解があってもおかしくないはずだ。戦後民主主義は、かつては「現実主義」の次元で批判され、現在ではおなじ「現実主義」の次元で擁護されているのである。

ここでひとつ考えるに値する事例がある。大阪における都構想の住民投票である。過小評価されているが、この出来事、とくに二〇一五年の第一回の住民投票は、現在の日本のデモクラシーを考えるにあたり重大な含意をもっているようにおもう。大阪での異様にすらみえる維新の会支配はよく知られているだろう。メディアは維新のプロパガンダ機関となって朝から晩まで奉仕し、町全体に維新がいまの「すばらしい」大阪をつくったかのような演出であふれている。そのような「オーウェル的」

大阪で、維新が全体重をかけた政策が二度も否決されたのである。

この現象について大阪の外からあれこれ分析がくり広げられたが、ほとんどが的を外していたようにおもわれた。まずこれはその場にいないとわからないとはおもうのだが、この時期、大阪では住民たちはあらゆる場所でこの問題を話題にし、手製のビラがさかんにまかれ、選挙当日までおもいおもいのデモがくり返されていた（住民投票は投票当日まで運動ができる）。維新がメディアを制圧するなか、そうした手製や口コミの情報がさまざまに拡散され、人はそれをもって人と対話し判断したのである。つまりここで住民は、だれに支配されるか選ぶのではなく、この問題をじぶんたちはどうしたいのかを考えた。維新の選挙スタッフのお仕着せが、まったく場違いにみえたのは、まさにデモクラシーが状況化したからである。こうみると、その直後の投票で維新が勝利したのも理解できる。それが意味しているのは、現行の制度化されたデモクラシーが、民衆の自己統治という意味でのデモクラシーとは無縁のものであること、デモクラシーの根幹をなす自由な意見の表明、公開された情報をふまえた討議、そして合意形成の過程とはほとんど関係ないということだ。

2 — 制度の融解とデモスの力能

いまからみるならば、デモスの制度を溶解させる力能にデモクラシーの基礎をみる丸山が、ある種の右翼から「アナキスト」と呼ばわりされるのも、さして不思議ではない（もちろんかれらにとって、デモクラシーの原則的擁護者はみな「アナキスト」である）。民主主義は永久革命であるという丸山の発想は、基本的にはこのデモスの解体的力能に基礎をおいている。それが凝固し制度化されるのも必然ではあるが、しかしそれも溶解させる力能を基盤としてしかありえない。したがってなによりも先立たねばならないのは、デモクラシーという理念が促進させるこの状況化の力能なのだ。

ここで丸山は率直である。

［戦後民主主義とは］ちょうど逆の、最もドロドロした野坂昭如の言う焼跡民主主義（…）そういうものなんだな。[3]

以上の点からすると、丸山とその後の左派、とりわけ「全共闘」潮流からのしばしば激烈でもあった批判は、ともに、デモスの溶解的力能を原点にすえるという意味で、現在の目からするとおなじパラダイムに位置しているとすらいえるかもしれない。

たとえば、ここで、全共闘運動のイデオローグの一人であった津村喬が、その運動を総括して述べた一節をみてみよう。

秩序に対して別の秩序をおきかえようというのではない。別の秩序が生み出されねばならず、どんな出来合いの「別」をもってきても現秩序の補完物になってしまう。とすれば、秩序を深く相対化する混沌の状況をできるだけ引きのばして、もっとも時代の深い底からまったく異質な秩序が発酵してくるのを待たねばならない。それに耐えられない者はみな党派に走り、出来合いの普遍性を手にいれた。全共闘はしばらく耐えた。全共闘は混沌派なのだ[4]。

ここで「混沌」といわれているものが「状況化」に対応していることはいうまでもない。興味深いことに、このおなじ談話で、丸山がじぶんは心情的には代々木よりも全共闘が好みである、と、おもわず吐露している。たしかに、このような次元で、丸山が「代々木」の官僚主義を嫌悪するのは違和感がなく、これも現在の「民主派」の大半からどのような感性が消えたかを測定する尺度になろう。ただやはり、そこまで丸山に寛容を要求するのも酷というものであり、すぐに感情的ともみえる批判で埋め尽くされるのだが。

丸山とかれらのすれちがいには、いろいろ原因があるし、それについては言い尽くされている。とりわけ歴史的・具体的文脈が大きく作用しているだろうが、ここでは文脈上、そこには言及せず、この激しい衝突としてあらわれた差異をデモスの力能への対応に力点をおいてみてみたい。たとえば丸山はこういっている。

制度化された度合いに比例して状況化がなくなるし、状況化するということはアナーキー化することですから、つまり制度が溶解していくわけです。完全にアナーキーになっちゃうと、大学紛争のある局面のように、全部がハプニングになるんです。制度がゼロですから。明日何が起こるか分からない。全然予測がつかないでしょ。そうするとエライことになっちゃうんですよ、お互いの不信感ばかり募って。

ここには往年のホッブズ主義者たる丸山眞男のプロフィールが浮上している。ここに、丸山の「権威主義」が顔をみせている。とはいえ一面で、この発言にも一理ある。よく知られたエピソードであるが、丸山は東大闘争の渦中にあって、授業にむかう最中、学生たちから階段教室に「拉致」される。そこで、このかんの対応を糾弾された丸山が「形式的手続きをふめば討議する」と応じると、学生たちは「形式主義者」と罵倒した。丸山はとっさに、「人生は形式です」と応答する。筆者自身、日本の運動文化のなかで、運動内で問題を起こした人物のその対応に対して「謝り方が悪い」（『自己内対話』をみよ）とするようなかたちで際限なく追いつめる、そんなやりかたを目の当たりにすることもあり（かつてであればもっと強力だっただろう）、なるほど「形式」というものは大切であると、感じざるをえない局面は容易におもいつくからだ。とはいえ、もちろん、逆に差別的にふるまったり暴力を行使したりして居直る局面も多々あるわけで、これが運動内の差別や暴力を見逃す口実になってもいけない。もしかすると、この形式の不在と居直りとは裏腹なのかもしれないと感じることもある。あるいは、そもそも形式の在不在の問題ではないのかもしれない。いずれにしても、この問題は、けっして解決していない重要な課題であるようにおもうのだ。

また、「全面的な制度の不在」なるものが、「エライことになる」のもそうだろう。しかし、その「全面的な制度の不在」なるものはなにか、である。丸山と津村の差異が最も強くあらわれるのもこの点である。

まず、ここで丸山は、状況化の極限を設定し、それを組織的なものがまったく蒸発した状態とみなしている。デモスの解体的力能が全面的に発揮されるとき、それはおそるべき状態をもたらす。これは、典型的に保守主義的な態度である。しかし、これは丸山からの見え方である。ここでいう「相互不信」がみずからにぶつけられた不信を念頭においているのかはわからないのだが(そうかれは甘くはない気もするが)、ここで大学内に不信とそれによる分断が起きたのには必然的な理由がある。そしてその分断をたんなる相互不信ではなく、津村のような人たちは真に信頼に値するものを再構築するプロセスとして経験した。丸山が述べていないはこの点である。状況化にさらされたデモクラシーの動態とその意義を認めたのはよいが、その具体的ありようへの関心は乏しいようにみえる。

これと関連して重要な問題は、丸山における、制度化されたデモクラシーの硬直性である。制度化と状況化の弁証法も「放っておけば硬直する制度を活性化させる」といったフレームにとどまる傾向があるようにみえるのだ。そこにはデモクラシーをやはり、ヨーロッパ由来のものとみなし、そこである時期にデモクラシーのとった型を前提とし、そのうえでどうそれを日本に「根づかせるか」

とする問いのかまえがひそんでいる。それに対して、津村のいう「混沌」は、あきらかに制度の自発的な創発とむすびついている。またふたたびおなじ制度があらわれ、おなじようにわたしたちを支配しないよう、異質な「秩序」の浮上してくるのを待機する、デモスの制度を溶解する力能は、同時に、いまとは別の「秩序」を創造する力能なのだ。

ここに丸山を「大衆」に依拠して批判する側が、ただ欺瞞的にとどまるわけではない理由がある。丸山は、デモスの力能、しかも制度を溶解させる力能がデモクラシーの核心であるという程度には、デモクラティストであり「アナキスト」ですらあった。しかし、デモスがよりよくデモクラシーを実現させる制度を創発するかもしれない、あるいはすでにしているのかもしれない、という、そのような積極的力能にはふれない程度には、やはりエリート主義者であり、「体制派」であった。

ここで、丸山がしばしば「悪しき大衆主義者」とも批判していた、こちらはアナキストとみてまちがいない鶴見俊輔のいうことを聞いてみよう。

> さまざまな可能性の中の一つとして現実がある。可能性の広大な組織の中でやや濃くうつっているものとして、可能性の海の中の一つの浮島として現実を見る。すると一個の現実に密着して、そのすぐ背後に、実現しなかったあまたの反事実があるいていて〈pfui〉といっていることになる。この私語がきこえてくる視点が、「こうなり得たかもしれぬ」という悔恨に夜ごとにさいなまれる転向者の視点である。[6]

これは鶴見の埴谷雄高論からの一節である。「一個の現実」のうちに実現しなかった無数の反事実をふるという態度は、別の文脈で鶴見が「期待の次元」と呼んだものに立つものであろう。たいていわたしたちは、歴史的事実というものを回想の次元で認識する。そうするとそこでは、すでに確固たる事実が成立しており、それ以前のすべてはそこに収斂していくように現象してしまう。目的論的歴史観も、このような「回想の次元」のみに立脚することによって成立する。しかし、わたしたちはつねに「期待の次元」をもって現在を生きている。そこにおいて、未来は予測不可能なものであり、無数の期待によって充塡されている。

丸山が最後まで忘れていなかったのは「戦後民主主義」を期待の地平においてみるという態度である。それによって「戦後民主主義」を「戦後民主主義」として、つまり既成の現実として認識し、正否を測定するような言説総体から距離をとった。かれが「戦後民主主義」を肯定するにしても、それは「期待の地平」において、より正確には期待と回想の複合的現象としてみるかぎりであった。みてきたように、現在「戦後民主主義」が擁護されるさいに脱落しがちであるのは、この「期待の地平」である。

いっぽう、鶴見における「大衆主義《ポピュリズム》」は、このデモスの創発的力能を見のがしていなかった。たしかに、そこに丸山の批判する現状追認主義への危険がふくまれていたことはまちがいない。しかし、急進的リバタリアンたる鶴見は、期待の地平をひらくことにおいては、丸山以上であった、というか、つねに力能と制度のバランスをとることを忘れない丸山に対して、鶴見にとっては期待の地平をひらくことこそが優先されるべき原則的実践であった。丸山が、高度成長以降をひとしなみにデモクラシーの制度化のプロセスと軽くみるのに対し、おそらくみずからの足のむくところでデモクラシーの状況化に遭遇し、ときにはその動きを促進した媒介者であった鶴見は、どれほど「甘く」みえようとも、人びとの日常的実践のうちに、ねばりづよくその萌芽をみいだそうとした。

鶴見のよく知られた言葉（「この憲法を守れという運動方法ではこの憲法は守れない」）をもじれば、「戦後民主主義」を守れという考えでは「戦後民主主義」を守ることなどとうていおぼつかないだろう。もし戦後にかいまみえたなにがしかの可能性を守りたいのならば、期待の次元に立ち、制度を溶解させ、さらにそれにとどまらず、その理念に立ち返りつつ、制度を再創造するプロセスに参与するしかない。敗戦直後とおなじように、「守る」べき実質などなにもないところから、ありうべきデモクラシーの創出する契機に立つことでしか、デモクラシーは救われない。つまり、もはや制度の次元でしかつかまれないとしたら、「戦後民主主義」は、やはり否定されるべきなのだ。実際、期待の次元に立ってみたらどうだろう。敗戦直後だけではなく、さまざまな局面で人びとがデモスによる自己支配をもとめ、未来を期待した地平に立って、予断なしに見回してみたらどうだろう。そうするとデモクラシーは、ヨーロッパやヨーロッパナイズされた先進国の独占物ではないどころか、それ以外の場所、ときに辺境の場でこそ苦闘とともに生き生きと再創造の試みの渦中にある現実がみえてくるだろう。つまり、世界はデモクラシーの危機にあるどころではない。危機であるのは、それに応答できないまま凍結しつつある国家のほうなのだ。

1　最新のすぐれた研究としては山本昭宏『戦後民主主義——現代日本を創った思想と文化』中公新書、二〇二一年をみよ。
2　丸山眞男「聞き書き 庶民大学三島教室 1980年9月（聞き手 久田邦明）」丸山眞男手帖の会編『丸山眞男話文集1』みすず書房、二〇〇八年、二一七 - 二一八頁。
3　同右、二一八頁。
4　「異化する身体の経験」津村喬『全共闘——持続と転形』五月社、一九八〇年、五四頁。
5　丸山、前掲書、二一九頁。
6　「虚無主義の形成」『鶴見俊輔集 四 転向研究』筑摩書房、一九九一年、一〇三頁。

05

一九六八年と「事後の生（afterlives）」

――津村喬『横議横行論』によせて

初出―「解説」津村喬『横議横行論』航思社、二〇一六年

1 一九六八年の潜在力

本書［本章はもともと津村喬『横議横行論』の解題として当該の著作に所収されたものである。以下、本章で「本書」というばあいは、この『横議横行論』を指す］におさめられた諸テキストは、津村喬によって、一九七三年から一九八〇年まで、およそ七〇年代の中盤から後半にわたって発表されながら書籍未収録だった主要テキストをあらたに編集したものである。まず注目すべきは、連載の突然の中断から四半世紀以上へだてて、今回書き下ろされ、完結をみた「横議横行論」であろう。長いときをへだてたむすびでは、かつて、しばしば参照された猪俣津南雄《つなお》による横断左翼論があらためてとりあげられ、その意義が再確認されている。三〇年前の時点ですでにあらわれていた力点の移動はあるものの、その主張の核心の揺るぎなさは、同時代の多くの人びとのたどった変節の道筋をみるならば、なお瞠目すべきである。そして、その身ぶりは、いま、「一九六八年」という出来事に忠実であるという態度のもつ現在性《アクチュアリティ》を示唆してやまないだろう。

かつて早熟はめずらしくなかった、あるいはそれにくわえ、人に早熟を促す特異な時代にめぐりあわせたとはいえ、わたしたちに残された津村喬の七〇年代テキスト群は、とても二〇代そこそこの若い手で書かれたとはおもえない質と量を誇っている。しかも、かぎられた課題と論点をめぐりながらも、退屈なくり返しというものがあまりみられない。おそらく、そのひとつの理由は、書き手としての力量のみならず、「一九六八年」という出来事の過剰のせいでもあるだろう。そして、あらゆる豊穣な原典が後世におびただしく生産する注釈家――なかでもとりわけすぐれた注釈家――がそうであるように、それは、津村喬という人が一九六八年の「出来事性」を深く信じていたためにもちえた創造性であるだろう。一九六八年は、それ以降、現実という注釈＝展開と思考における注釈＝展開を、たがいの相互作用のうちに生産することになった。いま現在においても、である。津村喬の知的な貪欲は、この「事後」の運動への寄与でもある。

津村喬をいま読む意味については、先だって公刊された増補改訂新版『戦略とスタイル』の解説で高祖岩三郎が、ほとんど言い尽くしている。それを読むならば、現在の世界でくりひろげられているさまざまな実践や思考と、津村のテキストが、まさに同時代のものとして共振しているのがわかるはずだ。

『戦略とスタイル』の公刊は一九七一年である。それに対して、本書に集められたテキストの執筆、発表の時期は、七〇年代全般にわたっている。したがって、わたしたちは本書を通して、一九七〇年代、すなわち、一九六八年のafterlivesが、津村喬によってどのように生きられたかを追体験することになるわけである。この一九六八年をafterlivesに注目して把握してみる、という方法はクリスティン・ロスのものである。[1] 一九六八年という出来事の過剰がもたらした衝撃波が、どのように波及し、分岐し、浸透し、あるいは、熾烈な反動を呼んだのか。ロスによれば、このafterlives――事後の生――をも、出来事の核心をなす構成要素とみなすべきなのである。彼女はその「事後の生」へのまなざしを、こんどは一八七一年のパリ・コミューンにもむけながら、一冊の本を書いている。[2] わたしがここで「事後の生」ということで念頭においているのは、実はこちらのほうである。ロスはインタビューでつぎのように述べている。

わたしがえがいているのは、出来事としてのコミューンの衝撃波が、それにつづく、コミューンの生存者との議論や交流とともに、これらの思想家たちの方法、争点、かれらの選ぶ素材、かれらのおかれた知的・政治的風景を変えた、そのありかたです。要するに、かれらの軌跡です。これらの直接的な余波は、別の手段による闘争の継続だったのです。**かれらは出来事の過剰の一部であり、街頭での最初の行動とおなじく、出来事の論理にとって徹頭徹尾、決定的なのです。**[3]（強調引用者）

われらが津村喬も多大なる影響をうけ、おそらく「スタイル」という鍵概念をそこからえているとおぼしきアンリ・ルフェーヴルの『パリ・コミューン』[4]――ロスの本にもその影響の色は濃い――は、コミューンに浸透するスタイルとして「祝祭」をとりだしてみせた。ところが、ロスのばあい、照準されるのは出来事の余波のほうである。一八七一年のコミューンというおもいもよらぬ出来事のもたらした衝撃波は、凄惨な弾圧のなかでパリからかろうじて脱出した活動家や知識人、芸術家たちと、亡命先での運動や知識人――クロポトキン、エリゼ・ルクリュ、ウィリアム・モリス、そしてマルクスなどなど――との出会いによって、その未分化であいまいな塊を、多様に分岐、展開、変容させ、実践と思想の両面からなる平面上にみずからを刻印していった。とすれば、一九七〇年代もおなじことがいえるはずだ。その出来事の過剰が、そののち、どのように、ときに暴力的に、知覚や感性のありように変容をもたらし、実践の枠の変化を余儀なくさせたのか。そして、それがどのような反動ないし支配の戦略の組み替えを呼び込んだのか。

すなわち、一九七〇年代を、一九六八年という出来事の衝撃波のもとでの、あたらしい論理や習慣の浸透、分岐、発展、そして、反動、回収、抑圧の抗争する渦巻きのようなものとしてみなしたいのである。いま津村喬を読むということは、その抗争の渦巻きを探査した痕跡をふり返ることである。とりもなおさずそれは、わたしたちのこの世界をも貫通する抗争をみいだすということであり、わたしたちのいま現在の想像や行動の地平を拡張することであり、あるいは、わたしたちの想起に強いられたなだらかな唯一の時間に断層をみいだすということでもある。

一九六〇年代後半から七〇年代にいたる時期は、ベトナム民衆の驚嘆すべき抵抗と、それに鼓舞されるかのように連鎖していった、女性、先住民、人種的マイノリティ、そして学生、労働者の闘争が、第二次大戦後の世界秩序を差配していた巨人アメリカをよろめかせた、そのような時代である。ベトナム民衆と世界の民衆の抵抗は、アメリカ合衆国に膨大な戦費の支出による赤字をもたらし、それはついに、勝ち誇った巨人に敗北をみとめさせ、ニクソン・ショックというかたちで、それまでの支配のかなめであった国際通貨体制を放棄させることになった。そしてそれは、システムの全域にわたって露呈した限界のひとつの集約的表現にすぎなかったのである。かくして、一九七〇年代は、破局の気分にいろどられた時代となる。本書所収のゲッベルス論（第Ⅳ章）は、第一次オイルショックの一九七三年に書かれているのだが、つぎのような一文がある。

だが彼が独力である「全体性」のイメージを提出しようとしたとき、それが破局の可能性という形でしか出されなかったというのは非常に興味深い。彼は集会で、ラジオで、敗北の可能性、破局の到来について語った。英国情報部は「ゲッベルスは発狂した」と友邦に打電している。**破局の言説が政治宣伝の武器庫に加えられたのはこれが最初であり、これはのちに「ヒロシマ」から「資源危機」「食糧危機」までのカタストロフィの言説の祖型となった。**（強調引用者）

この引用は、津村の鋭敏さをものがたる事例のほんの一例にすぎない。「破局」のイメージがプロパガンダを通して統治の戦略そのものになりうる、というのである。このナチスにルーツをもとめた同時代診断はまったく色あせていない。二〇〇一年九月一一日の同時多発テロ以来、永続的危機を演出することで統治するという、それこそ惑星的統治体制の形成をわたしたちは目の当たりにしているのだから。ただし、その危機はたんにニセの危機であるというわけではない。津村の好むたとえでいえば、これもまた一九七〇年代に広告《マーケティング》産業を通して定式化された、アリババの戦略、すなわち、革命にあからさまな反革命をもってするのではなく、革命の言説のインフレ——金融革命、ファッション革命、メディア革命、流通革命などなどのように――によって言葉を減価することで、本来の「革命」という出来事の過剰に回路をあてがい、その潜在力を馴致する戦略である。本書では「七〇年前後のどこかで、日本の社会はいま総体として崩壊しつつある、というイメージというかヴィジョンを、国民の大多数が（左右を、支配者・被支配者を問わず）もってしまった」ともいわれているが、六〇年代の終わりの民衆反乱は、たとえば、よりよき労働の条件をではなく労働そのもの、女性ももっと参加をではなく、そこでいう参加する社会とはなにか、あるいは女性であるとはなにか、もっと成長の分配をではなく成長とはなにか、このように、問いをどこまでも深化させていくよう、人に強いた。そして、それを通して、システムのはらむ矛盾を限界にまでおしひろげていたのである。支配層はその動きを多大なる危機感をもってうけとめ、かれらの手のうちにあるさまざまな機関とそこに結集した知識人たちが、さまざまな危機の分析と提案を公表し、また、それがときに話題を呼んだ時代でもあった。「武器庫に加えられた政治宣伝としての破局の言説」とは、そのような危機的状況を隠蔽するのではなく、むしろ活用しようとする戦略のもとにある言説のことを示唆している。成長の限界、生態系の限界、民主主義の過剰、災害による破局、そして黙示録《ノストラダムス》的破局。すなわち、ここから、わたしたちのこの資本制の、前方への逃走がはじまったのである。いまからふりかえれば、一九七〇年代の後半は、これからもかなり長期にわたってつづくであろう、深遠なる危機の時代の端緒であった。戦後を形成してきた特定の秩序――フォーディズム的体制、福祉国家体制といわれたもの――の決定的崩壊がはじまっただけでなく、そこに先ほど述べた成長の限界や生態系の危機といった、はるかに長期の危機が折り重なったのである。それ以降、わたしたちは、ネオリベラリズムの席巻、冷戦の終結、民族内戦、気候温暖化、「テロとの戦争」、金融危機、災害、原発事故、排外主義の擡頭、などなど、さまざまの現象を目の当たりにし、その意味を考えあぐねながら、いまにいたっている。本書に収められたテキストは、いまにいたる漂流のはじまりそのものにあって、その巨大な変化のうちにつらぬかれている諸力の運動――その多くがなくなってはいないのに、いまではみえにくくなったもの――を記録したものであるともいえる。

2――ノンセクトという作風

基本的に書物というものは、読者がいれば読者の数だけ、あるいは、読書という行為の数だけといったほうがいいかもしれないが、経験にひらかれているものである。それは、最初の頁から読まれてもいいし、断片的に読まれてもよい。お気に入りの頁が破かれ、ポケットにつっこまれ、それだけいくどもくり返し読まれてもよいだろう。とりわけ、津村のように方法的に「引用」であること、引用であることをひとつの出来事の経験の核心とした理論家のテキストであればなおさらそうだ。だが、このような解説をあえて付すことの意味として、現代の読者との橋渡しをするという意味があろうとしたら、ひとつ示唆をさせていただいてもよいだろう。もちろん無視されてもかまわない。

本書には一九七〇年代の最後の年に書かれた全共闘についての簡潔にまとめられたすばらしいテキスト「異化する身体の経験」が第VI章としておさめられている。津村喬の怒濤のように固有名の浮沈する饒舌なテキストは、ほぼすべて、「一九六八年」——現実の三六五日かそこらというより、この年を中心とする数年にわたる時代の巨大な断層を象徴する出来事の経験に由来しているといってもいいだろう。一九七九年に発表されたこのテキストは、一〇年を経過して、あらためて「一九六八年」とは、すなわち全共闘運動とはなんだったのかをふり返ったものである。膨大な思考と言葉をついやしたあとではじめて可能であるような、明晰な簡潔さをもった美しい結晶のような文章であるとおもう。つまり、このテキストは、本書にもおさめられた、そのかんに書き継がれた膨大なテキスト群を経由し、ねりあげられることによってはじめてあらわれることができたのだろうし、それらのテキストはすべて、たとえなんのテーマをとりあげていても、同時に、一九六八年、六九年の経験の意味を問うものでもあるだろう。そしてそのことが、全共闘とはなにかを直截に考察したみじかいテキストを、逆に諸テキストを照らしだす光源としているようにもみえるのだ。とりわけ、同時代を共有しない現代の読者にとってはそうであるのではあるまいか。[5]

そのまえに一点、確認をしておかねばならない。二〇一五年に公刊された増補改訂新版『戦略とスタイル』の「まえがき」で津村もあらためて整理しているように、一九六八、六九年の全共闘運動とふつう名づけられている出来事において、その種別性、つまり、それ以前の運動とそれを区別する要素が「ノンセクト・ラディカル」の存在であった。そもそも全共闘とはなんだろうか。「全学共闘会議」の略称であり、「学部ごとに党派系列の違う自治会・闘争機関の方針調整や、連絡機関としてつくられたというのがもともとの意味」であった。それがのちに自治会基盤をもたないノンセクト学生らをはじめとする「『活動家』の自発的闘争機関として、非制度的な性質を強め[6]」ていく、といった経緯をたどっていく。すなわち、党派支配のもとで形骸化する傾向にあった代議制である自治会、「ポツダム自治会」（お上から与えられた組織）と揶揄されていた自治会を迂回するかたちで、直接的参加と自治を志向する部分が全共闘の意味を変えていったわけである。このように諸団体、諸組織、諸セクションのあいだの共闘を指す一般的な意味があるために、全共闘の意味は混乱しがちであるが、基本的には二つに区別しなければならない。ひとつは「六〇年代初頭までの全学連と同じスタイルをもっていて、名前だけ新しくした人たち[7]」。基本的には既成党派によって構成された「統一戦線」である。もうひとつは「まったく新しい組織原理」を意味しているばあい。以下で全共闘というばあい、その後者の「本来的」意味を指している。その主体がノンセクト・ラディカルであった。津村自身の最近の定義によれば、ノンセクトとは、「セクトに従わないことに大きな価値を見いだ」しており、「『一人で決断する』『一人で参加しても集団は変わる』ことを原理」にしていた潮流のことである。できあいの組織に帰属しないそうした人びとが現出させた潮流が、固有の意味での一九六八年を特徴づけており、そこには、当時の世界の運動が多かれ少なかれ共有していた、代表制民主主義あるいは代行主義の拒絶と、直接民主主義、自主管理、自治という傾向がみられたのである。

運動が「既存の組織に属さない個人の自発的参加」によって形成されるのは最近のことではないか、とおもう読者もいるかもしれない。このフレーズは強迫反復のように、この時代――実は一九六〇年の安保闘争のさいも「既存の組織に属さない個人の自発的参加」が「あたらしさ」と称揚されている――以降、運動がマスコミに可視化されるたびにジャーナリストや学者によってくり返される紋切り型である。それでは、なぜこのようになんども「あたらしさ」がくり返されるのか。それには理由がある。まずひとつ。資本主義固有の「あたらしさ」の病。おなじものでもパッケージを変えなければ売れないということだ。つぎに、日本社会の傾向的な特徴とされる蓄積の不在。それまでの議論も経験もなにも蓄積されることなくしばらくすると忘れられるから、ふるいものもあたらしいようにみえるだけである。そして最後のこの点が重要であるが、「一九六八年」の決定的なあたらしさを抹消し、記憶から抑圧すること。のちに述べるように、これは日本のみならず、一九六八年の埋葬のために機能する言説のとる典型的な形態でもある。

もうすこし大きな文脈についてふれておこう。ノンセクト・ラディカルが、おおよそ一九六〇年の安保闘争に前後して日本共産党など既存の左翼と決別してあらわれた、新左翼の潮流から生まれたことはまちがいない。ただ、それを具体的にイメージするとき、劃然《かくぜん》とした境界をもつ独自のかたまりとして忽然とあらわれた、というふうにえがいてしまうと肝心な点を見誤まってしまう。むろんヘルメットの色やゲバ字の字体などの外見上での区別もあった。が、おなじ課題をめぐって、新左翼と――ときには旧左翼とも――混然となってたたかうことが多かった。というよりも、ノンセクトという存在自体が、もともと、このような組織的闘争の周縁から生まれてきたといってよい。だが、たとえ外からは混然と肩を並べているようにみえても、そこには決定的な区別があった。たとえ課題を共有していても、それをたたかうやりかた、すなわち、スタイル、作風が決定的に異なっていたのである。そして、そのスタイルが異なっているということが死活的に重要でもあったのだ。したがって、ここではひとまず、ノンセクトを左翼とも新左翼とも区別すべきなのだ。そうしないと、思想性の決定的なちがいももちろんあるが、固有の意味での全共闘運動の生成の条件をなす現場の力学がみえにくくなってしまう。

ノンセクト・ラディカルは、戦後体制を、支配体制と（新左翼諸党派をふくむ）戦後革新勢力の二重構造のもとにあるとみなし、その総体を相対化し、対決した。かんたんにいうと、右翼と左翼――それは世界的水準での東西対立、資本主義陣営／社会主義陣営の冷戦が重ねられた――が対立しているとみなすことなく、支配的な右翼に対して一見したところでは左翼（と新左翼諸党派）が抗っているようにみえるが、実はおなじ穴の狢《むじな》である、あるいはそれどころか共謀してひとつの支配体制を形成している、といった認識がある。新左翼諸党派による（あるいはトロツキスト的）社会主義陣営への批判――スターリニズム批判――をノンセクトがさらに徹底することができたのは、抽象的な分析の帰結というよりも、この左右両極からの抑圧と反発の力学が、大学において、しばしばむきだしの暴力性をもって具体的に展開されていた、ということがあるだろう。正統派／新左翼セクトはともに、運動の大衆的展開をみずからの主導のもとに統合することに執心し、それからはみでるものの抑圧にいそしみながら、キャンパス内自警団の役割をはたしていたのであるから。

このような趨勢は、一九六八年、世界的に同時に起きたものだった。つまり、それまで、資本主義／社会主義体制のどちらかに系列化され代理戦争的な性格を帯びた国内の闘争が、その総体を拒絶する動きとしてあらわれたのである。すなわち、資本主義陣営／社会主義陣営の対立を、対立のみせかけのうちに共謀して世界を管理する体制を構築しているとみなし、その総体と決別する闘争と世界観を構築しはじめたのである。とりたててそれが、一九六八年に突然あらわれたわけではない。そこにいたるには、長期にわたる、民族解放闘争、非同盟諸国や第三世界の擡頭、先進国内のマイノリティの闘争などが、実践と認識の切断を準備していた。そして、そうした動きが折り重なりあい、組織形態や革命のイメージの大きな転換として爆発したのが一九六八年だったのである。第VI章では、この時代におきた国際主義の意味の転換にふれられている——インターナショナリズムかナショナリズムかという二分を超えた——が、ここを理解しないと、毛沢東の中国の評価、「第三世界主義」、この時代のみならず、「3・11以降」といわれる現代までの時代の流れ、あるいは「一九六八年」をきっかけにして生まれた知的いとなみの数々（「ポストモダン」といわれるものをはじめ）がすべて理解できなくなる。

ここでひとつ述べておかねばならない。一九八〇年代後半に大学生であったわたしはここで、ノンセクト・ラディカルについて本で読み知ったことをならべているのではない。たんにじぶんたちの経験したこと、「じぶんたちのこと」を述べているのである。このノンセクトを主体とした全共闘スタイルけ、津村喬の去ったあと一〇年以上たったその当のキャンパス――わたしは津村喬の「後輩」にあたる――においても生き生きと息づいていた（わたしはそのほんの周縁にあってなにごとにも消極的であったし、このような役回りはわたしに適任ともまったくおもえないのだが、ともかくも衝撃波をもろにこうむってしまったのだから　ここで書きとめておこうと腹を決めた）。ノンセクトというか、組織に属さないさまざまな課題ごとの諸集合体（諸戦線）からなる、境界もはっきりしない連合体である。むろん、全共闘の時代のように、時代現象の色を帯びることはまったくなかったし、活発ではあったがふだんの活動は地味そのものだった。それに、そこまでの人的力量もなかった。しかも、わたしたちのキャンパスを上と下から支配していた構図、当局とふたつのセクトの微妙な絡み合いによって作動する機構は旧態依然であり、自由に課題を設定し、自由に行動するにはさまざまな制約がかけられた。それでもしばしば、大学が揺らぐような闘争もあった。猪俣津南雄の「横断左翼論」を津村がとりあげ、その「横断性」をノンセクトのありかたとつなげるとき、わたしには即座に、具体的なイメージが浮かぶ。各棟の地下部室に地下茎のようにはりめぐらされていた網の目と、その空間に保証された境界のあいまいな人的ネットワーク、そして、そこをつたってうごめく有象無象の人間たちである。そして、さまざまなサークルや機関に、すこしずつ、その強弱はともかく「機能」する人間たちがいて、交錯し合っていた。津村のいう「前衛」、つまり、「状況によってたえず離合集散するけれども、前衛の役割を果たす」という点も、けっして理念的のみならず具体的によくわかる。持続的な組織がなくとも（それらからふだんはバカにされいじめられていても）、たとえ少数でも、いざ状況が流動化すると、このネットワークが作動をはじめ、少数が三倍、四倍にも増え、さらに「野次馬」の参加が折り重なり、党派による組織を超えて事態を動かしていく。そして、事態が収束すると、ふたたび少数の核からなる諸戦線と、あいまいな人的ネットワークにかえっていく、といった力学である。この力学はのちに世界のさまざまな近代の大衆運動を知るようになって、かなり普遍的な論理であることもわかった。

このような状況だったから、「一九六八年」とか全共闘なるものはあまりに近すぎたともいえる。つまり、それはわたしたちを包んでいる空気でもあったから、じぶんたちとは切り離されたものとして対象化するようなこともあまりなかった。ことわっておかねばならないが、これは周縁の周縁にあった、わたしのきわめて主観的な感覚である。もちろん、わたしたちのもつ作風の多くが、全共闘の時代のノンセクトに由来するものであるということは知っていたし、闘争の経緯についての基本的な知識は多かれ少なかれ共有されていたが、とくに関心のある人間をのぞいては、さしてオリジナルを意識することもなかったようにおもう。この点はあとですこし述べたいが、**オリジナルは問題にならないし問題にしないという仕方で、わたしたちは全共闘の作風を共有していた**のである。それは教祖をもたない、とか、経験によってヒエラルキーをつくらない――先輩は先輩というだけでエラくない――という発想とあきらかに相関関係があった。だからといってそれは、けっして経験を尊重しないということにはならない。むしろ逆であった。経験とは貴重でただ一回のそして個別のものであり、だからわたしたちは尊重しなければならない。だが、それを権力に転化しないかたちで、なのである。これは、特定の特権的な「現場」を設定し、そこでの活動にむけられた精力の軽重によって発言権に多寡をあたえたり、だれかがだれかを抑え込む権利を与えたりすることになる「現場主義」をなるべく遠ざける、といった暗黙のルールともむすびついていた（かんたんにいうと、「じぶんはこんなにがんばっているが、おまえはそうではないからなにもいうな、おれにしたがえ」というような感じはナシということである）。しばしば、「全共闘時代」の「運動経験者」が、あたかも運動総体を総括できるような特権性をふりまわして語るような場面に出会うわけである（たいがい著名人だから読者もよく目にするだろう）が、基本的には、なんというのか、あまり関係がないというところであった。いまからおもえば、わたしたちは「事後の生」を生きていたのである。全共闘運動なるもの、一九六八年なるものは、当然、個別の闘いは物理的には消えはするが、なんにも終わったものではなかった（いまでも終わっていない）。だから、そもそも「総括」されるような特権性はみとめられない——というよりまったく実感と一致しない——し、そのような特権性を騙《かた》る人間がいるとしたら、わたしたちにとってのそれとはなにか別のことをいっているのだ、というところだったのである。ただ、もうひとつつくわえておくが、事後の生といっても、おそらくわたしたちは、六八年をそれほど特別視していたわけではなかった。運動というものはたいがいそういうものなのかもしれないが、一九六〇年、一九五〇年代、そして戦前から及んでいる、さまざまな時間の持続のうちにある、さまざまな先達の連続性のうちにある、という感覚が漂っていた。そのように特定の時代に特権性を付与することを拒絶するやりかたもまた、逆説的でややこしくはあるが、六八年のもたらしたその作風のひとつではあったとおもう。

わたしたちにとって、津村喬のテキストは、差別問題に取り組むときのひとつの必須の文献ではあっても、ノンセクトの原理を確立するものというふうに接したことはなかった。すくなくともわたし自身はそうだった。そもそも、そのようなものをポジティヴに言表するのはなんとなく封じられていたような機運があり、それがセクトとじぶんたちを分かつ線とみなされていたようにもおもう。ノンセクトを「ノンセクト」として外にむけて表明することも忌避されていた――そのようなかたちで特定の組織とみずからを差別化する発想こそがセクト的であるというような発想だったようにおもう。考えてみれば、それこそが、ノンセクト・ラディカルとはなによりも「作風」であり「スタイル」であるということの意味だったのだろう。そもそも、ノンセクト・ラディカルとは、エーテルのようなものであり、それによって諸戦線の微妙な色合いのちがい、個々人の思想性のちがい、行動原理のちがいの共存を可能にし、さらにそのちがいを積極性に転換させ、そしてそれらがときに衝突はしても、自律性が担保されるように作用していたのだ。要するに、スタイルであり作風だったということだ。わたしは、当時のことを考えるときはいつも、この作風にこそ、しばしば驚嘆したこともあったことをおもいだす。研究者として、一九六八年をあらためて対象化しようとする、そのような意図をもって津村喬のテキストもあらためて読んではじめて、どれほど深いところ、微細なところで、つまり、組織方法のみならず、発想の微細な方法、思考のクセ、かまえなどが時代を超えて共有されているかも理解されたのである。そして、いそいでつけくわえておかねばならないが、それは、狭い意味での運動の文脈を超えて、もちろん多数派とはいえないが、多かれ少なかれ、この時代の社会のうちに共有されていたものでもあった。さらにこれもつけくわえておかねばならないが、この作風は、現代にいたるまで、目立ったり目立たなかったりをくり返しつつ、日本においても脈打っているものである。そしてもうひとつつけくわえておくが、いまも世界のさまざまなたたかいの場において、このエートスをもっていれば、すぐにたくさんの人たちと仲間になれる。

3 ― 大衆ラディカリズムと直接性

第VI章では「(…)どうも『全共闘以後』というのは『戦後』という分かれ目と同じほど、いや、もしかしたらそれ以上に決定的な精神的断絶があったのではないか(…)」といわれている。「全共闘とまったく異質な組織原理に立つ諸党派の中にも、また政治運動に何の関心もなく企業人となった者の中にも『全共闘以後』のおもかげはいくらでも見られる。住民運動や労働運動と接していても、しばしばそれを実感する」。先ほど述べたように、このことはわたし自身の実感からもいえるが、いま確認すべきは、一九七〇年代の終わりには、このように表現が、すくなくともいくぶんかは説得力をもちえた状況があったということである。ここで津村は年長の理論家である長崎浩の言葉を引用している。

さまざまな分野で起る急進的大衆運動が、相互にしめし合せたのでなくとも、おしなべて「全共闘以降」のスタイルをとるという事実のことです。(…)こうした運動スタイルは、「新左翼」とか「全共闘」とか、その発見者の手からいまやすでに離れて、日本の民衆のうちに、反権力闘争のあり方に関する大衆的な記憶として蓄積されている[8](…)。

つぎのようにもいわれる。

だから、この潮流のなかで、「新左翼」も「全共闘」も、すべて相対化されるのです。つまり、いまの急進主義的運動を、とりたてて新左翼や全共闘の名前で語る必要はいまやまったくなくなっているのです。一回限りの切実な体験として安保や全共闘を闘った者にとっては、これはなにか拍子ぬけに感じられます。としても、「新左翼」を継承すべき理由はなにもなく、継承すべきなのは、ただ、その根にある大衆的党派性ともいうべき急進主義の流れだけなのです[9](…)。

ここで注意したいのは、全共闘スタイルの形成について六〇年安保闘争以来の試行錯誤の結果ということが強調されていること、さらに全共闘という運動スタイルに結晶されたが、それ自体は一回性の出来事から大衆的急進主義のスタイルとして定着をみせたということ、である。すなわち、**固**

有名をもって語られる歴史的出来事が、一般名詞としての作風となって拡がっていったこと、そして、それがむしろ全共闘運動の核心であると述べられているのである。

ここで第Ⅱ章「群衆は増殖する」に注目してみたい。およそ原稿用紙一〇〇枚になる一九七五年に発表された長大なテキストである（それにしても『中央公論』がこのようなテキストを掲載していた時代があったのである）。このテキストはいくつかの点できわめて重要である。ひとつは、一九六八年以降の展開が、必然的に群衆論を必要とすること、そしてその意味である。もうひとつは、一九七〇年代の諸状況に内在しているところ、同時代にあって、その転形と持続がどう把握されているか、という点である。

このテキストではつぎのようにいわれている。

六八、六九年の大学を舞台とした祝祭の群衆が去ったあとで登場した七〇年代の群衆は、基本的に迫害群衆であった。公害と開発に反対する住民闘争、そして消費者運動は、具体的な怒りを抱き、直接の敵をもっていた。三里塚や富士川火力をはじめとして、「武装した学生軍団」よりもはるかに徹底した反権力の暴力を行使しえた群衆の形成例を、われわれはいくつも挙げることができる。局部的であれ、秩序の顚覆をめざす群衆がたちあらわれ、その裾野ははかりしれなかった。

近年の顕著な知的傾向に一九七〇年代の忘却というものがあるが、それがなにを忘却しようとしているのか、この一節はよく示している。「過激派」学生などよりはるかに徹底して反権力たりえた、とここでいわれている大衆（運動）の存在である。先ほど、「あたらしさ」の強迫反復の理由に全共闘というかノンセクト・ラディカルの「あたらしさ」の抑圧があるといったが、より正確にいえば、その核心には一九七〇年代に固有名から一般名詞に変貌して展開を示した「大衆的急進主義」、すなわち「大衆ラディカリズム」の抑圧がある。つまるところそれこそ、一九六八年の「断絶」を表現する要素でもある。津村の以上の文章は、「事実、『暗闇でいいじゃないか』というところまで電力公害に反対する立場が徹底しないことには、不払い運動という攻撃的消費者運動はあらわれなかったはずである」というふうにつづくわけだが、これは一九七三年の松下竜一による著名なテキスト「暗闇の思想を」を念頭においてのものであろう。そこからすこし引用をしてみたい。

電力会社の節電呼びかけ広告の正体は、実は「節電」がねらいではない。どうせ電力文化にどっぷり溺れこんだ、脆弱化した民衆は、節電など出来ようはずもないと見越して、節電せねば今にもテレビやクーラーの止まるが如く深刻感をあおり、つづまりは発電所建設反対住民を「地域エゴ」という民衆の敵呼ばわりし、孤立に追い込んでいく迂回作戦であることは間違いない。

確かに浪費に慣れ過ぎた私たちは「節電」など苦手であろう。だがいっそ、きっぱりと「停電」を決めて時間実施でも始めれば、そのような「状況」には、またたく間に順応していくだろう。まさにこのように考えてきて、「電力危機」こそ支配者的思考なのだと気付く。なぜなら、電力不足到来がさして私たちの危機ではないのだとわかれば、危機の正体は、今しきりに危機をいい立てている者たちにとっての危機だとわかってくる。

そのように、支配者にとっての危機を、あたかも被支配者である私たち民衆の危機の如く受けとめて、支配者的思考に迎合していく短絡は、どうして生まれるのかを考えていけば、それはどうやら「教育」に根があるらしいと見えてくる。ひょっとしたら学校教育の大きな部分は、被支配者に支配者的思考を吹きこんでいく努力についやされているのではないかとさえ思われてくる。

絶望的でもあるのは、この批判が、福島原発事故以来のわたしたちの社会も寸分たがわず射貫いてしまうというばかりでなく、このような根源的な批判すらみえなくなってしまったことである。支配者的思考を身につける場所としての「教育」という視点は、あきらかに、名ばかり有名な「大学解体」というスローガンが本当に意味していたことと強く共鳴している。いま、市場原理や自己責任をたてにしながらの大学改革について、「大学解体がこのようなかたちで実現された」と揶揄されるのをしばしば眼にすることもあるし、じぶんも一度ぐらいは言ってしまったような記憶がある。たしかに、その担い手が、かつて全共闘運動に深くかかわっていたとしたら、その揶揄にも意味がないわけではない。だが、それは基本的にはミスリーディングである。「大学解体」に込められた思想的意味からしたら、解体すべき大学は強化されてしまったというべきだろう。そこでは、産業や軍事と一体化し、ますますこの社会のヒエラルキーの再生産に寄与するような、知の制度のありかたそのものが「解体」されるべき、と主張されていたのだから。この時代の学園闘争は、学費値上げ、サークル棟の管理、大学の腐敗といった個別課題から入ったとしても、ただちに、わたしたちの社会において、高度化する資本制のもとでの大学のありかたそのもの、あるいは大学が生産に大きく寄与している知的な営為そのものを問題にふすというラディカルなものに展開していった。第VI章にあるように、「能力」なるものによってヒエラルキーを生産／再生産し、知的なものをその再生産に加担するものとしているのが現在の大学であり、その頂点に東大があるのだとしたら、その生産は**直接に**止められねばならない。これは、知の内容を進歩的かそうでないか、で測定し、否定したり肯定したりしていたそれまでの教育に対する考え方そのものを転覆するものだった。どのように知の内容が進歩的であっても、それが、差別選別のヒエラルキーを再生産するものであり、専門家支配に寄与するものであるとしたら、それ自体の存立が疑問にふされねばならない。そして、この発端の問題意識は、一九七〇年代にはさらにつきつめられ、知が権力とむすびついてはたすその機能──「知‐権力」と表記される──が、より歴史的・思想的に問われるようになる。このようなあたらしい知は、それ自体が、衝撃波の「事後の生」であったが、やがて、アカデミズムに再統合され、その転覆的ポテンシャルは失われる（じぶんが無縁であったとはまったくいわない）。しかし、福島第一原発の爆発以降あきらかになったように、大学アカデミズムとエネルギー産業、政府、軍事の一体となった複合体が、いかに作用しているかをみれば、知と権力の交錯する作用が問われるようになった、その理念が依然もつアクチュアリティがよくわかるはずである。そのような問いの提起される文脈には、知による軍事への加担のみならず、高度成長のただなかで公害が表面化し――水俣病、四日市ぜんそく、イタイイタイ病など――、研究者が知と権威を駆使して、苦しむ人びとの側ではなく政府の側に立ち、虚偽や隠蔽に加担するという状況もあった。そのようななかで、いっぽうでは、知の自由で創造的な生産の場として、大学を下から変容させる試みである自主講座などの実践がつづけられた[10]。たとえ、制度的変化という点ではめざましい成果をあげなかったにしても、全共闘がとなえた否定的でセンセーショナルなスローガンの背景には、知の機能の組み替えの実践と実験が展開していたのである。

作家松下竜一にもどろう。かれ自身、一九六八年の「事後の生」を濃密に生きた、おそらくけっしてすくなくない「大衆」のひとりであった。松下の軌跡は、一九六九年のデビュー作『豆腐屋の四季』において、豆腐屋としてのつつましい日常や心情をえがくところからはじまった。同世代の政治的な「暴力学生」に地道に生活をいとなむ「模範青年」として対置され称賛をうける。その後、作家として自立、地域で開発に対決する女性たちの取材をもとにしたルポを執筆したり、地元大分の中津で電力コンビナート反対を主体的に担ったりするなかから、「暗闇の思想」が生みだされた。その過程で、模範青年のかれは、地域共同体からの疎外はもちろんのこと、既成組織――日本共産党――からも「トロツキスト」という罵声を浴びることになる。松下は、さらにそこでえられた仲間から孤立しても、東アジア反日武装戦線についてのルポを執筆しつづけ、支持はしないもののその心情に理解をおよぼそうとこころみた。そのようなかたちで、一九六八年という出来事の過剰の衝撃波によって変身をくり返し、ひとつの分岐する線を体現した「大衆」があったのである。いまから読むならば、かれの「素朴さ」は豆腐屋の青年のそれと変わるところはない。そして、その「素朴さ」というか「反政治」的態度を通すなかから、電力会社と行政がくりだすごまかしまじりの「科学的知」を疑い、みずからの手でつみあげた「知」によってそれを転覆していくのである。そして、この「素朴さ」すなわち直接性こそ、大衆とラディカリズムの共振する地点であった。津村が、七〇年代はじめに対抗的運動の志向性を、政治主義的合理主義、暴力の絶対への要求（七〇年代後半にむかうにつれて消えていった）、地域の発見と三つに区分し、その最後の項目にもっとも大きな比重を与えているのも（『戦略とスタイル』）、松下竜一のような人がけっしてまれな例とはいえないほど存在して、そこに全共闘スタイルを身につけた人びとの流入とともに日本全国で住民としての課題に取り組みつつ、根源的な問い返しを継続していたからである。

ノンセクト・ラディカルの形成において、「大衆ラディカリズム」の存在とそれが認識にもたらした地平は大きなものであったとすれば、それは、なによりもまず、ノンセクト自身「大衆」であったからである。すなわち、正統派（日本共産党）、反対派（新左翼諸党派）を問わず、党派的組織に属さない分厚い層が動くことによって舞台に登場した「学生大衆」であった。消極的にいえば「ノンポリ」であり、それが意識的な反省をくわえられ積極的になると「反政治」となる。津村喬が「一般暴力学生」という造語で示そうとしているのは、そのような微妙な事情である。

マスコミは、「一般学生」対「暴力学生」の図式にこだわっていたが、それは理由のないことでなかった。政治が党派活動家に独占されていることと、学生たちが日常性に押しこめられていることとは表裏一体のことだった。全共闘運動とは、日常性のただなかにあって日常性を超えることだったから、それは「一般暴力学生」によってになわれた。

「一般的なもの（ふつうの大衆など）」と「逸脱的なもの（「暴徒」「過激派」「挑発者」など）」を対置する図式は、いくつかのヴァリエーションをもちながら、いまにいたるまでいくども反復されている。その図式は、学生の日常性への押し込め（受動性）と党派活動家の政治の独占（能動性）という区分をあてがうことで、既存のヒエラルキーを再生産するための装置である。こう考えると、全共闘運動のもたらしたものの核心のひとつがあきらかになる。**境界の攪乱**である。本来、受動的であるべき存在が能動性をもってたちあらわれたのが全共闘運動におけるノンセクト・ラディカルという存在であり、大衆運動についても、こんどは直接に政党組織と入れかえればそのまま置き換えることができるのである。

元東大全共闘委員長の山本義隆は一九六八年はじめの北区王子の米軍野戦病院撤廃闘争——ベトナム戦争への加担をとめるという意味での直接行動だった——をふり返りながら、「群集」「野次馬」の存在について、重要な指摘をおこなっている。

この王子闘争の特異な様相は、行った人はよく知っているけれども行かなかった人は全然知らないものでした。というのも、たとえば三派全学連の諸君の野戦病院正門前の座り込みに機動隊が襲いかかろうとしたときに、間に入って学生を護ろうとしたのが地元の人たちであったようなことは、新聞には書かれていません。そしてまた新聞では単に、三派全学連が帰った後、野次馬が暴れているとしか書いてありませんでしたから。本当は「野次馬」と言うより「群集」というほうが現実に近いと思いますが、現場には見物人だけではなく、個人参加あるいは小集団の参加者がいっぱいいて――この時の三派全学連は、ある意味、スケジュール闘争的なところもあったのですが（…）全学連や反戦の部隊が引きあげた後に、それらの人たちの多くが地元の人たちとともに残って、皆でわいわいやっていました。多いときには万単位の数の「群集」、マスコミの言う「野次馬」が集まっていたのです。[11]

山本はつぎのようにいう。この「無党派《ノンセクト》」の傾向が顕著にあらわれはじめたのは、六七年である。そして、六〇年安保になかったのはこの群衆である、と。たしかに、一九六七年の佐世保のエンタープライズ阻止闘争記録をみても、初期の三里塚闘争、あるいは日大闘争の記録をみても、[12]このような境界攪乱的な「野次馬」的大衆の行動が、現地でのその活気をかたちづくっていたのはたしかである。ただしこれは、この時代に特有の現象ではない。山本自身も、「60年の大衆のなかにもそのようなラディカリズムは潜在していたのだろう（…）」が、それが「注目されるのはなかったのだろう」とつけくわえるのを忘れていない。じっさい、一九六〇年安保闘争のさいにも、調べていくと、しばしばこの群衆があらわれては、学生を弾圧からまもったり、むしろみずからが突破者としてふるまう局面がみられるのである。このような多かれ少なかれ組織性をもった集団と群衆ないし個人の相互作用がダイナミズムを生む局面は歴史上、かなり一般的にみられるもののようだ。

メディアには「暴れる野次馬」としてしかあらわれないが、「（…）行った人はよく知っているけれども行かなかった人は全然知らない」、このような人間の流動性が、のちの全共闘におけるノンセクト・ラディカルの擡頭の核心となっていくわけである。まさに、この境界の攪乱に、わたしたちは六八年の核心のひとつをみなければならない。「行かなかった人は全然知らない」というのは、メディアのスペクタクルには、いかにも収まりにくい――すなわち、「大衆」は主体的に「ラディカル」な行動をとるはずはない、おとなしいか粗暴に暴れるか――相容れない強固なおもい込み、というよりは、差別まじりの規範が作用しているからである。

長崎浩の先ほどの分析にしたがうならば、このような潜在的動きが、大学でノンセクトによる全共闘方式というかたちでスタイルとなり、あらためてそれは住民運動へと返され、「民衆的記憶」として定着をみせた、といえるだろうか。そのさい、共通点としてあげるべきは、先ほどふれた「直接性」

である。この点も、現代では、すこしおさらいをしておかねばならない。

直接行動という言葉がある。非暴力直接行動というふうに、頭に非暴力をつけることもある。この言葉はもちろん、議会制、代表制を介した、近代のある時点から、唯一正統とみなされる傾向をもった間接的な政治参加に対置される政治の行使の形態である。だからしばしばそれは、非合法的な行動の形態をとる。いまの日本であれば、デモに一元化されて理解されるきらいがあるが、しかし、直接行動とは、もともとは、代表制や迂回路を介さずに、直接に目標を達成しようという志向性である。全共闘運動に直接つながっていく出来事としては、一九六六年、機関銃工場である東京都田無市の日特金属への「襲撃」があり、それにつづく、一連の軍需企業への直接の抗議行動がある。[13] これらは少数のアナキスト・グループ(ベトナム反戦直接行動委員会)によるものであったが、非暴力的な原則が守られ、損害は軽微であったにもかかわらず、マスメディアや既成諸勢力からの多大なるバッシング、大々的な弾圧を浴びせられ、そして一部の人びとには深遠な影響力を与えることになる。すなわち、この出来事は、戦争をすくなくともそのあいだだけでも実際に止める、という直接性において、署名、投票、デモなどにあきたらない戦争への危機感に、深い衝撃をもたらしたのである。その後、ベ平連による脱走兵の手引きなどをへるなかで、直接行動は拡がっていく。そして、重要なことは、そうした諸行動が、日本はみずからが傍観者ではなく、加害者そのものであるという認識をもたらし、それ以降、だれも無視しえなくなったという点である。これについては、六〇年安保と七〇年安保を比較しながら、多くの人が、被害者意識の平和主義から、加害性とむきあう平和主義への転換を語っている。一九六七年一〇月八日の第一次羽田事件――羽田空港における佐藤首相ベトナム訪問阻止行動――は、津村もいくどもひとつの「原点」のような転換点として立ち返る場である。直接行動に、ヘルメット、ゲバ棒らのスタイルによる「異化」の契機がくわわり、全共闘のスタイルを形成する母胎となった、というふうに。第VI章ではつぎのようにいわれている。「すでに一〇・八羽田闘争の中で、メット－ゲバ棒の異装によって『異化』する戦術と、ベトナム反戦＝日帝の加担粉砕という戦略とが、侵略的成長を断てというところに結び目を見出しつつあった。朝鮮戦争、ベトナム戦争によって流されたアジアの兄弟たちの血が日本の高度成長を支えたのである。そのことは単に『戦後の平和と繁栄』の質を問い直すだけでなく、アジア侵略と一体に進行してきた日本の近代そのものを問い直すところへつながった」。日常の身ぶりという微細な次元とわたしたち自身の戦争への加担を断つという大きな次元が密接不可分のかたちで一〇・八の羽田では提示された、と津村はみなすのである。この二重性が、津村のみる全共闘の作風そのものであることはあきらかである。

このように文脈づけられると「特別なこと」のようにみえてしまうので、ここですこしざっくばらんに考えてみよう。個々人にとっては、みずからの直面するさまざまの個々の問題はかけがえなく重要なものである。立ち退けといわれているが、いやなものはいやだ。むりなものはむりだ。あの戦争はやめてほしい。あのように無体に人を殺すのはおかしいではないか。そして、それをめぐって、どうしたらいいのか、どうあるべきか、を考える。ところが、現在の「デモクラシー」とされているもの仕組みというのは、それにさまざまに厄介な迂回路を与えてしまうシステムである。政治家に相談しなさい、政党にうったえなさい、だれだれのコネが必要です、だったら政党に入ろう。あるいは、デモをすればいいではないですか、申請しなさい、これこれの条件をのみなさい、この道のこの脇を通りなさい、終わったらすぐに解散しなさい。そのうち、この要求は、わたしの政党、あるいは組合としては反対だが、しかし、むにゃむにゃの目標達成が優先で、あるいは、デモをやりましょう、抗議しましょう、さて終わりました。さあ、いよいよ本番、つまり選挙です。このような具合で、だんだん最初の個人のおもいもへったくれもなくなり、さして本気で止める気もないようにみえる行動が儀式のようにくり返される（津村喬は「闘争にカレンダーが忍び込む」といったような表現をしている）。このようなやりかたは、だれだっておかしいとおもうはずだ。それをおかしいとおもわなくするのが、先ほどの松下竜一のいう「教育」である。わたしたち幹部は慎重に戦略を考えている、つまりきみたちのことを考えているのだから、わたしたちにしたがっていなさい、と。これはだから、デモクラシーを標榜しながら、あたうかぎりの間接性を導入することによって作動する一九世紀以降の近代国家の論理とおなじなのである。多くの人たちが直接行動に共鳴するひとつの基盤はここにあった。つまり、自治や自己権力というとすこし縁遠くなるが、歴史の法則だか組織だかは知らないが、この問題を本気で憂いているのだから本当に解決したい、じぶんたちのことはじぶんたちで考え、じぶんたちのこの手でなんとかしたい、という欲求である。[14]

このところ、「党派的」なものを言葉上でも意識上でも否認しつつ、ところがセクト主義そのもの発想や行動をしているという事例をしばしば眼にするようになった。セクト主義的なものとはなにか、みえづらくなっているのが一因であるだろう。だから、ここは強調しておきたい。「大衆」は、「受動的」、「保守的」、「穏健」であるから、それにあわせねばならない、とするような思考法は、現実には歴史的にも根拠もない虚像にすぎず、**大衆を鋳型にはめて操作したい／できるという願望の相関物**である。すなわち、そういう「大衆」観は、セクト主義的思考と裏腹なのである。無党派として行動したことのある人間であれば、だれしもすぐさまおもい知るように、大小セクトは大衆について強力な鋳型をもっている。大衆とはかれらにとって規範的概念であり、だからこそ、かれらけしばしば、その規範を押しつけ、違反を取り締まる自警団としてあらわれるのである。統制をはみでたら、警察の挑発にのった「過激派」の扇動であるとか、あるいは「過激派」そのものであるといったふうに、外部から「踊らされている」という図式がひんぱんにもちだされるのも、そのためだ。みずからの指導に沿わないか、イメージからはみでるのは、他者からの不当なはたらきかけの結果か、そうでなければ、当人がその他者であるかだ。そこで観念された「大衆」は、自発的意志も創造力も基本的にもっていない。わたしたちの大学生の時代でも、ノンセクトの主要な活動家ひとりひとりに、某党派は、なんらかの所属党派をあてがって把握しているようであった。あるいはただの脅迫だったのかもしれなかったが。もちろん、具体的表現の様相はさまざまとはいえ、セクト主義的思考とはこのようなものである。そして、忘れてはならないのは、これは、人を受動化させ統制をこころみる現代社会のさまざまな装置のなかでわたしたちが日常もってしまいがちな思考パターンでもあり、セクト主義にかぎらず権力一般のはらむ特徴であるということである。[15]

4 ― 群衆と階級

もう一度、第II章「群衆は増殖する」に立ち戻ってみよう。このテキストはなぜこの時点の津村喬に、階級論のほかに群衆論が必要であったかをよく示すものである。なによりもまず、一九七〇年代には、ブルガリア出身の偉大なユダヤ人作家エリアス・カネッティの大著である群衆論がかくも生き生きと現実に即して活用されるほど、荒々しい大衆の存在があったことを確認する必要がある。群衆とはなにか。「『階級』や『大衆』ないし『民衆』についてさんざん論じられていたにもかかわらず、**この意味での非連続な、カタストロフな『群衆』**についての研究はほとんどなされてこなかった」（強調引用者）。

もともと、マルクス以降の戦略にとって、階級とそれに包摂されない「大衆的なもの」の二重性というものは難問であった。マルクスの時代からそれ以降まで、現実の民衆蜂起や革命において、厳密に定義された「労働者階級」が果たす役割は限定されていたからであり、その過程において多様なアクターが大きな役割を果たしていたからである。マルクスにおいてもそれ以降においても「プロレタリアート」という概念がしばしばあいまいであるのはそのためであるし、労働者階級が、ではなく「大衆が」歴史をつくる、とマルクスがいったのもそのむずかしさを語っている。とりわけ、資本主義の進展とともに敵対する二つの階級に単純化するという、『共産党宣言』の予見が現実と乖離するようにみえるなかで、そして階級のカテゴリーにしっくりこない「大衆」「群集」あるいは「公衆」と名指される存在の擡頭するなかで、すでに一九世紀の後半から、それをどう考えるのかは挑戦であった。カール・カウツキー、ジェルジ・ルカーチ、アントニオ・グラムシ、ローザ・ルクセンブルクといった人たちはそれぞれの仕方で、この挑戦に正面から応じながら独創的な思想を形成するのである。

おおまかに整理するならば、自発性と組織性とを両極におきながら、いかにその両極間の力学を資本主義を乗り越える目標へとみちびくかといった問いへの応答ともいえるだろう。その困難と格闘が、ここであげた集団のさまざまな名称に表現されている。一九六八年も、この歴史的ジレンマへのひとつの応答であったともいえる。津村にしたがうならば、一九六八年を通して、この問いは「非連続な、カタストロフな」群衆の側から問い返されたということになる。

この問いに対する津村の格闘を示すのが、第Ⅲ章の「レーニンと組織戦略」である。まさに一九一七年、一〇月をまえにした切迫した情勢のもと、レーニンは引きこもって、過去との対話をおこなう。すなわち、一八七一年のパリ・コミューンである。そして、その過去との対話から、いまなにが起きているのか、なにをなすべきなのかをみちびきだそうと試行するのである。このように、ひとつの出来事がどのように捉えられるかは、その時代を映しだすプリズムでもある。そしてそのように未来の人びとが立ち返る出来事とは、汲み尽くしがたい要素をはらむ潜在性の厚みである。どのような課題をもって、過去の出来事と接触するのか、その身ぶりそのものが、時代のじぶん語りであるような、過去のヴィジョンを生みだすのである。

津村のよってたつ位置はつぎのようなものである。

言うまでもなく全共闘は、何かのイデオロギーにもとづいてつくられたものではない。それは、大学の中で管理されていること、管理されるのに甘んじていれば自動的にわが身が支配階級のそばに運ばれていくことが心底たえがたいと思った時に出てきた、日常性を拒絶する運動だった。それが造反ということでもあった。わが身の帰属している秩序をどれほど深く裏切ることができるか、が闘いの動機だった。いいかえれば、主体が変わることを通じて世界を変えようとした。権力をとることで世界が変わると考えてきたのが社会党－共産党からすべての新左翼党派であったとすれば、全共闘は、権力をとることこそ最も避けたい、呪うべきことであり、**問題は自ら権力になること**だという宣言を発した。それは文字で書かれた宣言でなく、バリケードや、さまざまの身ぶりによって、ひとつの新しいスタイルとして、都市に書きこまれた宣言だった。（強調引用者）

この「権力をとるのではなく権力になる」というフレーズに集約された志向性は、『戦略とスタイル』の解説で高祖岩三郎があげている、現代の世界における無数の試行が掲げる理念と強く共鳴するものであり、全共闘運動、ひいては一九六八年の現代性と世界性を語ってやまないものである。このような立場にとって、一九一七年のロシア革命という出来事、そしてレーニンの存在はひとつの試練となる。一〇月という出来事を、ボルシェヴィキ（レーニンがリーダーであったロシア社会民主党の分派であり、のちのロシア共産党）からスターリニズムへと一直線にむかう萌芽と考えるなら、全共闘におけるノンセクトのスタイルとはまっこうからぶつかるものである。しかし、そのようにことを単純化することをよしとしないのならば、とりわけ、レーニンのような結論にいたらずとも、自発性と組織性とのあいだのジレンマを直視するものであるならば、レーニンとロシア革命に立ち返ることはレーニンがパリ・コミューンに立ち返ったふるまいのくり返しとなる。

ここでも押さえておくべき時代的文脈がひとつある。津村はこの章で、つぎのようにいっている。

「スターリン主義」という便利な言葉は、ソ連における国家＝官僚主義的（ないしは「テクノストラクチュア」的）反革命の成熟の過程総体を漠然と指示してきた。それがまさしく直接的な反《アンチ》でしかなかったために、反スターリニズムは、その敵対者が「トロツキスト」非難の中でみせた頽廃と同じ分だけ空転した。比較的最近になって、われわれはこの鏡の構造を遠く超えて出ていくことが可能になった。それは、一方では研究者の間で、ロシア革命の厳密な構造分析に寄与するような一連の地味な研究が出され、他方で「われわれ」自身の政治の質が、少なくとも「反スタ」の直接性を最終的に埋葬しうる地点までは成熟したためである。

いまからみると理解がむずかしいのは、新左翼の独自性を集約していた「反スターリニズム」、略称「反スタ」とはなにか、である。スターリニズムはいまの通念では個人の自由をほぼお払い箱にしてしまうほど異常なまでに国家と官僚制の肥大した「全体主義」的イデオロギーであり組織原理ということになっている。そして、とりわけいまからみると日本共産党から新左翼諸党派にいたるまで、多かれ少なかれスターリニズムの批判の立場にたっているようにはみえる。かつて、日本最大の前衛党にとって、「トロツキスト」とはメデューサの一瞥のような魔法の言葉であった（トロツキーは一九一七年のロシア革命の最大功労者のひとりであり、ロシア共産党内におけるスターリンの最大のライバルであり、国際的影響力もあった革命家、思想家であった）。つまり、それを投げつけると、その相手はただちに硬直し、声はとぎれ、昨日までの同志のだれもが態度を一変させ、抹殺されてしまうようなたぐいのおそるべき呪いの言葉だったのである。かつて、いまほどスターリンの党と距離をとっていなかった日本共産党は、その内外の批判的部分に対しこの「トロツキスト」というレッテルをふりまわし、抑圧や圧殺をはかってきた。公然とソ連共産党との距離をあきらかにしたあとも事情は変わらない。かれらにとって「スタ」よりも「トロ」のほうが悪罵としては機能しつづけていたのである。それに対し、日本共産党から分裂した新左翼は、おそかれはやかれはなれていくものの、トロツキーの思想や立場をテコにし、「反スタ」を標榜した。いまからみるとわかりにくいのは、その新左翼諸党派の一部は、一見、日本共産党よりもスターリニスト的にみえることである。津村がここで「鏡の構造」という理由はここにある。たがいが同質の体質を維持したまま、「トロ」と「スタ」という空語で罵倒し合うという構造である。その理由は、スターリニズムとはなにか、が非常に漠然としていたところ、限定されて理解されていたところにある。**本当の意味で「反スターリニズム」という立場にたつのは、いわれるほどやさしくはない**ということである。津村は一面では研究の進展、一面では「『われわれ』自身の政治の質が、少なくとも『反スタ』の直接性を最終的に埋葬しうる地点までは成熟した」というところにもとめている。つまり、左翼と新左翼の総体を乗り越える運動の発展が実質的にもスターリニズムを超える実践的・思想的地点にまできたということであり、それを可能にしたのが一九六八年の出来事であったということである。

津村によれば、「縦断的指導は、横断的結合に媒介されてのみ指導となることができる」というのがレーニンの原則であるが、レーニンの限界は、それを幹部側からしか達成できなかったことにある。「あとの『半分』は、非レーニン派によってになわれ、補完されたのである。それがソヴェト運動であり、あるいは芸術革命＝文化革命の戦線であった」。この横断的結合の場をひらき、生活や身体にかかわるスタイルの領域の変革をこころざしたのは、レーニンやその仲間たちではなく、別の諸グループに属する人びとだったのである。ここで、津村はルフェーヴルの都市革命論を参照しながら、工業とそれが要請する革命の質——ふつうこれがレーニン主義の核におかれる——とは区別される、都市的なものの領域における革命をとりだし、未完のレーニンをそこにおいてみせる（この点については、ルフェーヴルの『都市への権利』[16]を参照してほしい）。

津村のこの議論は、無謬の指導者像としてのレーニンという、それまでの左翼、新左翼のレーニン像を、いわば根源から冒瀆するものである。そのようなレーニンからは、全面肯定か全面否定しかみちびきだすことはできない。津村が対置するのは、具体的状況のもとでいうことを変え、ときに大いにまちがえてしまうレーニンであり、多様な出所の引用からなる「寄せ集めとしてのレーニン」を再構成することにある。

この議論はそもそも問題がわかりにくい人が多いかもしれない。しかし、大衆が立ちあがって自己組織化――これはレーニンたちが介入する以前に起きた――をはじめたとして、その自己組織化を、混乱とやがてくる権力による征圧にまかせるのではなく、かつ、革命の主導権をにぎった党によって上から高圧的にルールを押しつけられるのでもなく、その潜在力を最も自由に、最も創造的に展開させる条件とはなにか、その条件のためにどう介入できるのか、という問題は、おそらくセクト主義を拒絶した全共闘にもつきあたらざるをえない課題であった。そしてもうひとつ、現在的な意義がある。いま世界では、極限にまでいたりつつある階級の分極化という事態をまえに、階級闘争の意義と課題がはっきりとよみがえりつつある。その階級闘争の回帰あるいは顕在化の徴候は、すでに一九八〇年代の食糧暴動や一九九〇年代の先住民蜂起にはじまり、先進国内でのオルタグローバリゼーション、オキュパイ運動、そして代表制レベルではシリザ、ポデモスの擡頭などなどによって示されている。しかし、いまやかつての工業化時代のような労働者階級はいない。むしろ世界のあちこちでみられるのは、ここで津村が群衆といった特徴をもつ、画然たる意識も境界ももたない「階級」なのである。そのとき、いまレーニンをくり返す、ということはなにを意味するのか、このテキストの問いはこのような点で現在性を失っていないのだ。

5 ―スタイル、身ぶり、都市

ノンセクトの擡頭は「大衆的ラディカリズム」の登場ないし発見をともなっていたといったが、現代では即座にこういうふうに反射的に考えられてしまいそうである。大衆なるものは、いつでも暴れる用意があるというようなふうに。だが、そうではない。わたしたちはだれしも、**可塑的本性**をもっているということである。つまり、一見、受動的で保守的にみえる状態も可塑性によって形成される運動のとる一時《いっとき》の形状であり、それがときに、硬直もすれば、従順にもなれば、あるいはラディカルに展開もするということである。そして、そうした大衆的可塑性は、わたしたちの身体をも貫通しているということだ。津村喬の以後の歩みは、そうした身体の可塑性の次元に到達し、そこからいまあるヒエラルキーを解体し、別の社会を構成したり、その準備をおこなったりするところに移行したともいえるだろう。

第V章「仮面と変身」は、このノンセクト的課題を明確に提示し、それに応答しようとする努力である。メディアを通して、可塑性はヒエラルキーへと編制され、差別によってそのヒエラルキーを強化され、可能なかぎり鋳造されてしまう。この硬化したヒエラルキーが転覆され、可塑性そのものの発展である変身へとひらかれる条件をここで津村は探ろうとしている。「管理通貨制以後のいわゆる〈ビルト・インされた恐慌〉の中で〈無制限〉の高度成長が可能になった社会は、時に〈消費社会〉とよばれる。工業化は自らの危機を、商品の魔の制度化によって繕う。脱出の制度化の原理がここでも採用されたのである」。一九七一年のニクソン・ショックによる金ドル本位制から管理通貨制への移行を文脈とした時代診断がこの議論の背骨を形成している。管理通貨制への移行が無制限の高度成長を可能にしたとあるが、この歴史的事態はむしろ、バブルとその破綻、すなわち小さな破局を組み込みながら、無制限の信用の形成によって金融資本主義へと展開し、それが信用の操作による巨大な権力と、巨大な富の偏在をもたらすことになった。そのはてに、わたしたちはいまやポスト消費社会へとむかいつつあるともいえるが、しかし、工業化の危機のひとつの解消として消費社会を把握したその基本線はただしいものである。このすこしのちの消費社会論から消えたのはこの資本制の危機の認識と、消費とは区別された「使用」の視点であるといえよう。

いうまでもなく津村喬に特有の概念のひとつは「スタイル」であって、『戦略とスタイル』はもちろんのこと、本書でもそれがとりあげられている。なかでも、この第V章がスタイル論の色彩が最も濃厚だ。たとえば、先ほどあげたVI章からの引用の終わりに「それは文字で書かれた宣言でなく、バリケードや、さまざまの身ぶりによって、ひとつの新しいスタイルとして、都市に書きこまれた宣言だった」という一節がみられるが、ここにレーニン論にも共通する、そして津村が一貫して課題にした、スタイル、身ぶり、都市という要素がそろってあらわれている。スタイルは、これもまた津村にとって重要な概念――おそらくブレヒトによる――身ぶりと密接にむすびつき、さらにそれが都市というテーマと関係づけられるという、概念連関をなしている。

身ぶり、スタイルがなぜかくも問題になったのだろうか？　それは、権力をとることではなく権力になるのだ、という発想にもひそんでいる。つまり、権力をすげかえたところで、社会はなにも変わらない、どころかもっとひどくなるかもしれない――それは左翼や新左翼諸党派が大学でどのようにふるまっているかをみれば即座にわかる――ということであり、わたしたちを支配しているものは、わたしたちとは別のところにあるだけではない、われわれ自身のうちにあるかもしれない、ということである。身体はこうして、支配と抵抗の、あるいは津村がよくもちいるルフェーヴルの概念でいえば「作品」の場として発見される。そしてその身体の発見は、あらためて「日常性」が発見される過程でもあった。

身ぶりやスタイルといわれたとき、それは、慣習の分厚い層とも関係している。たとえば、学校によって「校風」があるといわれる。やはり地域によってその地域の「色」があるともされる。それは言葉にされるルールではないし、みえにくいものである。たとえば、えらい人がくるとたんに卑屈になってしまう身体の処し方もあれば、ごく自然に対等であるかのようにふるまう身の処し方もある。あるいはそれが拒否というかたちであらわれるばあいもある。このようなほとんどオートマティズムの動きにゆだねられる生活の層である。のちに、津村もふくむ、一九六八年の思想といわれる思考は、このようなミクロな身体にはたらきかける力に注目するが、その思考の源泉には、バリケードをつくったり、敷石を剝がして投げたり、壁に落書きをしたりして、**実際に都市を使用し、変身させる実践が先行した**のである。

そのいわゆる「一九六八年の思想」を体現するひとりであるフランスの哲学者ミシェル・フーコーは、みずからの知的いとなみの目標のひとつとして、それまで自明のごとく使われていた言葉やふるまいを躊躇なしにはできなくさせることである、と、定義した。スタイルや身ぶりというとき、なにかをする、という一見して積極的なレベルも重要だが、この「控える」というレベルはそれ以上に重要である。これを述べたのはだれだったか、人はなにをするかよりはなにを「控える」かによって定義されるという言葉もあったようにおもうが、スタイルとはなによりもまずそのようなものである。日本における在日外国人の存在を意識し、その来歴を理解するなかで、「国民」という言葉をそれまでのようにあっけらかんとは使えなくなるかもしれない。これはもう反射のレベルに組み込まれるのである。躊躇なしでは「いわなくなる」「しなくなる」、これがスタイルの発見への第一歩かもしれないのである。

第Ⅵ章では、つぎのようにいわれている。「だが、全共闘の表現の舞台は書物ではなく、都市だった。現実の行動として発言し表現しなければならなかった。だから、『表現』の中に閉じられていくかわりに、たとえどこかから紋切り型の言いまわしをもってきたりしても、それが自分の属する言葉の秩序にとって異質であり、異化するものであり、それによって自分の造反の志を託せるような『表現』をもとめた（…）自己表現への激しい要求が、『自己』への断念と結びついていたところに全共闘の特性はあった」。

この一節からは二点とりだしたい。まず、自己表現への激しい要求と「自己」への断念という、一見してわかる二律背反である。これはかなり個人的経験に傾くし、少々的を外すのではないかとも危惧するのだが、この一節にとりわけ、ずいぶんおだやかにされたかたちではあるが――「自己解体」のような「否定性」や「禁欲性」をにおわせる大きなスローガン自体が忌避されていた――「作風」の微細にわたる伝達を感じるのである。そもそもわたしだけでなく、わたしたちには「経験」の履歴を表現すること自体への忌避感があるようにおもう。そこには、個人的な「好み」としての忌避感がある以上に、この政治的脈略からくる「作風」が起因しているようにもおもう。なにしろ、一九八〇年代の、すくなくともわたしたちの身近なノンセクト諸戦線の人びとは、じぶん語りを好まない、というか、それをみずから抑制している、抑制せねばならない、と考えているようなところがあった。運動の代弁者となったり、それを掲げて発言したりするようなかたちでじぶんをむすびつけるのも、可能なかぎり忌避すべきであるとも考えていた。大義や組織への献身とか禁欲的とかいった話ではない。おそらく、そのようなものはなるべく忌避しなければならないという雰囲気のほうが強かったようにおもう。「自己否定」「自己解体」をスローガンにしながら、さまざまなじぶん語りを生みだした全共闘運動は、その点はずいぶんちがってみえていたのだが、津村のこの一節を読むと、その点においても遠くないことがわかる。ただ、よく考えてみれば、活動家、研究者を問わず、大きな趨勢とは対立しても黙々とみずからの課題に取り組み、敢然とことにあたる姿のなかに、全共闘世代の人たちの多いこともよくわかっていたはずなのである。声の大きな人は、たいがい、右翼や保守、あるいはリベラルの旗手となって、あいかわらず、「あの経験」「あの時代」について総括的に語りつづけている。しかし、そのような語りとは区別された次元に、厚みをもった「事後の生」からなる流れがある。そこで継承されていたのは、おそらくこの「自己の断念」、すなわち、「じぶん」からも離脱するという動きである。そしてそれは社会を根源的に問うということと相関していた。この時代の運動も津村も、このことについてさまざまな言い方をしている。「自己解体」もそうだが、あるいは「制度化された〈自己〉の解体から作品としての〈自己〉の発見すなわち〈自主管理〉」[17]など。スタイルとは、そのように自己の断念された地点からはじめて可能であるような自己の再形成であるプロセス、「作品」として造形していくプロセスであり、それをそのまま提示するのが運動であったといってもいいのかもしれない。すべてこれは「仮面と変身」という問題設定とつながっていく。

もう一点、紋切り型のいいまわしという点についてである。ここも、きわめてよく理解できるのであるが、いまでは、かつての「学生運動のアジテーション」とか「ゲバ字」などというものが、硬直性の代名詞のようにいわれているのでなおさら強調しておきたいのである。だれしも、最初にふれると、このようなものには今風にいえば「ひく」——嫌な言葉であるが——のは当然である。わたし自身も最初はそうであった。しかし、そのような紋切り型のようにみえるものが「作風」として経験されるとすこし見方が変わってくる。ゲバ字とか様式化されたアジテーションが、現時点でそのまま存在すればいい——して「も」いいとはおもうが——といっているわけではない。要するに、そのようにかんたんにバカにできるようなものではない、ということだ。つまり、**わたしたちがふつう「個性的である」「画一的ではない」とみなすもののほとんどは、深く「非個性的」であり「画一的」なものである。**ゲバ字は個性的ではないといって、むかしとはちがうのだ、とことさらに提示される表現が、はたして十分に「個性的」であったことがあるだろうか？　それは、世間一般の感性に、あるいは広告《マーケティング》表現の様式に画一化されてしまってはいないだろうか？　まさにこのような微細な抵抗がここでいわれているのである。都市を消費の空間から使用の空間に変える、といった主張も、このようなところから考えてみると手がかりができる。あくまで表現の場は、都市であった。硬直して画一的であるとみなされる、たとえばゲバ字のような表現が、全体社会のなかでは、そして都市における身体空間にとってはどれほど異質なものであるか、そして、ある種の相対的に自律した人間たちの存在と空間の存在をどれほど刻印する表現であるか。さらにいえば、画一的とみなされているもののなかに特異性があることもみえてくる。これはいささかマニアの領域であるが、しかし、グラフィティ文化や、あるいは、声の伝統芸能の様式性が、そのスタイルのうちにある者、表現者や享受者にとって、かけがえのない個の表現であることはよく理解されている。かれらには、深い特異性を獲得するためには、個性はいちはやく脱ぎ捨てるべきよろいのように感じられているのである。

6―メディア、言葉、CR

第V章「仮面と変身」における、民俗学や人類学の知を通して、人間生活の基層からスタイルを考察するという路線は、第I章と三〇年をへて書き継がれた最終章をあわせた「横議横行論」でさらに発展させられているが、ここで注目したいのは、津村によるこの時代の支配構造の分析である。先の引用にある、「脱出の制度化」とは、商品を通しての、いわば変身の制度化である。「商品は変身のレトリックによって、人びとに変身を迫る。購買によって人は自分自身を脱出できるように幻想する（…）」。すなわち、ここでは、可塑性そのものの爆発であった一九六八年とそれ以降の大衆ラディカリズムの展開に対して、それへの反動としての**可塑性そのものの制度化**、**変身の制度化**が対置されているのである。これは、身体性の捕縛について、あたらしい認識を提起するものであった。つまり、それは変身という時間の次元に属する生成を、空間によって仕切ったり編制したりする近代的軍隊モデルから、変身をあらかじめの鋳型にシミュレートし、時間そのものを捕縛しようとするフレキシブルな支配の体制に移行しているのではないか、という提起である。先ほどふれた、津村の好むアリババの論理である。「群衆は呪われたものであり、都市的文化のあらゆる日常的局面にわれわれは、群衆として発現しようとするデーモンとそれを制度化しようとする権力の息づまる拮抗」が、広告などメディアを通して作動しているのをみる。本書には言及があまりみられないが、一九八〇年代以降、ほとんど失われた津村たちのこの時代の試みの貴重な点は、それがCR（コミュニティ・リレーションズ）といった警察の戦略――警察がコミュニティと関係をむすびなおし、それに密着し浸透しようとする戦略――の転換との関連で考察されていることである。消費社会が、このような国家による暴力の要素、すなわち一九六八年以降の大衆ラディカリズムの浸透に対する警察のあたらしい戦略と裏腹にすすんでいるということが、それ以降、知的にも見失われてしまった。この視点を取り戻すことは、重要なわたしたちの課題であるようにおもう。

このメディアによる支配の分析は、第Ⅳ章「ゲッベルスの大衆操作」（一九七三年一〇月に発表）において、ナチスの天才的メディア戦略家ゲッベルスを素材にして、歴史的に考察されている。まさに大衆が受動と能動の両義性をもちながら舞台にあらわれた時代、メディアを介して人を陶酔の世界にあやつった時代である。「ナチズムはひとつの寄せ木細工である」という点は、レーニンとも近接しているし、引用まみれというのは、津村と全共闘のスタイルとも、あるいは「ポストモダニズム」のスタイルとも近接している。対象は一九二〇年代、三〇年代ではあるが、まさに一九七〇年代の同時代なのである。そこにつぎのような一節がある。「存在論的なレベルでは、彼は混沌のふちに立って指導者《フューラー》を待ちのぞみながら、そうした姿をはげしく自己嫌悪する『大衆』の一人にほかならなかった。

巨大な情報権力を握ったとき、この男の自己嫌悪は無限の大衆蔑視と重なりあい、そして素朴な指導者待望は、ヒトラーを無視してヒトラーの像を作りあげるというところまでつきつめられていったのである」。傑出した大衆扇動家ゲッベルスではなく、ここでは**大衆ゲッベルス**の像がえがかれている。危機のただなかで、みずからの自己嫌悪を通した大衆蔑視と、幻想によって肥大する指導者という構図。ここで現代日本を想起するのは、わたしだけではないはずだ。匿名の群衆と化した人びとが、まさにそれによって大衆そのものである人びとが、日々、むきだしの大衆蔑視を隠さず、エリート意識にまみれながら、あらゆる瑕疵《かし》にもかかわらず、すぐれた指導者を幻想している。つぎの結語は、来るべき未来を不気味に予告している。「文化戦争そのものは、世界的・永続的なものとして、なお複雑な様相をもって『戦後』世界をおおい続けている。あらゆる政治は今や商業広告の浸透をうけ、その遠い先達、ゲッベルスのことは忘れ去られている。だが、何千何万という小ゲッベルスたちがわれわれの街路という街路を見世物に変え、たえず新たなめまいをつくり出す中でうすぎたない政治の耽美主義があらゆる物語《レシ》についてまわる中でわれわれはいかにしてあの夢を過去のものとしているのであろうか?」。

7　差別と変身

いまおそろしいまでのこの社会の右傾化と排外主義の拡散・深化とともに、「ヘイトスピーチ」という用語が浸透し、レイシズムという言葉もよくもちいられるようになった。そのなかで、いまこの時代の差別へのまなざし、差別への取り組み、考え方を確認しておくのは悪くないはずだ。

津村喬のデビュー作が『われらの内なる差別』であったように、わたしたちにとって津村といえば、差別論についてのだれもがふまえねばならない決定的な議論をおこなった人という認識であった。そして、それ以降も津村は、ことあるごとに差別について論じている。本書では、第Ⅶ章「差別について何を語りうるか」がそれにあたる。先ほど直接行動についてふれたところや、あるいは第Ⅵ章を読んでもわかるが、日本の学生運動が、日本人を加害者とみなす認識を深め、戦後日本のアジア人差別を構造化している入国管理体制に批判をむけながら、入管闘争として差別への取り組みを展開していくには、さまざまな立体的な闘争とその経験の蓄積があることがわかる。高度成長を問うこと、学園を問うこと、日常を問うこと、なにもかもにすべて、構造の次元に深く刻印された差別、といった視点が付随しているようである。これは窮屈であるようにみえる。倫理でおしつぶされるのではないか、と。たしかに、津村もとりわけ「われらの内なる差別」というフレーズの印象からそう批判されてきたようであるし、実際、ノンセクトの文脈のなかでも、そこからくる「倫理主義」が弊害をもたらすこともあったのは疑いない。だが、それは津村が当時から注意を促すように、「日本人原罪論」、すなわち「日帝本国人としての加害性を痛苦に剔抉《てっけつ》する」といったようなモラリズムにその焦点はなかった。「抑圧民族としての自己批判なしに新しい社会を生み出せないのは当然としても、それは一方で具体的な闘争スタイルの問題（…）であり、他方で日本社会そのもののオルタナティヴの問題（他国をくいものにしないですむ産業構造、生活構造をどう形成するか）のことでなければならなかった」。すなわち、高度成長とそれにからみついた知の制度から脱出し、別のありようを形成していくことと、反差別ということがむすびついていたというのである。「差別言辞糾弾」という闘争のかたちも、いまでは「言葉狩り」として表現の自由の抑圧であるようにみなされることも多いが、第Ⅵ章にあるように、もともとは、「言葉の権力性に対する読み手の叛乱」と位置づけられているような性質のものであった。それはむしろ、言葉とイメージを制約する言葉の権力性を解体し、自由と創造性の幅を拡大するものであったのだ。ところが、「一方にテレビ局の『放送用語言いかえ集』の頽廃を置き、他方に諸党派による糾弾ごっこの政治主義的利用という愚劣」によって、その意識が見失われていることがここですでに指摘されている。「規範化された倫理的意識こそが反差別闘争の阻害物であることはもっと強調されてもよい」。この点はいまだ、きわめて困難であり、重大な争点でありつづけているといえる。

第Ⅶ章での差別論で注目すべきは、津村はそれを、第Ⅴ章の議論の延長線上で、つまり、仮面と変身をめぐる考察としてとりあげているところだ。「差別とは、仮面としての近代的自我にとって不可分のものなのだ。／仮面として学習された自我は、いつでも二つのことにおびえている。ひとつは本能や感情の、つきつめていえば身体の叛乱をどう統制していけばいいかということだ。もうひとつは、その仮面を形成した役割＝体系をはみだす異文化に出会ったときにどう対応しうるかということだ」。そのうえで、現在のわたしたちの社会を支配しているのは接触恐怖であるとみなし、反差別の実践を、そのような身体のありようの変革とむすびつけている。この点について、ある種の身体的こわばりと、異質なものへの恐怖感、侵入への過剰な恐怖が相関しているとみなされているのは、わたしなりに理解できる。現代都市は、とりわけこの数十年にわたって、そもそも、このような接触恐怖症によって構造化されてきたようにおもうからである。慎重に人の流れやふるまいをよりわけ排除する空間構成、自由な使用を最小化する設計、強迫的な清潔によって、他者性への恐怖を扇動し、わたしたちは都市にいれば自然と接触恐怖症をわずらうよう構築されている。たとえば、「共生」をうたいながら、都市にどうしてもうがたれる「使用」のあと、すなわち、他者の痕跡を抹消するようアートが機能し、排外主義的感性の土壌を形成している、すくなくとも抗ってはいない事例も多々みられる。それに対し、身体の次元に働きかけるものとしてのアートが、真に「共生」の感性をひらくとしたら、このような都市の痕跡をみずからもたらし、異質性のもたらす不快を美に変貌させ、感性に他者の嵌入にひらかれる次元を創造することだろう。差別はいまでも、とかくモラルやたしなみ、文明、知性の問題として考えられることが多い。しかし、それが構造の問題であることももちろんだが、津村の一連のテキストは、このわたしたちの身体性と変身可能性への問いとして、差別の問題と格闘していることに注意をはらわれるべきだとおもう。

津村が「制度による福祉に帰結するのでなく、具体的な出会いのための作風《スタイル》を生み出していくことへ向かわねばならない」というとき、そして、津村の実践がこの出会いのための作風にむかうということの意義は、ほとんどわかっていなかった。一九八〇年代、すくなくとも身近のノンセクト諸戦線は、この差別をめぐる「倫理主義」といわれるものから離れようとする空気のうちにあったようにおもうのだが、わたしはいつごろからそのような作風があらわれたのか、どのような経緯があったのか、とりわけ差別問題に直接取り組んでいたわけでもないからかもしれないが、事情をよく知らない。おそらく、人に問うならば、感じ方も考え方もさまざまだとおもう。それでも、代行主義や糾弾的なふるまいをできるかぎり「控える」作風の背後には、さまざまな試行錯誤、失敗と反省の積み重ねがあったのだろう、ぐらいには感じていた。むろん、さまざまな限界をまぬかれていたとはまったくおもわない。しかし、反差別の認識を深化させることが、窮屈にさせるだけであるどころか、むしろ解放や自由の拡大への原点である実践たりうるということも実感としてわかるのである。

あるとき、ぼんやりともやもや感じていたことを明晰に言葉にした文章に遭遇した。韓国のソウルでユニークな研究教育実践をおこなっている集団スユノモの創始者のひとりによるものである。

このような触発のために、空間を笑いで満たすことは非常に積極的な価値を持つ。空間に足を踏み入れるや否や笑いの大気に感染させること、それは極端な場合、やろうとしていることが失敗した時さえも、入ってくる人々に喜びを与えるためであり、再訪する気にさせるからだ。また、スピノザ式に言えば、悲しみや苦痛を与える空間、憂鬱で重苦しい空間、それは誰もが避けたい、遠ざかりたい対象であるが、笑いを与え、愉快さを与える空間は誰もが近づきたい対象なのだ。このような点で、「コミューンとは喜びという情動の共同体であり、このような点で、構成的な活動とは喜びの情動を構成する活動である」。このような笑いと愉快さの大気は、ともに生活し活動する人々の間で容易に表れるものである対立と葛藤、衝突の重みを軽くし、容易に乗り越えさせてくれる。反対に、重苦しい大気は小さな葛藤にも、あまりに重くトゲトゲしく対応するようにさせ、そのことで対立と苦痛を重くし、傷を大きくする。真摯さと重さを同一視しないこと、反対に真摯さを軽さで表現し、軽さの中にも真摯さを失わないこと。[18]

この一節は、津村喬のいう差別あるいは差異一般の問題と、身体の問題、「出会いの組織化」といった問題をむすびあわせるヒントがあるようにおもえる。どのように志向性を共有している者のあいだにも考えのちがいはあり、ふとしたときに亀裂を感じたりすることもある。あるいは差別とみなしうるような問題が起きることもある。だれもが完璧なわけではない。そして、告発はあってしかるべきであり、怒りも発揮されるべきである。たとえば日本社会では、とりわけ弱い立場の人間であるほど、怒りの表明はなにかを犠牲にしなければならない、という異常な重みをもつ。したがって、安心して怒ることができねばならない、ということは、その告発を真剣に受けとめるが、異常な重みを呼ぶことがないというスタイルがなければならない（真剣ではないのに重い、あるいは重く装いながら儀式が作動する、というのが最悪だろう）。とにかく、かつて、わたしたちの周囲には、よく笑う人が多かった。スユノモもそうであった。それをわたしは、なかば偶然だと感じていたが、そしてその要因もあるのだろうが、本当のところは作風に大きく影響されていたのだともおもう。

8 多様で自律的な大衆知を求めて

最後にいっておきたいのは、一九六八年とその意義を考察するというときに、これは一九六八年にかぎらないことだが、歴史にわたしたちが強い肯定的意義を与えるときに、そのさいに肯定されていることはなにか、である。その歴史が、模範的な理想を提示しているからではない。おそらく、津村が全共闘スタイルにみいだした、さまざまな創造性、さまざまな美点にも、現実には、葛藤、過剰、失敗、妥協がべったりとつきまとっていたにちがいない。たとえば、セクト支配の重圧のなかで動いていれば、けっしてほめられない「政治」も「どうしても」必要であるといった具合に。肯定する、ということは、理想をみいだすということではない――そのような発想が、神話化と脱神話化という**悪循環**を、ジャーナリズムにとってはネタに困らない**好循環**をもたらすのである。そうではなく、ある時代を肯定的にふりかえるということは、その問い、葛藤、まちがい、それへの対応、それらすべてをふくめて肯定するということである。あえてひとことでいえば、このように大胆になれたこと、このように迷うことのできたこと、このようにまちがうことのできたこと、このようにそのまちがいをめぐる模索がおこなわれたこと、そのような点が肯定されるべきなのである。それは、なにか達成されたものを守るという発想とはまったく異なっているのであり、その発想をとることで、わたしたちは本当は歴史を失っているのである。

このかん、津村のテキストやこの時代の／についてのテキスト、資料をあらためて読んでいると、わたしたちですら、といっていいのかわからないが、誤解して、不当な考えをしていることも多いことを発見した。わかっているつもりではあるが、「わかっているつもり」が一番おそろしいのである。そして、武井昭夫が、全共闘について、たぶんその闘争の高揚しているあたりであろう、嘆いていた文章をおもいだす。ポツダム自治会の名のもとに戦後学生運動を一括し否定するその所作、とりわけその初期の運動の実情へのあまりの無理解と、このような遺産の継承の失敗がもたらす運動へのダメージである。それをおもうにつけ、このような不幸なすれちがい、というか、継承の失敗はいつの世もあることだと痛感するのである。

この文章では、とくに現在の知的状況における一九六八年とその「事後の生」の徹底した否定への衝動についていくどかふれてきた。クリスティン・ロス『68年5月とその後』を読むならば、もちろん文脈の差異はあるものの、支配体制への社会の全般的な恭順のなかで、否認のとる言説形態は、フランスのそれとおどろくほど類似している。この否認のプロセスを主導しているのは、あの時代を代表する者として、多くは否定的に小さく枠づけてみせる、さまざまの「当事者」たちである。日本でも「あの時代」を特権的に語る声の大きな人間についてふれてきたが、それとおなじである。第三世界主義の否認、植民地主義における加害性の否認、いまあるものとは別の世界の可能性の否認、運動の拡がりのミニマルな切りちぢめ――日本だと、バリケード、安田講堂、連赤、挫折、おしまい――、世代の問題への還元、つまり「若者の反乱」、若者の動機や社会構造への還元、すなわち社会学の反動的な役割、などなどである。現代日本でも、ここしばらくのあいだ、はっきりと「一九六八年」を否認し、左派勢力総体を、人道主義、リベラリズム、人権、ナショナリズムへの回帰のほうへと主導している知的動きの先頭に、社会学者がいることをおもえば[19]、その言説政治の動きも世界的に同時的な動きとして理解できるはずであり、わたしたちの課題もおのずと浮上してくるだろう。

とりわけ慢心のうちにある人間は、「最低の鞍部《あんぶ》」でもってなにかを乗り越えたつもりになることを好むものである。この最低の鞍部を規格化し、だれもが利用できるように差しだすのが、知識人と広告業界、メディアの複合体によって、一九七〇年代からそれ以降を通して定着をみせた統治技法のひとつであるといえる。だれもが、メディアを通じて規格化され、戯画化された「最低の鞍部」を差しだされ、かんたんに乗り越えることができるとおもい込まされている。この時代の人間たちは、熱狂で頭が浮かされただけの連中で、やりすぎでめちゃくちゃにしただけであり、じぶんけその水準は圧倒的に超えている、もっとうまく――スマートに――やれる、というわけだ。かくして、だれもが知性の優位を誇る時代がやってきた。「反知性主義」の批判とは、わたしたちの時代は、それが批判であっても知性の優位競争という形態をとるしかないという事態の徴候である。知と権力とがハイフンでむすばれ、そこから近代へとまっすぐに上昇していく歴史観が根本から疑義にさらされ、エリートの独占のくびきから解放された知の多様な相貌が掘り起こされ、自律的知の模索がおこなわれた、そのような時代からどれほど遠くまできたことだろうか。こうして、かつては迫害群衆としてあらわれ、いまでもあらわれうる、危うい人間たちを、その衝撃波から遮断することもできる。世界を一段ないし二段の跳び箱にしたてるならば、みずからの鈍重を、紙の分厚さのうちに覆い隠すたぐいの跳躍力に欠ける人間でも、世界総体を乗り越えたことになるわけだ。かくしてだれもが過去を乗り越え、すべての欠点を克服したはてに、歴史の絶頂に位置することになる。現代は、このような自己愛と高慢の情動で充塡された日本語で満ちあふれている。本書がなぜいま読まれなければならないか？　そのような日本語空間――津村喬たちが「国＝語」と名づけた――の外に脱出し、わたしたちのスタイルをあらためて獲得するためにほかならない。

1 Kristin Ross, *May' 68 and It's Afterlives*, The University of Chicago Press, 2012（箱田徹訳『68年5月とその後——反乱の記憶・表象・現在』航思社、二〇一四年）.

2 Kristin Ross, *Communal Luxury: The Political Imaginary of the Paris Commune*, Verso, 2014.

3 Kristin Ross , Manu Goswami, The Meaning of the Paris Commune, in *Jacobin*, 2015,（https://jacobin.com/2015/05/kristin-ross-communal-luxury-paris-commune/）.

4 Henri Lefebvre, *La Proclamation de la Commune*, Paris, Gallimard, 1965（河野健二、柴田朝子、西川長夫訳『パリ・コミューン』上・下、岩波文庫、二〇一一年）.

5 とかくせっかちで整理整頓好きのわたしたちにとって、以下の一節は貴重な訓誡である。「秩序に対して別の秩序をおきかえようというのではない。別の秩序が生み出されねばならず、どんな出来合いの「別」をもってきても現秩序の補完物になってしまう。とすれば、秩序を深く相対化する混沌の状況をできるだけ引きのばして、もっとも時代の深い底からまったく異質な秩序が発酵してくるのを待たねばならない。それに耐えられない者はみな党派に走り、出来合いの普遍性を手にいれた。全共闘はしばらく耐えた。全共闘は混沌派なのだ」。

6 道場親信『占領と平和』青土社、二〇〇五年、四七三頁。

7 津村喬『戦略とスタイル 増補改訂新版』航思社、二〇一五年、八頁。

8 田中吉六ほか『全共闘 解体と現在』田畑書店、一九七八年、三三頁。

9 同右、三二頁。

10 これについては手始めに、宇井純『公害原論1、2、3』亜紀書房、一九七四年をみよ。

11 山本義隆『私の1960年代』金曜日、二〇一五年、一〇〇 - 一〇一頁。

12 とりわけ三橋俊明『路上の全共闘1968』河出書房新社、二〇一〇年を参照のこと。

13 これについては、ベトナム反戦直接行動委員会『死の商人への挑戦——ベトナム反戦直接行動委員会の闘い』を参照のこと。オリジナルは一九六七年公刊だが、二〇一五年に複数の解説を付し、『アナキズム叢書』刊行会より再刊され、入手しやすくなった。

14 この点は、まったく矮小化されて理解されているが、二〇一五年の都構想をめぐる大阪の住民投票における、反対運動のおどろくほどの自発性と多様性による活性化——これは本当にその場にいなければわからなかった——と、その後の、大阪府市選挙における運動の不活性——広告《マーケティング》戦略はたくみだったが——が、結果となって表現している。その一見対照的にみえる結果を不思議におもう人は多かったが、なぞめいたところはいっさいない。本文の文脈であえていえば、それは、ノンセクト主体の全共闘運動と、党派にのっとられた全共闘運動の違いに重ねられるだろう。

15 さらにいえば、これもこのところしばしば感じるところであるが、日本社会そのものが、このような思考パターンを強く胚胎していて、自然に暮らしているとこのような発想になってしまうのかもしれない。つまり、**日本全体がひとつのセクト**であるとみなしてもいいのかもしれない。ノンセクトはノンセクトと自己定義することをセクト性を共有するものとして忌避したと述べたが、これは日本のある種の「世間」的同質化と排外に対する拒絶でもあったようにおもう。そして、このような態度は、ノンセクトにかぎらず、もちろん一般的ではないにせよ、かつてはそれほどめずらしいものではなかった（「大人の態度」などいろいろな表現があった）。セクト主義的ではない、ということは、それほどかんたんなことではないのだ。

16 Henri Lefebvre, *Le droit à la ville*, Paris, Éditions Anthropos, 1968（森本和夫訳『都市への権利』ちくま学芸文庫、二〇一一年）.

17 津村前掲『戦略とスタイル』、第Ⅱ章「差別の構造」七二頁。

18 事珍景「コミューンの構成における空間──機械の問題」『インパクション』一七三号、二〇一〇年、一四三頁。

19 もちろん、小熊英二『1968年』である。まさにクリスティン・ロスが示している、1968年をめぐる歴史修正主義の見本のごときテキストである（その事実誤認のおびただしさ、当事者の認識とみずからの解釈との重大な齟齬を平然と無視する独善的記述など、より右に位置する歴史修正主義との共通点を多数もっていることに注意しなければならない）。さらに、日本語圏では、ポスト冷戦期における「歴史修正主義」とおおよそみなされている観念がカバーする知的領域がきわめて狭い範囲にとどまっているため、それがこのテキストの世界的趨勢における反動的位置づけをみえにくくしている。

06

「「穏健派」とは、世界で最も穏健じゃない人たちのことだ」

——「エキセン現象」をめぐる、なにやらえらそうな人とそうじゃない人の「対話」

1　現代社会を覆う「過激中道」

きょうのトークのテーマは「エキストリーム・センター現象」だ。

――よくわかりません。

エキストリーム・レフトとかエキストリーム・ライト、つまり「極左」とか「極右」と訳される語彙があるが、その中道版だ。

――中道って、そんな「極」じゃないことをいうんじゃないでしょうか。なのに、それに「エキストリーム」って、どういうわけでしょうか。

英語やフランス語の時事的記事や研究書でも、ある時期からよく登場するようになった概念だ。現代の政治における顕著な特徴を指している。これがまた、日本の現象を理解するのに、めちゃくちゃ役に立つ。

――でも聞いたことがありません。

日本語圏でこの概念が広がらない理由は、まずこの言葉が日本語にしにくいことだ。

――「極中道」でしょうか。なんか極道みたいで、「中道」なのに迫力がついちゃいます。「極中道の妻《おんな》」シリーズとか。

あるいは「過激中道」とする手もあるが、なんかいまいちだ。「極中」もありうるが、いずれにしても日本語としてぜんぜん冴えない。

――じゃあいっそ、「エキセン」とか略しちゃったらどうでしょう。

なんでもそんなおかしな略語にするのは、とくに最近の日本語のよくないところだ。

――あの人「エキセン」だからね、とか、ああああれ「エキセン」現象ね、とか、これよくないですか?

たしかに、そういうふうにいわれてみると、なかなかいいような気もする。じゃあとりあえず、ここで使ってみよう。

——まだほかに理由があるんでしょうか。

もうひとつは、たぶん、あまりに日本の現状にあてはまりすぎることじゃないか、とにらんでいる。ああ、わたしは空気をいま吸っている、とかだれも一日のうちで意識しないだろう。これについては、またあとで考えよう。

——そんなおそろしい「エキセン」ですが、どういうことでしょうか。

人類学者のデヴィッド・グレーバーは、二〇二〇年に、エキセン現象についてこれから取り組むのだ、と宣言して、その手始めであるYouTubeの動画を残したまま亡くなった。そこで、かれはエキセンについて、"It strikes me that what's called the moderates are the most immoderate people possible." といっている。

——「穏健派と呼ばれる人たちは最も節操のない人たちだと思う」。

はやい。

——例のアプリにぶちこみました。

「いわゆる「穏健派」とは、世界一穏健じゃない人たちのことだ」くらいかな。

——とんでもないですね。エキセン。

グレーバーは、イギリス労働党のジェレミー・コービンのサポートにコミットするなかで、右派のみならず、リベラル・メディアや労働党内部からも、レイシズム（反ユダヤ主義）という嫌疑まで動員してのすさまじいコービン潰しが席巻するのを経験し、さらにフランスのイエローベスト運動をつぶさに観察するなかでのマクロン政権下における類似した社会的状況を経験して、どうにも怒りがおさまらなかったという印象だ。どうも最大の問題は、「中道」にありそうだ、と。

実際、「穏健」を自称しながら殴りかかってくる人って多くないだろうか。

——そういえば、ネットにうじゃうじゃいます。

おまえは「極端」だ、「偏ってる」、だれにも受け容れられない、とか、いいながら、殴ってくる人たち。

――で、じぶんは「穏健」とか「中立」だ、と。

「中立」といいながら、だいたい現存のシステムを擁護しちゃうという。この本でも、研究者のそういう傾向は第11章でみるつもりだが、二〇一〇年代に顕著になったそのような傾向は、「エキセン現象」という視点から捉えると、ひとつの理解の手がかりになるようにおもう。

2 ―「エキセン」現象の起源

――どっからでてきたのでしょうか。

この概念がここまで流通したきっかけはおそらくタリク・アリの同名著作[1]といえるだろう。

――ボクサーですか。

いや、イギリスの「レジェンド」的知識人だ。かれはそこで、「今日、極左と極右が話題だが、現代における真の危険はエキストリーム・センターからやってきている」といっている。そのかれのあとに、ケベックの哲学者アラン・ドノーもこの概念をとりあげて一冊の本を書いている。[2] やはり英語圏とフランス語圏だ。要するに、かれらはイギリスとフランスの現状をこの概念で分析してみせた。

――それで、「バズった」と。

たとえば、二〇一七年には、ドイツのケルンで開催された世界芸術アカデミーが、エキセンをめぐって大きなシンポジウムを二日にわけておこなっている。参加者は、タリク・アリをはじめとして、アグネス・ヘラー、サスキア・サッセン、スラヴォイ・ジジェクと近しいクロアチアの哲学者スレチコ・ホルファト（Srećko Horvat）など。このイベントのテーマ文から、この概念がどんな問題意識のもとに流通しているかがおおよそわかるだろう。

今日の政治は、世界的な地殻変動に直面している。ネオリベラルの時代を特徴づけた中道左派と中道右派のあいだのたえまないピンポンはもう終わったのだ。第二次世界大戦後、「福祉国家」の創設によって、資本主義が排外主義とナショナリズムをまだ抑制していたとすれば、今日の資本主義に、もはやデモクラシーが必要ないことはあきらかである。最近まで極右だけが主張していた政策が、かつては穏健をもって称していた政治体制によって実行に移されている。かつての左翼や右翼という政治区分はまったくあてにならず、タリク・アリの最近の著書のタイトルを借りれば、中道自体がエキストリーム化［過激化］している。こうしたプロセスは、政治に、社会に、文化になにを意味するのだろうか。エキストリーム化した中道主義が政治という概念そのものを消滅させたあと、左右という概念を復活させる方法はあるのだろうか。[3]

――現代世界では、極右じゃなくて、「エキセン」が擡頭している、と。

もうすこし正確にいうと、極右の擡頭は「エキセン現象」の副次効果である。重要なのは、この概念は、アリやドノーが発明したものではなくて、もともと、この概念を使ったのはフランスの歴史家ピエール・セルナであるということだ。

――フランスの歴史研究の文脈があった、と。

じゃあ、そのどんな文脈からこれがでてきたか。セルナは二〇〇八年から二〇一五年まで、パリ第一大学ソルボンヌ校フランス革命史研究所所長をつとめているような、フランス革命研究の大家で、二〇〇五年の『風見鶏の共和国（La République des girouettes）』という著作でこの概念をはじめて提示した。[4] かれはそこで、総裁政府から復古王政までの、とくに一八一四年から一八二〇年までのフランスにおける政治形態の特徴として、この概念を用いている。

――どんな時代でしょう。

一七八九年のフランス革命からある時期まで、フランスは革命の余波で激動の時代に入るわけで、政体も、たとえば、一七八九年に絶対王制から立憲君主制へと移行したあと、一七九二年―一八〇四年／第一共和政（一七九四年にはいわゆるテルミドール反動でジャコバン派から「穏健共和派」の主導による総裁政府が成立）→一八〇四年―一八一四年／第一帝政→（一八一五年三月―六月／百日天下をはさむ）一八一四年―一八三〇年／復古王政→一八三〇年―一八四八年／七月王政→一八四八年―一八五二年／第二共和政→一八五二年―一八七〇年／第二帝政といった具合に短期間でめまぐるしく変転するわけだ。このようななか、その都度の支配的動向によってみずからを「変節」させる、「風見鶏」と呼ばれる人たちがあらわれる。セルナがその研究にふみこむきっかけとなった、さまざまな名士の日和見具合を旗の数で評価した風見鶏紳士録、『風見鶏辞典』も一八一五年に刊行される。

以下は、当時の風潮を諷刺したシャンソンだが、これでその時代の空気がすこしはつかめるだろう。

わたしはいう、「ルイ万歳！」

夜はボナパルト派になり、
皇帝のため筆を執る。

状況に応じ、
いつも意見を変えつつ、
わたしははっきり身に着ける、
鷲やら、ユリの花やらを。[5]

――これだけだったらいつの世もいそうです。

そう、ところがこの「日和見」がやがてひとつの政治的レジームとして発展し、エマニュエル・マクロンにまでいたるフランスの統治システムの特性となるというのが、セレナの議論の要諦だ。そして、さらにこの「エキセン」概念を中心に据えて、フランス革命から現代までの歴史的展開を論じたのが、二〇一九年に公刊された『エキストリームセンターあるいはフランスの毒――一七八九年から二〇一九年（L'Extrême Centre ou le poison français : 1789-2019）』[6]という著作だ。

――マルクスが『ルイ・ボナパルトのブリュメール一八日』で分析した、第二帝政の「ボナパルティズム」

もまさにこの「エキセン」のヴァリアントなわけですね。

まさにそうだ。エキセンは、おもてむきは「穏健」だが、経済的リベラリズムの原則と権威主義的行政府主導の政治を志向するものだ。フランス大革命は、その展開のうちに、やがて代表制のフレームのもとに基本的に政治的左派と右派の対決によってくりひろげられるデモクラシーの概念をひとつの標準として設定した。しかし、セルナはそれだけでは不十分だと考えた。その対決的デモクラシーを周期的に否定してあらわれる中道支配のレジームだ。つまり、中央集権的官僚と中立的なテクノクラシーを率いる行政権力が、「二つのフランス」のあいだの闘争にとってかわろうとするレジーム。ここではあまり展開できないが、柄谷行人のいうように、ボナパルティズムのヴァリアントがファシズムであるとしたら、エキセンとファシズムの親和性には注意する必要がある。いうまでもなく、スターリニズムもだ。とりわけ、スターリニズムが、革命の「中道化現象」であったことは示唆的なはずだ。第2章ですこしふれた、ウォーラーステインの観点、すなわち、変革の上からの管理としての「中道リベラリズム」のパラダイムに保守と社会主義も統合されていったという近代史の観点をあわせて考えてみる必要がある。

3 「中道」はなぜかくも不寛容なのか

――右でもなく左でもなくその中間。

ふつう中道というと「中庸」をイメージする。しかしここでの中道はそうではない。それはそうした中庸とかそれにつらなる穏健のイメージを利用しながら、独特の仕組み、すなわち、一見、脱政治化したテクノクラート的合理性を掲げる政治だ。これがエキセンと呼ばれるものだ。

――対立自体を拒否する、と。

左右の対決は、それが代表制のフレームに制約されていたとしても、まだ社会が利害による諸勢力によって分割されていること、そしてその分割を超えて社会を運営していくためには、なにがしかの対話的モメントが必要であること、要するに、デモクラシーのモメントの一片は保持している。ここであらわれる中道はそれ自体を拒絶するものだ。

――デモクラシーそのものに対立的なわけですね。

そこにみられるやりかたも参考になる。エキセンたちは、本来政治的に対立する陣営のうち、たがいに近しい立場にある行為者を集め、それらの陣営のうちのラディカルなアクターを「極端」なものとして拒絶する。そして、その過程で、かれらを無力な存在に貶める。

——日本の一九九〇年代以降の「政治改革」をみているようです。

アリやドノーがフランス以外にもこの概念を拡張していったように、エキセン現象は、たしかに諸社会によってその地方性を帯びることがあるにしても、けっしてフランスに限定的なものではない。「既得権益の擁護者」とか、「時代遅れの左翼」とか、いろんなかたちで対立的要素を「極端」であると——「極左」、あるいは日本ではこの呼称自体が忌避されるのであまり実感がないが「極右」であると——周縁化していって、より「冷静」「穏健」で「合理的」である、「是は是、否は否」的な態度でのぞむ(と自認する)ものが糾合する。そうしながら、諸勢力の再編をくり返す。そこでは、対決そのものが否認されつつ、ネオリベラリズムによるシステム再編、つまり、経済的リベラリズムを原則として行政府主導の権威主義的手法によるシステム再編が決行されていく。典型的なエキセン現象だ。

エキセン概念は、それまでの近代的代表制の政治の構図、

左——中道——右

にかえて、

の三極構造を導入するものである。

——左と右はその過程で、かつてはそれこそ「穏健」とみなされていたものですら、「極左」「極右」となるわけですね。中道が「エキストリーム」である理由はそれだ、と。

グレーバーのいうように、いまの「中道」はなぜありうるかぎり最も不寛容か、というと、この対立自体を否定する、あるいは排除する傾向があるからだ。たとえば、第11章で述べる、二〇一〇年代の研究者の言説をここからみるとその特徴はあきらかだとおもう。かれらによれば、西成特区構想による釜ヶ崎の再開発をめぐる賛否は、意見や立場の相違ではなかった。それは、かれらが一貫して、特定の立場を引き受けようとしていなかったことからわかる。その対立は、合理（抑制された見解）と不合理（ノスタルジー）であり、客観（民意）と主観（感情的見解）にあった。つまり、それは価値の対立ではなく、絶対的にただしいものとそうでないものの対立なのだ。ところが、かれらはそのような強硬な図式を「中立」や「穏健」という立場から、つまりそのような絶対性を相対化するようなみせかけでおしだしていた。なぜ維新の政策にも「中立」と立場保留しないのか、この言説は不思議にみえるかもしれないが、エキセンというフレームからみると完璧に理解できる。

4　テクノクラート支配による円滑な社会が排除するもの

――そういえば、西村博之（ひろゆき）のような人のシニカルな態度がそうですね。

かれも特定の立場をとっているというみかけを極端に嫌っている。たとえば最近［二〇二二年］、西村は辺野古の座り込み闘争を揶揄して、大きな話題となった。そのやりかたは、ほとんどこの数十年で日本の伝統と化したシニシズムを煮詰めたような人間のクズの極北ともいえるものだったからみえにくくなっているが、しかし、かれは当初、たとえそれが基本的には誤認だとしても、「民意」をもちだして、辺野古への基地移転を正当化していた。じぶんは特定の立場をとるものではない、全方位を揶揄していると強調しながら、「民意」を掲げて支配的政策の側に立つ。すぐさま正当な反論によって「粉砕」されていたが、かれにはそれでなんの痛痒も感じない。

――そこにあるテクノクラート的立場もまさにそうですね。

それが重要だとおもう。世代論は禁物というか、慎重でなければならないが、わたしたちの世代あたりから、日本語圏（にかぎる）の知的世界においては、相対化すらむずかしくなっているような気がするくらい、テクノクラート的発想が浸透している。そしてそれは多かれ少なかれデモクラシーの不信や否認とむすびついているし、「大衆嫌悪」とむすびついている。まさに二〇一〇年代における知識人の「大衆の恐怖」だ。これには政治的立場のおもてむきの左右は関係ない。話をしたり読んだりしていると、世界には、知識人と（そのヴィジョンを実現する「良心的」）官僚、政治家、企業家、（投票やデモなどを通して表現される程度の「民意」に還元された受動的）民衆（そしてそれにプラスしてマイノリティ）しかいないのではないかとおもわせられることがしばしばある。そのエキセンのフレーム外で展開されたり、むしろフレームを破壊しようとする海外の努力も、日本に翻訳されるとき、すっかりそこが脱落したり、歪められたりしていることが往々にしてある。しかも、たいてい、日本で「人気」のある海外の知識人の仕事は、そういう「反エキセン」タイプの知的いとなみだから、それであちこちで無理がにじんでくる。でも、ときに、そうした知的いとなみの紹介や研究、翻訳のプロセスに関与する人びとの（抑圧された）恐怖感を感じることもある。すこし仮説的にいうのだが、おそらく日本のエキセン現象が、天皇制やそのテロルの構造と絡み合っていることがひとつ、その文脈にあるのではないかと感じている。

――フランスみたいな、エキセン、急進左派、極右という対立構図がないのは、エキセンが全体化しているということになるのでしょうか。

これも仮説としてそうみることは可能だとおもう。ほとんどの思考や言説のパラダイムがエキセンになってしまっているといえるかもしれない。エキセン概念が流通しないのは、もうひとつにはそれがあるとおもう。それを相対化することができないほど、だれもがエキセンなのだ。「右も左も超えて」、「じぶんは保守（あるいはリベラル）である」などなど、なにかに異議申し立てするさいにもこうした対立を打ち消す枕詞をつけること自体、日本社会の「エキセン化」の表現だ。

日本はすでに、とくに一九六〇年代、あるいは「戦後」へのバックラッシュとネオリベラリズムの進展、さらにはバブル経済への突入によって、一九八〇年代以降、政治的なものの排除が極度にすすんでいた。それに先ほど述べた天皇制とそれにつきまとうテロルという政治構造／精神構造が重なっている。文化領域における「政治的」要素への異常な検閲や排除の姿勢、はては政治家まで「政治的」見解の表明を公然としりぞけるようになっているありさまは、その「政治的なもの」を「持ち込むこと」の忌避へのある時期からの異常な執着のいきつくはてを（一九七〇年代に六〇年代までのバックラッシュとしてはじまり、一九八〇年代に文配的となり、やがて「ネトウヨ」を生む母胎となる知的趨勢であり精神性）示唆するが、笑えない状況だ。述べておかねばならないのは、ここで外部から汚染するようにみなされる「政治的なもの」は、たいていのばあい、実はそうしたテキストや作品をつらぬいている内在的要素であるということだ。したがって、一見、テキストや作品を守るといった身ぶりが、実はそうした要素を内部から無理に除去する、あるいは改変する、みないふりをする——翻訳だとその部分を脱落させる——などといった作業、しばしばアクロバットな作業であることが多々あるわけだ。こうした文化的領域で知的階層によって重ねられてきた作業とそこで培養されてきた精神性が、いまの「ネトウヨ」の肥沃な土壌になってきたことは、リアルタイムで感じてきたことだ。このような防衛的精神操作を重ねているとどういうことが社会に起きるのか、日本はほとんどその実験場となっている印象すらある。エキセンと日本については、しかし、日本の近代化、明治維新の指導者たちの近代国家構想にまでさかのぼる検証が必要だとおもう。たとえば、かれらはその初期に一八七一年のパリの民衆蜂起（パリ・コミューン）とその余震のなかにあるヨーロッパ、そしてそれを鎮圧して生まれたフランスのレジーム（第三共和政）を視察している。エキセンの波動にぶつかっていたわけだ。

——いっぽうで、日本では、すこし以前ならば「極右的」とされていたような要素は、むしろノーマルなものとしてスルーされています。

これもエキセンというフレームで考えると、説明がつく。テクノクラート的な社会の運営、円滑こそがなにより重視される社会のありように対して対立的なものだけが「政治的」と名指しされているからだ。これは日本だけのことではないが、しかし、日本の右傾化、というより極右化は、エキセンのフレームの外側ではなく、内側でほとんどすすんでいる。エキセンの外に、そのフレームを食い破って左右があらわれるといった二〇一〇年代に世界でみられた状況とはそこが異なっている。

――マスコミが世界の極右潮流には極右と名指しできるのに、日本では保守と表現することの背景にもそれがありますか。

ひとつあるとおもう。世界的には「極右」とされる要素（レイシズム、セクシズム、「歴史修正主義」など）でも、日本のなかではそれがエキセンのフレームの内側に投入される。そこにはもちろん、しばしば指摘されているように、日本のメディアの「欺瞞」もあるし、それを強いている一因であろう天皇制とテロルの構造が作用するなかでの恐怖感もある。「極左」はいじめてもこわくないが「極右」はこわい。それをそうと名指しすることにすら恐怖がつきまとう。なぜかというと「極」という表現には非難の含意があるからだ。「エキストリーム」であることがなにがしかの価値をもった戦後の一時期とちがい、エキセンがフレームとなった現在ではなおさらだ。とはいえ、もうひとつ、日本では、実際には「極右」というより「右翼」が不在とはいわないまでも、ほぼ存在感がなくなったこともあるだろう。それはいわゆる「極左」というより「左翼」の存在感の喪失と表裏である。

——エキセンだから、あの極右的要素、数々の犯罪行為でファシズム的要素すら帯びた政治勢力（維新の会）を、「リベラル」新聞が支持し、「リベラル」研究者がそのネオリベラル政策に賛意をあらわすわけですね。

わかるように、「ネトウヨ」言説は世界の極右現象ともむすびついてはいるものの、基本的にエキセン現象の内部で、それを強化するかたちで進行している（そうみると、二〇二二年の山上徹也の安倍晋三狙撃事件は、「ネトウヨ」がエキセンの結界を突き破った現象だといえる。あれは伝統的な右翼的行動のひねりをくわえたヴァリアントだ）。そして、ここまで検討したように、日本の知的言説も、そのかなりは基本的にはエキセンのうちにある。そこには、おなじ構造、そしておなじ衝動、つまり、左派的対決政治を排除したい、そしてそれにテクノクラート的支配をとってかえたいという衝動がみてとれる。一見、右派とはみなされないメディア（とりわけ『朝日新聞』）や研究者がなぜ、かくも維新の会に共鳴し、擁護できるかというと、そこ、つまりエキセンに共通の基盤があるからだ。あの維新がなぜ、ここまで浸透するかについては、いろんな人が不思議がってもいるが、エキセンというフレームを崩さないままひたすら右傾化するという日本の趨勢の極北の表現であるとすれば、いろいろ理解の手がかりもでてくるのではないか。

5　真理は過剰としてあらわれる

――ポスト・トゥルース言説はなぜミスリーディングなのか？

――「真理」の操作的規定もそれに由来するのでしょうか。

セルナの議論でみてきたように、もともとエキセンは「日和見」的態度と不可分である。経済的自由主義、セルナにしたがうならば、「所有者たち」の利害に即することが大切で、あとはその場その場の状況次第で立場も発言もひるがえすことができる。だからテクノクラート的合理性は、科学的真理とはしばしば摩擦を起こすし、とりわけ人文学的真理とは相反する、というよりも別次元にある。二〇一〇年代に次々にあらわれたメディアの「知識人」たちが、場当たり的に言をひるがえし、ウソをいっても意に介さないのは、それがかれらはテクノクラート的合理性には即しているとみなしているからだ。だからかれらはウソをいっても、まちがったことをいっても、みずからをだれよりも「賢い」とみなしている、というより、こう堂々とウソをつける能力において、体制の瑕疵をいいくるめて大衆に提示してみせる能力において、かれらは「賢い」のだ。

そしてもうひとつ。本書の文脈でいうと、現代の御用「知識人」たちが、どうしてあんなに堂々としているのか、人をなめた態度でいられるかというと、どんなことをいっても、究極的には暴力をあてにできるとおもっているからという点も考慮する必要がある。つまり、かれらはテクノクラートと同一化している、ということは国家（すなわち暴力）をあてにできる、とどこかで安心しているのだ。研究者ないし知識人は、本来、言説そのものの正当性よりほかに発言の裏打ちはないはずだ。ところが、なぜこのように専門外の知識不足の事象にも饒舌に語り、平気でウソも適当なくりごともくりだせるかというと、究極的には暴力で説得のコストを省略しているからだ。人を小バカにしたような態度がこうしたテクノクラート型知識人の典型だが、そうした究極にある暴力の庇護を喪失したら、あるいはそうした権力の庇護を失ったら、態度もがらりと変わるのではないか、と想像させるような人物が多いとは感じないだろうか。

――たしかに。

かれらにとって、言説の一貫性と「賢さ」には関連性がない。かれらにとっては、そのような合理性にそむくような「真理」への固執こそ、しばしば鈍重にみえるものだ。ダサいだけでなく、むしろそんなものはないほうがこの世はうまくいく、と考えているふしさえうかがえる。それは、ときにスムーズな社会の運営、たとえばいまでは「経済を回すこと」とも呼ばれる優先事項に邪魔だからだ。日本では、二〇一〇年代の後半、とくにこの「経済を回す」といった発想が左右をつかんだようにみえる。「経済」の問いは、「財政政策」や「金融政策」の領域に重ねられていく。世界ではネオリベラリズムが政治、社会、文化を横断するトータルな次元で問われるいっぽう、日本ではそれが「緊縮財政」に重ねられ、それに対する「積極財政」の問題にズラされる傾向もあったようにおもう。しかし、ネオリベラリズムの問題にとって、緊縮か積極か、は副次的な問題だ。ネオリベラリズムとは、それ以上に、社会の市場的再編成であり、社会のテクノクラート的運営の問題なのだ。

次章でも述べるように、「真理」はしばしば「過剰」としてあらわれる。たとえば、政治にとっての「真理」は、しばしば「暴動」という「過剰」としてあらわれる。エキセン的心性には、この「過剰」がそもそもいらだたしいもので、できればなしですませたいものだ。

――「ポスト・トゥルース」現象もエキセンだ、と。

いまいった意味で、真理が可塑的になるというのなら、それはエキセン現象である。だが、それと同時に、こうした「真理」の過剰が惹き起こす心性への反撥こそが、「ポスト・トゥルース」と現状を名指したい欲求とつながっている。

――要するに、現在を「ポスト・トゥルース」現象とするのはまちがっている、と。

じぶんもいってきたし、ふつうに日本語圏以外では遭遇する分析だが、現在を「ポスト・トゥルース」

時代とみること自体が、エキセンの外に左右の動きがあらたに活気づいていることへの、エキセンの反撥だ。こうしたフレームを疑うことなく前提として、あまり摩擦もなくいわゆる人文知も展開するのが、日本の二〇一〇年代の特徴だとおもう。ハンナ・アーレントで「ポスト・トゥルース」時代の「真実」の政治を論じるとか、そういう議論を目にすると、こうした主流メディアの好むフレームがまったく疑われていなくておどろくことがある。[7] いま世界は「分断」されている、そしてトランプたちは「事実」をこけにして、平然とウソをつき、大衆はそれに熱狂する、リベラルは守勢に回る、などなど……。「真理」についてのこうした減価現象は、そんなタームで理解できるようなものでは、すくなくともじぶんはまったくないとおもう。

1 Tariq Ali, *The Extreme Centre: A Warning*, Verso 2015.

2 Alain Deneault, *Politiques de l'extrême centre*, Lux Éditeur, 2016.

3 https://www.adkdw.org/en/article/1090_the_extreme_centre_on_the_future_of_politics_in_populist_times

4 Pierre Serna, *La République des girouettes. 1789-1815 et au-delà. Une anomalie politique française, la France de l'extrême centre*, Seyssel, éditions Champ Vallon, 2005.

5 本間千尋「P.-A.-A. ド・ピイスのシャンソン創作と「カヴォー・モデルヌ」への関与」学位論文、二〇二二年、六七－六八頁。

6 Pierre Serna, *L'Extrême Centre ou le poison français : 1789-2019*, éditions Champ Vallon, 2019.

7 百木漠『嘘と政治――ポスト真実とアーレントの思想』青土社、二〇二一年がその典型である。

だれがなにに隷従するのか

II

07

「放射脳」を擁護する

初出―『現代思想』二〇二一年三月号、青土社

1　放射能と情動

大地震、大津波、そして原子力発電所での大災害が連鎖的に起きた二〇一一年三月一一日以降の動向が、さまざまなレベルで二〇一〇年代の日本社会のひとつの基調をなしてきたことはあきらかである。

それをきっかけにかつての原発問題にかんする文献などを読んだりしていると、もちろん現在をさまざまな時代から書き起こすことはできるが、直接には一九八六年のチェルノブイリ事故とそのあとの反原発運動の高まりがひとつの結節点であることに気づくことになる。

たとえば、一九八八年の伊方原発の出力調整抗議行動をめぐる記録からは、チェルノブイリの事故によって「覚醒」した多数の市民たちが、それまでの運動と合流や葛藤しながらもきわめて活発な議論や行動を交わしていることがわかる。

いっぽう、チェルノブイリの事故調査にかかわった日本の研究者たちは、世界的標準からしてもきわめて安全論を強調する立場にたち、そしてかれら自身、そしてかれらの系列に属する人びとが今回の対策にも中心的にかかわっている。「安心・安全論」や、あるいはそのもとにおかれた「リスク・コミュニケーション」の「権威主義的翻訳」なども、このチェルノブイリ以降に準備されていた。これはある意味で、チェルノブイリ事故以降、日本にかなりの厚みをもって拡散していった市民の原子力体制への懐疑に対する原子力体制側からの応答であるともいえる。

とはいえ、筆者は、この数十年の原発推進と反対をめぐる趨勢を記述する余裕も力量もない。それゆえ、ここでは焦点を絞り、3・11をきっかけにした諸力の動向を表現する、言説・イメージ上の結節点ともおもわれる独特の形象についてメモしてみたい。

その形象とは「放射脳」である。これはあきらかに、チェルノブイリ事故のあとには存在しなかった用語である（おそらく、チェルノブイリ事故直後に日本に拡がった反原発意識は現在でいうならおおよそ「放射脳」と呼ばれるものだろう）。

まずその最も詳細で一般的であるとおもわれる定義をみてみよう。

> 放射脳とは、反原発派のうち過激な行動・発言を繰り返す人々を揶揄した言葉であり、全ての反原発派や放射能ノイローゼを指す言葉ではない。一般的な用語だと放射線恐怖症（ラジオフォビア：Radiophobia）に近いだろうか。（…）東日本大震災と原発事故以降、インターネット上には放射能や放射性物質に関する情報が溢れたが、デマや事実と異なる情報すらセンセーショナルに広まることとなった。その結果、放射能を忌避するあまりに、被災地や被災者に根拠の無い中傷や風評被害を繰り返す人が現れた。「放射脳」という言葉は、そのような人々を揶揄する言葉としてTwitterで誕生した。[1]

ポイントをあげてみよう。

1　放射「脳」とは、あえてことわりをいれているように、反原発派総体のことをいうのではなく、そのなかの悪質な分子を指している。放射脳は、前提は正しいかもしれないが「忌避するあまり」に「行き過ぎ」てしまっているのである。

2　なぜ過剰に忌避するのか。それは「デマ」や「事実」と異なる情報を信じ、「正しく恐怖する」ことができない、たがのはずれた恐怖をいだき、それでもって他者に対しても恐怖を煽ることをするからである。

3　さらにそれが中傷や「風評被害」としてあらわれる。

この1のポイントと2、3のポイントは、実はつながりがない。しかし「放射脳」の用法は、おおよそこの2と3を短絡させることで、放射能へのある特定の反応そのものに対する攻撃を正当化するものである。つまり、たとえば「ピカが伝染する」というようなかたちでの原爆の被爆者に対する差別や、福島からの移住者への差別のような、だれがみても不当な現在過去の事例と混ぜ合わせることで、その「過剰な」恐怖が、そのまま不当であるかのようにみせるものである。ある時期から被曝の不安を口にすること自体が「福島差別」であるといわれるような傾向すらあらわれてきたが、それはこのような発想のひとつの帰結である。もちろん、そのような「福島差別」を糾弾する言葉が、ふだんから差別なるものにそれほどまで気にかけていないどころか、むしろ差別に寛容であるような口からあらわれることもすくなくない。したがってかなりうさんくさいことも多々あるわけだが、このような反応が一定の浸透をみせたことは、それ自体が破局的事態の言説上の弥縫策としては成功といえよう。

結論を先取りするようだが、放射能のリスクはもし世界的に標準的な見解であるしきい値なし説をとるとすれば、たとえそのうえでどのようにリスクを低く見積もるにしても、恐怖が過剰化するのは必然である。あえていえば「放射脳」は原子力体制が必然的に生みだすものである。要するに、放射能にかんしては「正しく恐れる」ことが不可能である。あるいは歪曲される前の寺田寅彦のオリジナルなフレーズに返っていうなら、「正当にこわがる」ことは不可能なのである。というか、ある意味では、過剰にこわがることは「正当」である。これを実存主義のタームでいうなら「恐怖」と「不安」とが短絡して、「恐怖」の底が抜けた状態であるともいえるだろうか。

実は、この問題を、原子力体制構築の初期の段階から俎上にあげていたのが、映画監督の黒澤明である。黒澤は、ビキニ環礁での核実験と第五福竜丸の被曝による反核運動の高まりのなかで『生きものの記録』(一九五五年公開)を制作し、放射能を恐怖するあまり周囲の日常との摩擦を激化させ、みずから破滅してしまうある老人の姿をえがいてみせた。この映画は、原子力体制が「放射脳」と名指しさせる態度とそれを名指す諸力の力学をあますところなく描写しているともいえ、いまだにわたしたちの直面している問題の所在、ジレンマを提示することをやめていない。

2 現実的なものは理性的か

そのような先駆的な試みもあるわけだが、「放射脳」という形象のあらわれる条件について考えてみれば、おおよそ言説の枠としてもすでにあらわれていた（先の定義でいうRadiophobiaという概念ははやくも二〇世紀はじめにあらわれているのだが、本稿では考察しない）。

ここでは、一九八六年のチェルノブイリ事故後の日本における反原発運動の高揚のなかで書かれたひとつのテキストを参照したい。金塚貞文「権力の言説を解読する――感覚的不安の理性的意味について」である。

このテキストは、官僚の側（推進側）と「庶民」による言説が、別々の仕方で反原発派に論難を浴びせつつ原発を正当化するその語法を分析するものである。

基本的に、そのふたつの正当化の言説は、おのおのがみずからを理性に、反原発派を感情ないし反理性に分類することでは共通している。

ところが、官僚の側は安全をひたすら呼号する。反原発派がなにを騒ごうが、伊方の出力調整実験を止める必要はない。「それはなぜかと言いますと、不安だと言っている人達に根拠はないからで、安全の問題について、我々はしっかり確認しておりますので、安全であるというところのものを止める理由は全くないのです」[2]。安全であるのは安全をわれわれが請け負っているからというわけであるが、現在からみればどちらの態度に「根拠はない」のかはあきらかであって、このような無意味な言明が意味をもつのは原子力体制の内部であるがゆえである（原子力体制の「理性」をヘーゲルのそれと重ねてみせたこのテキストの文脈でいえば「理性」の根拠はその対立物を否定し、みずからを「理性」と宣命するところにのみ根拠をもつ）。

原発の正当化にはそれだけではなく、もうひとつ「庶民」からのものがある。それを、このテキストは札幌の一会社員の某大新聞（一九八八年五月二九日付『朝日新聞』声欄）への投稿に読み取っている。これはとても興味深いので、すこし長いがすべて引用する。

最近、反原発運動が盛り上がりをみせているが、ちょっと首をかしげることがある。それはひたすら「怖い」ということばかりが強調されて、エネルギー、環境、生活という様々な面から原発を考えていないように感じるからである。

エネルギーと環境問題は切り離せないもので、石炭や石油が温室効果や酸性雨などの影響があることを考えると、原子力がダメだからといって、安易にそれらのエネルギーに戻るという考えには問題がある。かといってほかに代替エネルギーがあるかといえば、現在の段階ではない。結局、私たちの生活を転換するしか方法がない。

その場合に、経済や生活に与える影響は計り知れない。原発は百害あって一利なしのように言われるが、経済性以外にもそれなりの利益を私たちに与えてきたはずである。それを止めた場合の影響について、反原発の人たちはどこまで考えているのだろう。

すべての状況を考え抜いて、対策についても明示した上での反原発なら納得できるが、感情論だけの反原発では、影響を考えると逆に怖さすら感じる。本当に子供たちのことを考えるのであれば、賛成派も反対派ももっと議論を重ねるべきだと思う。命に忍びよる影はほかにもたくさんあるのだから。[3]

いまでは耳タコの決まり文句がこれでもかと詰め込まれているが、金塚はこれが通産省（現、経済産業省）や電力会社という権力側のＰＲ作戦のソフトな面の受け売りにすぎないとことわったうえで、推進側には立ち入ることのできない領域に独特の仕方でふみこんでもいるという。すなわち「ここでは理性的であるか否かの審糾が、現実的であるか否かではなく、必要か否かに、より俗世的な基準に変っている」。だから官僚的で権力的、超俗的である理性には建前があっていないこともいうことができる。

官僚が、権力が決して公言できないことを俗世間の理性が、すなわち、庶民の醒めた意識が平然と言ってのける（…）俗世間の理性は、「安全の問題について、我々はしっかり確認しております」などと言う超俗的な理性の言説を鵜呑みにしているわけではないのだ。ただ、益と害とのバランスを考えなさい、放射能以外にも危険なものがあることを考えなさいと、理性的な対応、比較考量を要請しているのである。絶対に安全だと言わないかわりに、害や危険が絶対的なものだとも言わない（…）彼にとって、感情論であるか否かという基準は、「経済や生活に与える影響」に対する対策が明示されているか否かでしかなく、原発に対する理由に正当な根拠があるかどうかということではまるでない。だからこそ、彼は、原発がエネルギー問題、環境問題の解決策になるどころか、問題の深刻化にしかならないという、それこそ論議を尽くした反原発派の主張など検討する必要さえ感じないのである。いや、そもそも、原発を推進することの理由などはどうでもよく、そのことによって、今の「経済や生活」に影響を与えないで、「それなりの利益」を与えてくれるなら、それでいい、それこそが感情論でない理性的な対応であると主張しているのだ。[4]

つまり、ここにもある種のヘーゲルがいるのであって、「現実的なものは理性的」ということで、その理性的なものと等値された現実的なもの（いまあるもの）をくつがえすような議論はそれ自体が「反理性的」で「感情的」となるのである。

基本的には、反原発派の心配が「過剰」にみえるのは、このようなトータルな生活の保守が根源から危機にさらされるという「怖さ」である。このような感情的複合――当人の意識に反して「理性」というよりは――は、おそらく「放射脳」の形象を生みだすそれと同質のものである。ただし、この会社員の考える「理性」は、福島第一原発の事故によってそれ自体が無根拠であることがさらけだされた。そして、その「トラウマ」によって屈折――否定の否定のさらなる否定――をへている意識上にあらわれるのが「放射脳」である、といまのところいえる。

つけくわえておきたいが、ここでの会社員の見解は、けっして「庶民的」な実感にのみ根ざすものではない。すでに国際的な（アメリカ主導の）「放射線防護」対策では主流のものであった。そもそも、原子力体制の形成の歴史は、さまざまの抵抗に遭遇するなかで、**生物・医学的なレベルでの正当化の困難を、どのように次元をズラして正当化するか**の模索の歴史でもある。その模索のひとつとして、核実験反対運動の高まりのなかで打ち出されたのが「リスク・ベネフィット」論である。その内容は「核兵器・原子力開発から得られる利益を受けようとすると、その開発に伴うなんらかの放射線被曝による生物学的リスクを受け入れることが求められる。許容線量値を、その利益とリスクとのバランスがとれるように定めることが必要である」[5]という発想である。これは一九五九年に米国のNCRP（全米放射線防護委員会）によってはじめて打ち出された。「社会的・経済的な利益の重視をはっきり打ち出した点で、従来のリスク論から一歩も二歩も踏み出したものであった」。また、そのなかでほかの生命の危険と比較して、その危険性を無化するという説得方法も生まれている（それ以降、自然のもたらすリスクや交通事故のリスクとの比較など、生物・医学的なレベルでの正当化の破綻を弥縫する、ありとあらゆるレトリックが開発されていく）。このチェルノブイリとそれ以降の反原発運動の高揚というなかで、日本の推進派は、これ以降、「安全・安心論」をひとつの中心とする正当化の言説によって応答し、そのような異議申し立てを封殺しようとした[6]。それは基本的に、反原発意識が問題にした被曝の危険性を、客観的な安全と主観的な安心に区分し、本来、（専門家にとっては）安心であるはずのものを、なんらかのかたちで（大衆が）主観的に誤認しているという問題に転換させ、そのギャップを安全にむけて解消させるという方法をとる。しかし、もちろん、ここでいう安全と安心の境界線の不可能であることは、国際的に主流の見解からもみちびきだせるところにある。それをこのような「安全・安心」に転換しようとするところに、さまざまな問題が生まれてくるのである（たとえば安全と安心とをそれなりに区分できる治安の問題にかんしては、安全よりも安心――体感治安――のほうに政策をあわせていく傾向がある。これはなにかを語ってはいまいか）。

ここで重要なのは、このような原子力体制の正当化の言説は、その都度、批判的な科学者や大衆のみならず、みずからの仲間であるはずのさまざまの機関や構成員からも批判され、それらをねじふせつつ形成されてきたことである。したがって依然としてそこにひそむのは、いわゆる「前方への逃走」に特有の、弥縫したとたんにあちこちから破綻の噴出する矛盾の先送りである。

3 ― 真実を嘘にする人びと

先ほどの定義では、

放射脳とは、反原発派のうち過激な行動・発言を繰り返す人々を揶揄した言葉であり、全ての反原発派や放射能ノイローゼを指す言葉ではない。

と条件がつけられている。

先ほどポイントとしてまとめたように、「放射脳」とは、あえてことわりをいれているように、反原発派総体のことをいうのではなく、そのなかの「悪質」な分子を指している。「放射脳」は、前提は正しいかもしれないが「行き過ぎ」てしまっているのである。のみならず、ここでは放射能で心を病んだ人間（「ノイローゼ」）に対して一定の配慮が示されていることがわかる。

おそらく「放射脳」の登場の条件にはいくつかある。それは3・11という大災害がネット文化の登場以降であること――そもそも「放射脳」という呼称自体、「タイポ」からはじまっている――、そして日本のネット文化を深く侵しているシニシズムの心性である。

しかし、このポイントはなにかそれ以上のものを示唆している。先ほどの会社員の投書では、過剰な恐怖やその煽りへの批判は反原発派総体にむけられていた。チェルノブイリ事故のあとの反原発意識の高まりのなかで「放射脳」に該当する言葉が反原発に共感するなかに普及したようには、すくなくとも目を通した範囲の言説においてはみえない。むしろ、この一会社員のように、それに該当する論難はやはり反原発派総体にむけられている。

それに対して、「放射脳」は、反原発派のなかの「過剰」な部分にむけられている。それはある意味で、原発に疑問をもつ人間を良きものと悪しきものに「分断」する傾向の表現なのである。

被曝にかんする問題——とりわけ内部被曝にかんする問題——は、いまにいたるまで、ずっと一部の科学者たちや一部の活動家たちによっても深刻な問題としてとりあげられてきている。それはおそらく、原子力体制そのものの核心に位置しているからである。ところが、「正しく恐れる」態度とそれによって一部の「過剰」を攻撃し排除する姿勢は、原発に対して批判的な側にも相当程度に浸透していったことをこの言葉は示唆しているだろう。

二〇一〇年代後半に「ポスト・トゥルース」「フェイク・ニュース」などといった用語があらわれた。これは「右翼ポピュリズム」の擡頭と軌を一にしてのことだが、この状況をそう名指す心性と、この原発事故をめぐって「放射脳」を摘発する心性はひとつの共有する領域をもっている。「エビデンス」ベースの真実などということがしきりにいわれたのも、この流れのなかにある。

「放射脳」の定義のうちには、「「デマ」や「事実」と異なる情報を信じ、「正しく恐怖する」ことができない」という要素があった。事実やデマといった文言、そしてこうしたデマにむけられるある種の「リベラル」の注目は、「ポスト・トゥルース」を問題にする態度と共有する部分をもつ。「ポスト・トゥルース」論に対する多数の批判が述べてきたように、しかし「ポスト・トゥルース」を問題視する立場は、（「リベラル」のものもふくむ）それまでの体制の側が内在させてきた構造的な虚偽についての摘発には、「ポピュリスト」政治家や「民衆」の側のそれの摘発以上の熱意をもたないようにみえる。「放射脳」の用法には、パニックにおちいってデマでもなんでも信じて恐怖を叫ぶ「愚民」といったエリート的な民衆観が、しばしば見え隠れする。そして、そこにはおおよそ会社員の投書とおなじく「感情・対・理性」という二項対立がひそんでおり、たいていそこにセクシズムがついてくる。

たとえば、牧野淳一郎はこういっている。

なぜかはわからないですが、原子力発電の安全性に関する限り、政府や専門家はすぐにばれそうな嘘でも平気でいう[7]（…）。

このような感覚は今回の原発問題にかんする出来事に直面して、多数の人びとがもっていることだろう。これはもともと原子力体制がはらんでいた問題であり、福島第一原発事故直後に安全神話が崩壊したとき、いやおうなく露呈した態度であったはずだ。矢部史郎が、事故直前に指摘していたように、

かつて工業都市における情報管理は、嘘や秘密を局所的・一時的に利用するだけで充分だった。しかし、原子力都市における情報管理は、嘘と秘密を全域的・恒常的に利用する。[8]

いうまでもなく原子力体制は出自を軍事部門においているし、それが「民間」へと転用されていくにあたっても軍事の論理とつねにべったりと癒着していた。ある意味では原子力体制の歴史は「嘘

と秘密」の歴史でもあるが、その過程は原子力体制の形成を通して軍事の論理に内在する「嘘と秘密」の機構が（権威主義的・官僚主義的に）社会総体に拡散していく過程でもあった（「戦争の最初の犠牲者は真実である」という格言をおもいだそう）。そしてそのような原子力体制の本性と、先ほども述べた「**生物・医学的なレベルでの正当化の困難**」**をつねに別次元において弥縫しようとの画策がからまりあって、「嘘と秘密」を社会全域に拡散させていく傾動があるといえる**。

「すぐにばれそうな嘘でも平気でいう」という態度は、二〇一〇年代に安倍政権のもとで、政治家をはじめとする「エリート」たちのふるまいとして観察されてきた。それは安倍政権の特異性としてしばしば語られてきたが、それよりも、この原子力体制に内在するふるまいが全域化したというか、慣習化、日常化し、多数の人びとがそれに慣れてきたことが文脈にあるともいえるかもしれない。原発事故の規模の巨大さがこの社会総体を揺るがせにしたとあって、その原子力体制に内在する「秘密と嘘」のふるまいが「エリート・パニック」的に爆発した。そして、そのような態度は二〇一一年三月一二日以降、さらに強化され日常化され、他の領域にまで深く浸透をみせていったというわけだ。むろん政治家は嘘をつくものである。しかし、重大な政策事項について、証拠がある（ときには映像でニュースとして流されている）のにすぐばれる嘘をつき、それでもなおたいしたスキャンダルにもならず、平然としていられるという事態、そしてそれに大メディアも積極的に貢献するといった事態は、わたしたちのこの社会でも、あまり経験したことのないものだ。これがなぜ許容されてきたかも、すでに先の会社員の投書が示唆している。「経済性」や「それ以外の利益」ということである。つまり、

「経済が依然回転している」ということである。政治的立場はかかわりなく――反原発かどうかすらかかわりなく――その保守こそが至上命題とみなされるとき、言説も「知性」も、それを守ることに巨大なエネルギーが注ぎ込まれる。それにふれるもの、「不安を煽るもの」は、真実であろうがなんであろうが退けられるべきである。なによりも撃退すべきものは「過剰」なのだ。ところが、厄介なことに「真理」はたいてい既存のシステムにとって「過剰」としてあらわれる。だから「過剰」を撃退したとしても「破局の不均等な再配分」は強化しこそすれ消えるわけがない（一例にすぎないが、危惧されていたように福島第一原発事故の子どもへの過大な被害はあきらかである）。こうみるならば、それが安倍政権だけ、あるいは自民党政権だけの問題ではないことがわかる。現状を「ポスト・トゥルース」状況であると規定し、「デマ」の摘発に熱意をあげる側も、それとは無縁でないかもしれないのだ。「放射脳」という言葉への態度は、そのシステムへの内在の深度を測定するであろう。

いずれにしても、「放射脳」の形象とは、わたしたちのこの社会、原子力体制であるこの社会の抱える深淵のマーカーである。つまり、それはあの『生きものの記録』の喜一老人のように、「放射脳」の恐怖はどこまでも「正当」であるということのリマインダであり、同時に、それをじぶんが馬鹿にできる好みのイメージに仕立てることで深淵を馴致する装置である。この深淵を直視しないところには、要するに、この球体はすでに砕け散っていることを否認するところには、つねに「秘密と嘘」の装置が侵入をはじめ、すべての言葉を「安全・安心」の説教にほかならぬ、そらぞらしい「理屈」

へと腐食させていくだろう。

1 https://dic.pixiv.net/a/%E6%94%BE%E5%B0%84%E8%84%B3
2 金塚貞文「権力の言説を解読する——感覚的不安の理性的意味について」(『クリティーク12』青弓社、一九八八年、一〇六頁。
3 同右、一〇九頁。
4 同右、一一〇頁。
5 中川保雄『〈増補〉放射線被曝の歴史——アメリカ原爆開発から福島原発事故まで』明石書店、二〇一一年、一一六頁。
6 島薗進『つくられた放射線「安全」論——科学が道を踏みはずすとき』河出書房新社、二〇一三年。
7 牧野淳一郎『原発事故と科学的方法』岩波書店、二〇一三年、八九頁。
8 矢部史郎『原子力都市』以文社、二〇一〇年、一五頁。

08

「しがみつく者たち」に

——水俣・足尾銅山・福島から

初出｜河出書房新社編集部編『歴史としての3・11』河出書房新社、二〇一二年

1―奴隷から賃労働者へ

昨年［二〇二一年］の三月二日からこのかた、日々、やりきれなさと怒りをおぼえつつ、未来をのぞむよりは、過去へ過去へと遡行する衝動をおさえられないのは、筆者だけではないとみえて、事例はただひとつなので恐縮なのだが、自宅の近隣のある古本屋――以前より水俣病関連の書籍の棚を充実させている――の主人は、昨年の三月二日以来、水俣病についての本が劇的なまでに売れているというのだ。

いま水俣病の「発見」から現在にいたる過程を追尾すると、この一年で起きた信じがたい出来事の数々、吐きだされたおどろくべき言葉の数々の似姿がそこにことごとくみいだされるため、いやでも既視感をおさえることはむずかしい。かつて、その出来事の経緯を学ぶことが多少なりともよそよそしい時系列の後追いであったとしたら、いまはより生々しい実感をともなって追尾することができる。おそらく、水俣病についての本を求める人たちも、おなじ気持ちであり、そこから現在を理解し、これから起きることを予測し、そのためになにが問題であるのか、どう行動すべきなのか、それを、汲み取りたいのであろう。いつの時代であっても、危機的事態への直面は、わたしたちをして過去へと遡行させる。チッソや行政との闘いの過程で、あるいは、日本各地で「公害」が次々と問題とされるなかで、一九六〇年代終わりから七〇年代にかけて、人びとは足尾鉱毒事件と谷中村強制収容に遡行していた。それらの出来事も追尾してみるならば、田中正造の明治天皇への直訴のような人目につく時代的色合いをのぞけば、とても既視感なしには読むことができない。問題を最初にあきらかにした県知事を左遷し、被害があきらかになっても行政は動かず、業者と癒着というより一体化した政治家も動かず、御用学者は問題を矮小化し、農民たちの抗議はメディアによって犯罪視され、田中正造ら支援者の活動は社会主義者の扇動と非難され、警察によって激しい弾圧にさらされた。鉱毒除去のための施策はまやかしで、そのまやかしをもとにした示談契約書にはいやいやながらの補償金とひきかえに今後いっさい苦情を申し立てないとの項目があった。それでも、ふつふつとわき起こる世論に対応するために行政は御用調査会をつくるが、そこで鉱毒問題を治水問題にすりかえ、住民たちを分断し、標的となった谷中村に貯水池をつくることで目先の隠蔽をはかるべく一村まるごとの買い上げをはかる。肥沃な土のもとで営々と農をいとなんできた村人たちは抵抗するが、カネの飛び交う激しい切り崩しのなかで、その団結は次々と突き崩され、たがいに憎み合うことになった。本質的になにが変わっているのか。二〇一二年のいま、「真の文明は、山を荒らさず、川を荒らさず、村を破らず、人を殺さざるべし」という田中正造の一喝以上に、わたしたちのおかれたこの状況の本質を射貫いている言葉はいまだないという事情がそれを裏づけている。

それらはいまでは環境問題として一般的に括られるわけだが、もちろん、その「環境」には、密接不可分のものとして労働、あるいはもっと広くいうと生業《なりわい》という問題がその中核にふくまれている。足尾鉱毒事件でいえば、それは関東一といわれた肥沃な大地上での農のいとなみの問題であり、農民と土地のむすびつきの解体という出来事であった。谷中村の強制撤去のおよそ同時期、足尾銅山で大暴動が起きていることも忘れてはならないだろう。銅山における囚人をも動員した苛烈な労働と、生態学的汚染による農民の土地からの剥奪とは、進行するおなじプロセスの表裏であった。水俣でもそうである。それは漁民と、海のむすびつきの解体であった。またそこでも、水俣病の「公式確認」と有機水銀説によって企業責任があきらかにされた——チッソはこの時点では認めていないが——すこしあとに「安賃闘争（安定賃金闘争）」という当時「第二の三井三池」とも呼ばれた地域全体を二分する長期にわたる争議が生じている。そしてその敗北の過程から、企業側の防波堤として動員され患者側と分断されていたチッソ労働者は水俣病患者との連帯の模索をはじめている（かれらとその労働組合はそれまで患者に敵対的であった）。

偉大なる文明史家ルイス・マンフォードを信じるならば、人類が最初に賃労働なるものを経験したのは鉱山ということになる。しかし、当初、鉱山での労働は、賃労働者のものではなく、捕虜や奴隷、そして囚人のものだった。土牢のごとき暗闇に封じられ死の恐怖に耐えながら肉体を不自然な形態で酷使せねばならず、しかもその果実がありやなしやも見通しがたいという鉱山の労働は、かれらの知るあれこれの労働に比較して、あまりに非人間的なものであったからだ。[1]

よく知られているように、江戸期、佐渡金山の労働には無宿人が用いられていたし、その過酷さは人をして震えさせた。足尾銅山では、明治初期から囚人が労働力として用いられ、古河に経営が引き継がれて以降もその活用はつづいた。三池炭鉱では、一八七三（明治六）年から一九三〇（昭和五）

年まで囚人の労働力が投入されていた。一八八八年に三池炭鉱は、三井に払い下げられるが、この年でもいまだ、全労働力の六九%を囚人労働が占めている。坑口には監視役が鉄砲をもち、逃亡者を発見したら、即座に鉛の弾を撃ち込むよう指示されていた。監獄から一束に鎖につながれて頭に籠をかぶせられ地中へともぐる、かれらのその異様な光景は、ある世代の大牟田の人びとの記憶に昏《くら》い強い刻印を残していた。

それもふくめて、鉱山における労働はこれまでの人類が知らなかったいくつかの特徴をもっていた。まず、述べたような労働における人間的要素の無視がある。つぎに近隣環境の破壊や汚染への無関心、そして生産過程への集中による生態学的・(教会などの)精神的環境からの隔絶がある。これらの要素はすべて相互に陥入しあっていた。たとえば、隔絶によって構成された地下の人工的環境——わたしたちがここでいう「環境」の誕生——は、昼夜を分かたぬ長時間労働を生んだ。これらの特徴は、わたしたちの知る産業労働の特質そのままである。鉱山労働は近代資本主義の初発の発展をもたらし、それに対して膨大な富による基盤とそして動力を与え、さらには資本主義的開発のパターンを提供した。マンフォードはこの近代資本主義の発展の文脈に、長期にわたって形成された私たちが機械の部品のように全体に組み込まれる支配の仕組みと、それに服従する態度、すなわち「機械的隷従」をみているが、その古代王権の土木工事に淵源を求める壮大な歴史的展望はここでは措いておこう。[2] やがて、それらの条件はほとんど変わらぬままに、賃金労働者が奴隷や囚人に取って代わるのである。わたしたちは、佐渡の金山はいうまでもなく、近代以降、長崎の高島、端島《はしま》（軍艦島）、崎戸のような隔絶した島々――鬼ヶ島とか監獄島と呼ばれていた――の炭坑でこそ、自由なはずの労働者が最も奴隷的に扱われ、その労働も最も過酷であったことを知っている。なぜこのような過酷さが可能であったのか。そこに、自由であるはずという前提と奴隷同様に扱うという実態を受け容れ可能にする文脈として、外国人労働者の導入、あるいは植民地的支配と差別の利用が当初からつきまとった理由がある。

2 土、海、川に、しがみつく者

わたしたちはこの文明史家の示唆にしたがって、賃労働の起源におもいをはせてみよう。わたしたちは賃労働を労働のただひとつの形態として、あるいはそうでなくとも、労働の本質を内蔵するものと認識するよう、誤認を日々せまられている。しかし、歴史的に賃労働の導入は、かんたんなものではなかった。多くの働く人びとにそれは、耐えがたいものとして経験されていたのである。賃労働によって、かれらは、われらのものではない場所で、われらのものではない手段で、われらのものではないモノをつくるために時間を他者の自由に貸し与えねばならない。土、海、川、すなわち「世界」から切り離され、形成された「環境」のうちに投げ込まれることを前提としている。それは正確に、みずからの労働を「抽象的労働」へと変態させることであったが、奴隷主が奴隷を購入するさいに目当てとしているものとおなじであった。なぜなら、この前提こそが買い上げた労働力をその目的がなんであろうと自由に使いこなす権利を奴隷主に与え、購入された側には労働と隷従をむすびつける基礎であったからだ。ほとんどの社会で、当初、賃労働が「賃金奴隷制」として捉えられたのはそのためである。思想史家がつとに指摘するように、奴隷貿易の最も活発な場所は、自由の哲学を最も謳歌した場所でもあった。奴隷労働こそ、近代的自由、抽象的自由の観念の裏側につねにひそんでいた薄暗い闇であった。[3]

わたしたちは日本資本主義の発達史において、その軌道を猛烈な速度で通過する蒸気機関車の蹴散らした線路脇に積み上げられた一筋の主題があるのに気づくだろう。そこに浮上してくるのは、土に、海に、川に「しがみつく者たち」の光景である。谷中村において、札束と暴力による切り崩しにめげずとどまり、ついに強制収容で住居を破壊された残留十六軒であるが、そのあと洪水のなかにあっても掘っ立て小屋に寝起きし土地にしがみつく最後の村民の姿は、かれらに最後まで寄り添い、移住地を探して奔走する田中正造にすら戦慄を与えた。また、水銀による汚染がわかっていても魚を食べつづける「栄華」と呼ばれたみずからの生業の歓びを手放さない漁民たちは、支援者にもとまどいを与えた。そして、ある人はまた、強制収容に抗して築かれた砦に「日本農民の名において収容をこばむ」と刻んだ三里塚の農民たちのことも想起するだろう。現在進行形で、原発建設をめぐって祝島の漁民たちは長いねばりづよい抵抗をつづけている。そしてなによりも、わたしたちはその現代史を強制収容の歴史として刻む沖縄を忘れてはならない。あげていけばそのリストは果てしないはずである。おそらく、より無名ではあるが、おなじようにわが土、わが海、わが川から立ち退きをこばむ人びとの長い列がある。日本の近代史にはいま現在にいたるまで、この「しがみつく者たち」の長い列――悲嘆にくれ、怒りや憎しみにかられ、あるいはあきらめ、途方にくれるその姿が埋め込まれている。そして、すでに土も川も海も喪失し、賃労働者へと変態（その変態が正規、非正規、失業の前提である）を遂げたわたしたち都市市民には、その「しがみつき」はおのれの損得もわからぬ愚直な頑迷牢固とみなされ、いまにいたるまで嘲笑されてきた。

しかし、ここになにが賭けられていたのだろうか。鉱山労働が、当初、囚人のように、大地や海、川から切断され、支配する者の意のままになる人間によっておこなわれたということからすれば、それは、奴隷、囚人、すでに「世界」を喪失した者の持ち分だったということになる。もしそうだとするならば、賃労働者（あるいは賃労働の失業者）たる現代都市の民たるわたしたちの多くは、農民、漁民の末裔ではなく、奴隷や囚人の末裔ということになる。土も火も海も川も、わたしたちのほとんどにはない。かわりに与えられたのは汚染まみれの「環境」であった。汚染の実態を隠蔽しつつ、陰に陽に圧力をくわえながら人びとの移動のハードルをあげ、避難を食い止める所業は、そのおなじ歴史の裏面である。

3 ニッポン資本主義形成史——世界喪失の帰着するところ

炭鉱労働についての話をだしたのは、昨年の福島第一原発事故以降、原発労働者に一定の眼がむけられ、その実態の一端があきらかになるにつれ、想起されたのがそれであったからだ。福岡県、遠賀川流域の筑豊地域は、かつて石炭という日本資本主義そのものの動力を提供していた地域である。昨年、それ自体おどろくべきことだが日本最初のユネスコ世界記憶遺産に選ばれたのが、元坑夫の山本作兵衛によってえがきつづけられた膨大な数の炭坑の記録絵画である。戦後数十年をへても戦前の「圧制ヤマ」の労働や生活を執拗にえがきつづける山本作兵衛は、みずから述懐しているように、当時からその情熱を不可思議なものとみなされていたが、わたしがしばしば筑豊を歩いてつねに感じるのは、この過酷で残酷な日本資本主義の要石であり捨て石であった労働とそれにつきまとう暴力や差別の屈辱に対する、深い憎悪や嫌悪とともに、愛ともみまがうような執着をともなう情念である。それは、おそらく戦後思想史のひとつのピークを形成する、炭坑の暗闇から生まれた記録文学や思想の作品群からも、その作品それ自体からも感じ取ることができるものだ。

よく知られているように、一九五〇年代はじめの朝鮮戦争による特需をピークに、石炭から石油へのエネルギー転換という国策によって炭坑は閉鎖があいついだ。それは、大油田の発見やそれにともなう世界的な産業の高度化といった動向に重ねて、日本資本主義が、みずからに内蔵した土台が同時に強度の諸矛盾の集積する危うい闘争の基盤であることから逃避し、その動力を海外にもとめるという利点ももっていた。石炭から石油への転換点のちょうどその時期に、日本でも、アイゼンハワーの「平和のための原子力」宣言とその文脈にある冷戦的核管理政策にともなう、原子力エネルギーの発電への応用が開始されている。それは、厳密な産業的要請にもとづくものではなく、国家とその軍事的野心に直接につながっていたが、そのことは、近代資本主義の非市場的構成をよりよく示唆するものにおもわれる。

原子力発電は、鉱山とは異なり、その立地は自然条件よりも、より多く社会的条件に左右された。つまりその立地は、近代日本の不均等発展を直接に反映し、その相対的に「弱い環」に集中した。だが、労働の非人間性、隔絶、汚染といった特徴は、鉱山からそのまま引き継がれている。したがって、それはやはり、立地周辺の人びとの生業を、土、川、海から引き剝がすかたちですすめられたし、いまも、そのようにしてすすめられている。発電所の内部では、必然的に生命の危険をともなう安全性の配慮の乏しい過酷な労働であるために、使い捨ての不安定労働にゆだねられ、幾重もの下請け構造が構築され、「暴力団」による手配がおこなわれピンハネがあり、困窮者を集める、事故の隠蔽、という構造がみてとれる。建設は、地方の困窮につけこみ、住民の抵抗を札束と暴力で分断し、たがいに不信と憎悪を持ち込んだ。原発労働者は、廃坑になって職を失ったかつての炭鉱労働者が多く活用された。ここにもまた既視感がある。

しかし、いっぽうで、いくつかの果敢な記録を手がかりに労働過程をみるならば、対照もきわだっている。そこに炭鉱労働者が怨みや歓び、欲望を刻んだ幾多の唄も踊りもなく、また、上野英信《えいしん》が克明に記録した地中のなかで、ほとんど裸に等しい男女のかわす猥雑な馬鹿話に崩れるような高笑いも聞こえてくることはない。堀江邦夫が福島第一原発で働く元坑夫の言葉を書き留めている。いわく、それまで炭坑で落盤やガス爆発、幾度も死ぬ目にあってきたが、最もおそろしい経験は原発労働のものである。なぜなら、そこは落盤を予知する背中におちてくる土砂の加減、ガス爆発を知らせる臭いや振動がない。危険の深度を触知するものがなにもない。しかも、現場では放射能のために飲食はもちろん、大小便も、汗をぬぐうこともできない。そこでは、じぶんたちがなにをしているのかもわからない、みずからの身体になにが起きているかもわからないのである。そこでは労働は、「世界」のみならず、炭鉱における「環境」すら喪失しているのだ。しかし、それは、危険や過酷さにおいて飛躍的な断絶があるにしても、考えてみれば、わたしたちの多くの働くありかたそのもののことかもしれない。たしかに、わたしたちの働く場をみわたしても、わたしたちのものであるような唄も、高笑いも、濃密な共有の感覚もそこにはない。

こうした原子力発電が範型となる時代の社会や労働の種別性をこまやかな分析にふすのは、ここでの手に余る。そこに歴史的な断絶や飛躍があるとしても、いずれにしても、わたしたちは歴史的な反復の罠に捕らえられたままである。もちろん、一つ一つの出来事は、そのかけがえのなさをもっている。福島第一原発の事故は、その汚染の規模や災厄の範囲がほとんど見通しがたいほど深く広いであろうという点でもきわだっている。それがもつであろう世界史的な意味も考察しなければならない。しかし、おそらくわたしたちの経験と記憶のうちにかすかに刻まれているなにかが、その執拗なくり返しを認めるように迫ってくる。3・11以降、あらためておもい知ることになったこの長い既視感から浮上してくるのは、わたしたちの生に対して主導権を握っている者たちのわたしたちの生への恐ろしいほどの全般的な無関心であり、それを白日のもとにさらけだすしばしば稚拙である嘘や隠蔽を重ねてもひるまない無神経さと残酷さである。この心性とそれをやむことなく生産するこの社会の仕組みは、田中正造を幾度も怒りと嘆きに七転八倒させたものと本質的に変わらない。ここからすれば、生の権力とは、生の政治とは、なんと人を誤った道にみちびいてしまう概念であることか。

炭鉱労働は、もうひとつ、資本主義の核心にまつわるおもい込みを形成した。厳しい働きによってしばしば巨大な富を形成する稀少であるモノを採集するこの仕事は、労働過程において支出された労苦が、金銀、石炭のように稀少性にもとづく価値を生産するのだ、という神話、つまり、価値を稀少性と労働にむすびつける近代に固有の思考の型を生みだした。それで想起されるのは、一九世紀の後半、ただ労働のみが富と文化を生産するとドイツ労働者階級がその綱領に書きつけたとき、カール・マルクスがそれをいましめたことである。この発想は一見したところの「親労働者」的みかけとは異なり、ブルジョアジーのものである、とマルクスはいう。自然を越えた創造力を労働に付与することは、なにかを隠蔽している。すなわち、みずからの労働力以外の財産を所有しない者は有産者になりあがった者たちの奴隷になるしかない、という事態がそれによって隠蔽されるというのだ。かれは、『資本論』第一巻において、賃労働そして賃労働者そのものの形成史として、人間がその営みの「前提たる」大地と大地の産物を喪失し、その結果として隷従にいたる血塗られた抗争を詳細にえがいた人でもあった。

そのおよそ半世紀後、おなじドイツのユダヤ人哲学者のヴァルター・ベンヤミンは、そのマルクスのいましめから出発して、未来というものの罠について警告した。過去の世代の憎しみによって養われず、自然の搾取を労働の成果と取り違え、技術的進歩と未来に解放のイメージを託する者は、必然的にコンフォーミズム、ひいてはファシズムにたどりつくと。その戯画を、わたしたちは国家企業と一体化し、原子力発電に猛進することになった労働者階級（労働組合）にみることになる。過去の世代の線路脇に積み上げられた憎しみこそ、現在の危機の深度をあますところなくわたしたちに触知させ、現在の危機をたえず低く見積もるようせまる圧力、ふたたびくり返しの連関にわたしたちを挿入する圧力から、わたしたちを生きのびさせる。

資本主義には記憶も過去もない。しかし、それは「小さな物語」をたえず生みだしながら、その都度、過去と未来を生成させ、記憶を捏造し、おなじものを、あたらしい装いでもって永遠にくり返すのである。3・11以前であろうがそれ以降であろうが、このくり返しの地獄を脱却することなしに、わたしたちの未来はどこにもない。

1 Lewis Mumford, *Technics and Civilization*, 1934（生田勉訳『技術と文明』美術出版社、一九七二年）の第二章をみよ。

2 Lewis Mumford, *The Myth of the Machine : Technics and Human Development*, 1967（樋口清之訳『機械の神話』河出書房新社、一九七一年）.

3 Richard Tuck, *Natural Rights Theories: Their Origin and Development*, Cambridge: Cambridge University Press, 1970.
cf. David Graeber, Turning Modes of Production Inside-Out: Or, Why Capitalism Is a Transformation of Slavery（short version）, in Possibilities: Essays on Hierarchy, Rebellion, and Desire, AK Press, 2007.

09

自発的隷従論を再考する

1　いかにしてわたしたちは自由を手放すのか
――ラ・ボエシ『自発的隷従論』より

ラ・ボエシの『自発的隷従論』は、これまでマイナーなかたちで訳されていましたが、二〇一三年に文庫化されたことで、とりわけ政権批判の文脈で、よく読まれるようになったのではないか、とおもいます。

しかし、ラ・ボエシには、わたしたちは思想史のみならず、ある種の社会運動の文脈でもなじんでいました。というのも、これはアナキストやあるいは反権威主義的傾向の強いマルクス派によってひんぱんに参照されていたからです。ただ、二〇一〇年代に日本でこれにふれられるとき、そこでなじんだ感じとはちがっていました。ざっくりいうと、アナキスト傾向においては、その「意志」や「災厄」が強調されていました。しかし、日本の一〇年代においては、「隷従」に力点がおかれていました。おそらくそれを、リベラルな読解といっていいとおもいます。

ここですこし、ラ・ボエシのこのテキストについて検討しておきます。

エティエンヌ・ド・ラ・ボエシは、一五三〇年にフランスの小さな都市で生まれ、法学を学び、ルネリンスのこの時代の人文主義に親しみ、一九五四年にボルドー高等法院に評定官として着任するが、一五六三年に若くして亡くなります。

かれを有名にしたのは、三歳年下のモンテーニュが『エセー』に書き留めたその熱い友情であり、なんといっても、モンテーニュの尽力で世にでたこの時限爆弾的テキスト、題して『自発的隷従論』でした。かつては、執筆時、ラ・ボエシは一六歳とか一八歳とされてきましたが、いまではもうすこし遅かったといわれています。しかし、いずれにしてもきわめて早熟であったことはまちがいありません。早世と早熟という点で、ときにランボーに重ねられることもあります。

先ほどもいいましたが、この小さなテキストはアナキスト、あるいは反権威主義的傾向のあるマルクシストたちに愛されてきました。そのばあい、どこに力点がおかれていたかというと、その自由を根源的に希求する精神性と意志の力能にかかわる大胆な発想にありました。というのも、そこでは、わたしたちは自然状態において自由であること、権力あるなにか——これを〈一なるもの〉ないし〈一者〉とラ・ボエシは要約している——にわたしたちが隷従するとしても、それは偶発的なもの（「災厄」）であるということ、そして、〈一者〉が揺るぎなくわたしたちを圧政しているようにみえても、それはわたしたちの服従の意志が支えているのであり、その意志を撤回さえすれば（要するに服従をやめさえすれば）その支配も消えるとしていたのですから。

（…）一体いかなる災難が、ひとり真に自由に生きるために生まれてきた人間を、かくも自然の状態から遠ざけ、存在の原初の記憶と、その原初のありかたを取りもどそうという欲望を、人間から失わせてしまったのだろうか。

そして、

あなたがたは、わざわざそれから逃れようと努めずとも、ただ逃れたいと望むだけで、逃れることができるのだ。もう隷従はしないと決意せよ。するとあなたがたは自由の身だ。敵を突き飛ばせとか、振り落とせと言いたいのではない。ただこれ以上支えずにおけばよい。そうすればそいつがいまに、土台を奪われた巨像のごとく、みずからの重みによって崩落し、破滅するのが見られるだろう。[1]

ラ・ボエシにあっては、この「災厄」と「意志による霧消」の二点がポイントです。

だとしても、問題なのは、なぜ、そのように自由の身で生まれついた人間が、隷従に甘んじてしまうのか、それればかりか、人はなぜ隷従をみずから意志しているようにみえるのか、という点です。ラ・ボエシはおおよそこの隷従の過程をこう考えていました。まず、最初は力によって強制されたり、打ち負かされたりして隷従を強いられます。ところが、それ以降にあらわれる人びとは、屈託もなく隷従し、かつては強制されてなしていたこともすすんでおこなうようになります。そうして、隷従状態を、それ以外の状態のありうることも考えられないまま、それこそが自然な状態であると考えてしまうというのです。

それではなぜ、こうなってしまうのでしょう。ラ・ボエシの与えた説明によれば、

1　第一の原因は「習慣」です。自然に比較して習慣は強いのだ（「自然がわれわれのうちにまく善の種子は、あまりにも小さくて滑っていきやすいので、それに逆らう教育がほんの少しでもぶつかると、もちこたえることができない」）[2]。さらに、隷従が習い性になるとそれは臆病を生む。

2　ということで、隷従の原因の二つ目は臆病です。こうした要因が、人間の本性を変成させ、「脱自然化」にみちびいてしまう、というのである。

これはたしかに、一面でいまでも説得力があります。

2 ―「大衆の自発性」という言説を問い直す

自発的隷従という概念にはそもそも、すごく起爆力もありますが、いっぽうで問題もはらんでいたとおもいます。

たとえば、「それでも大衆は戦争を欲望した」といったような語り口が、日本では二〇一〇年代に流行します。これは、大衆をたんに被害者としてみるような議論、への批判として根強いものです。大衆みずからが率先して戦争体制に順応した、それどころかみずからリードしたという契機を重視しようとする議論です。それ自体は、重要なものです。実際、二〇世紀のファシズム現象を考えるとき、たんに上から抑圧されるだけではない、「大衆」の欲望といった契機は無視できないものですし、二〇世紀の経験を真剣に考えていた人ほど、そのような問いを発することになります。

ただ、このような問いは、ひとつにはある種の責任の無化ともつながります。たとえば、支配層の臆面もないその免責ヴァージョンが、「一億総懺悔」でしょう。

しかし、ここは「自発的」に「隷従」するとはどういうことか、もうすこし検討してみたいとおもいます。大衆がみずから、みずからを抑圧するもの、みずからの不利益になるもの、自由を束縛するものにみずから「服従」する。あるいは、その「服従」を欲望する。これはいったいどういうことか。

ここで導入したいのが「解釈労働」という概念です。耳慣れない用語かもしれませんが、「解釈労働」とはなにかというと、わたしたちが日常的にふつうにやっていることです。わたしたちは、いつも他者と接触しながら生活していますよね。そして、つねにその他者がなにを考えているんだろうとか、なにを望んでいるんだろう、どう感じているんだろうと推測を働かせています。というかそういう傾向をもっています。ようするに、その推測の努力が「解釈労働」です[3]。

たとえば、「顔色をうかがう」という表現はこの「解釈労働」を直接に表現していますし、「空気を読む」と示唆されているものの根底にもこの「解釈労働」があるといえるでしょう。人は、こうして人のあいだの社会的関係を構築しています。問題は、この「解釈労働」が不均等に配分されているということ、つまり、だれもが等しく「解釈労働」を遂行しているわけではないということです。いっぽうに、それをたえまなく行使しなければならない人びともいれば、ほとんどそれをなしにすませられる人びともいる。そして、このような不均等な配分は、あきらかにヒエラルキーにおける上位／劣位の区分と重なっています。

すこしむずかしく響くかもしれませんが、このような事態を、人びとは日常的にさまざまなかたちで気づいているし、かつさまざまなかたちで表現されてもいます。たとえば「男には女の気持ちはわからない」とか「女は男の浮気をすぐ見抜く」といった決まり文句がありますよね。これらは両者ともに、「解釈労働」のジェンダー間での不均等な配分を男性側と女性側の視点からみたものにほかなりません。たとえば妻は夫がなにを考えているか、なにを望んでいるか、どのような機嫌でいるのか、つねに推測しているけれども、夫は妻がなにを考えているか、なにをしたいのか、どういう気分なのか、すくなくとも妻ほど推測しなくてすませています。つまり、男性と女性のあいだでは、「解釈労働」の負担は女性に重く負わされているのです。

あるいは、その男性だって、会社にいけば、上司の顔色をうかがい、なにを望んでいるのか、どう評価されているのか、あれこれ解釈をめぐらしています。家臣は殿様の必要を察知して草履を温めておきますし、それがその家来の才気と主君おもいの美談として語り継がれます。子どもは親や先生の不機嫌をすぐに察知して、なるべく危うきには近寄りません。奴隷は奴隷主の気分に過敏です。家政婦は主人の家庭の事情を家庭の人間よりもよく観察し、事情に通じています。舎弟は親分のいま欲しているものをふとした仕草から先回りして察知し、動きます。ところが、この解釈労働が逆に行使されることはまれなのです。奴隷主は奴隷の心の動きには無関心だし、夫は妻の日常の報告には関心がありません。勤め先の家族は、家政婦の名前すらなかなかおぼえてくれません。

このように「解釈労働」の非対称は、社会の上下関係、つまりヒエラルキーに重なっています。としても、なぜヒエラルキーの上下が「解釈労働」の不均等な配分とつながることができるのでしょう。それを可能にしているのが暴力なのです。

暴力を使うことができるようなとき、相手の顔色をうかがったり、相手のいまのおもいとか、希望とか、おかれた状況などをいっさい省略できます。これをしてほしい、といったとき、相手を説得したり誘惑したりするのには、あの手この手が必要ですが、暴力をちらつかせながらであれば、かんたんにさせることができます。

第1章でも参照していますが、ドラえもんのジャイアン・リサイタルがいい例です。ジャイアンがなぜ、のび太たちを集めて、みずからの歌に陶酔できるのか。それは、のび太たちの気持ちをかれが一瞬たりとも考えてもみないからです。そして、ジャイアンがなぜ考えてもみないですむのか。ジャイアンが暴力によって、のび太たちを支配しているからです。暴力によって日頃おどしつけている関係性がなければ、もし空き地でリサイタルを開きたくて人に集まってもらいたければ、かれらの歓心を買わなければなりません。みずからの歌声を、あるいはトークを磨き、日頃から「ファンサービス」に努め、どんな歌を人がもとめているか。それを知ろうとしなければなりません。しかし、暴力とそれによって形成されるヒエラルキーはそんな手間をいっさい省略できるのです。

3 王の「お気持ち」と知識人

つまり、このヒエラルキーの形成と維持にかかわる暴力は、そのまま「解釈労働」を省略できる能力なのです。

それをふまえて、「自発的隷従」について考えてみましょう。

具体的な事例として、日本における天皇制をとりあげてみます。自発的隷従を日本で考えるとき、天皇制、とりわけ戦後の象徴天皇制をぬきにして考えることはできません。日本人は天皇に対して異様なほどの敬意を抱いているとみたからこそ、占領軍は日本の統治のために天皇制を温存することを選んだわけでしょう。天皇を経由すれば、暴力でいちいち脅しつけなくても、効率的に（自発的に）服従を調達できると考えたのです。

天皇制への同意の調達に、いかに「解釈労働」が作用しているかはおわかりかとおもいます。メディアも大衆も、つねに天皇「陛下」の内心をおもんぱかっているといわれています。「お気持ち」という表現は、ここで「解釈労働」が作動しているありようをよく表現しています。天皇や皇室の人びとが、大衆の「お気持ち」をおもんぱかるとはいわないでしょう。「お気持ち」とは、つねに上から下々におりかかっておりてくるものであり、かつ、その不可視の流出を、下々のものが想像するときにあらわれるものなのです。

この天皇制の事例では、天皇への愛着をだれよりも示し、だれよりも解釈労働を遂行しているのは、なんとなく大衆というイメージをもっています。しかし、二〇一〇年代にくっきりした、そしておそらくあたらしかったのは、それを率先しておこなったのが知識人、保守あるいは右翼政権に批判的な知識人たちだということです。かれらは天皇あるいは皇室の沈黙、あるいは発言の断片のうちに込められたメッセージ、すなわち「気持ち」を解釈し、その解釈の方法を、メディアを通して大衆に提示してみせました。たとえば、天皇は国民の安寧を祈る役割をはたしているとか、天皇はだれよりも戦後日本の現状を理解している、といった具合です。そんなお話しを耳にするたび、「あんたきいたんか」とツッコミを入れたくなるのは、わたしだけではないんじゃないでしょうか。そこから、天皇〔現上皇〕は安倍首相を嫌っている、天皇はだれよりも右傾化を憂慮している、などといった、天皇や皇室自身は口にしないことを推測して展開される、ほとんど妄想といっていいような「解釈労働」が披瀝されていったわけですが、これが二〇一〇年代の言説空間を一種、異様なものにしていたようにおもいます。

もしかすると個別の解釈のうちには「あたっている」ものもあるのかもしれません。しかし、ここで重要なことは「解釈労働」そのものを、知識人がやってみせることにあります。天皇制のはたらきの核心のひとつである「解釈労働」を通したヒエラルキーの構築と強化を、知識人がみずからおこなってみせていることです。そしてそれを通してみなければならないのは、天皇の「お気持ち」をいつも考え、ときに熱狂するといったある種の「愚かさ」のイメージを大衆に押しつけるのはまちがっているということです。それを率先しておこなっている、しかもそれに知的正当性を与えているのは知識人なのです。

こうした天皇をめぐる「解釈労働」を通して、知識人たちの天皇や皇室への感情は、崇敬、というかほとんど愛ともみまがうばかりの感情に転化している事態は、しばしばみられます。「解釈労働」は、支配する相手の側の心をつかもうとする努力です。相手は、じぶんのことなど眼中になくても、こちらはその主人のことをいつも考えています。これは、感情や欲望がつねに当の対象に備給しているということでもあります。ここからこの関係のうちには、支配されているにもかかわらず、しばしばそこにストレートな暴力やいじめのような要素があるとしても、支配される側から支配する側への愛情のようなものが生まれてくるひとつの源泉があります。

たとえば、奴隷が主人への愛を示すこともあります。アメリカ合衆国では、いわゆる「ハウスニグロ」と「フィールドニグロ」を分割することで、奴隷主はたくみに、奴隷間の連帯を分断しました。そして、ハウスニグロはときに主人やその家族を愛し、おなじように同胞である奴隷に侮蔑意識をもちました。だからマルコムXは、生涯、同胞の一部に深く根づいたハウスニグロの心性、支配者への愛情と内面化された差別意識の克服が、レイシズムを粉砕することには絶対的に必要であるとかんがえていました。

ラ・ボエシは、先ほども述べたように自発的隷従の継続の原因を習慣と臆病に帰していました。それを解釈労働という次元を介して把握し直してみると、もうすこし積極的な原因もみえてきます。服従の対象への解釈というかたちでの欲望が不断に喚起されていること、そしてその解釈労働のプロセスを介して、被支配者の支配者への感情が、しばしば「愛情」のようなものへと転化していくことです。自発的隷従と二〇世紀的な「権力への欲望」のむすびつきは、「解釈労働」の概念を経由することで理解の糸口がえられるでしょう（あくまでその一アスペクトですが）。

4 抑圧された「暴力への恐れ」

しかし、問題はここにあります。このような愛情のようなものをもたらしている解釈労働の不均等性は、そもそもヒエラルキーによって生まれています。そして、このヒエラルキーの存在は、ラ・

ボエシにならうならば、やがて習慣と臆病によって支えられるにしても、発端においては暴力によってもたらされたものです。

ラ・ボエシは、発端こそ暴力であっても、やがて習慣と臆病がそれを惰性的に維持していくようになるといっていました。そういう局面がヒエラルキーの維持に存在していることは疑いがありません。が、しかし、それによって、このヒエラルキーを形成し維持する暴力が、それ以降も不断に行使されていることがみえなくなってしまいます。

たとえば、ふたたび天皇制をみてみましょう。たしかに、「解釈労働」を知識人やマスコミがおこなってみせ、それが人びとの日常にも浸透していきます。とはいえ、天皇制にかかわるものごとは、究極的には暴力、しかもしばしばあまり隠されていない暴力によって包囲されています。天皇にまつわるものの批判を、わたしたちは公然とすることがむずかしいことを知っています。そうした批判が許容される人間関係のなか以外の環境において、天皇にかかわるなんらかの批判的コメントは、たいてい場を凍りつかせます。その反応が、もちろん、じぶんが敬愛をもつものを侵害されたことの不快であることもあるでしょう。しかし、たぶんそのほとんどは、なにかタブーが破られた、おそろしいなにかにふれた、という感覚がまさっているようにおもいます。

そしてこのおそろしいなにか、が、暴力によって積み上げられてきた恐怖感だとおもいます。

わたしたちは、天皇のかかわるなにかに公然とふれること、政治的・批判的にふれることが暴力に見舞われることをよく知っています。さらにその暴力が、どのような残酷なテロルであろうと、さしてきびしく政治的にも法的にもメディア的にも責められないこと、それどころか支配的力によって陰に陽に支持されているようであることも知っています。日本の近代において、右翼のテロリズムのほうが量的にも質的にも圧倒的にまさっている（要するに成功したという意味です）のは、それが究極的には体制によって支持されている、あるいは体制によりかかっているからです。そしてこの暴力は、たとえば右翼の街宣車のような装置によって日常的に喚起されています。あの拡声器を通して延々とくり返される罵声、そしてあの軍歌の異様なヴォリュームは、それがスルーされることによって（おなじことを左翼組織がやったらどうなるか、考えてみてください）、そのままかれらの力を体現しているのであり、天皇制にかかわるなにかに批判的にふれるときはその暴力に直面するであろうことをわたしたちにおもいしらせているのです。

わたしたちは天皇を「敬愛」しているとされています。しかし、それがこうした言葉のただしい意味でテロルへの恐怖の歪曲された表現であるとはいえないのでしょうか？　たとえば、このように考えてみましょう。もしこうした恒常的テロルの環境が消えたとします。マスコミも敬語表現をやめ、その制度のありかた、その存在そのものの是非について、自由闊達に問題を提起でき、かつ議論できる雰囲気がつくられたとしましょう。おそらく、人びとは「解釈労働」をやめるでしょう。そのとき、「自発的」な服従をどこまで調達できるでしょうか。

天皇制は字義通りのテロルに浸りきっています。脅迫の手紙を受け取ったり、あるいは街宣カーであることないことのデマをふくめて名前を連呼される。こうした経験やそのような出来事の知識によって知識人は、それをよく知っています。したがって、知識人もふくめて、日本における天皇への敬愛なるものの裏には、こうした暴力への恐怖がべっとりとつきまとっているようにおもいます。「右翼」とはいえない知識人が、天皇への愛や信頼をなにがしかポジティヴに捉えることそれ自体に、恐怖感とその否認があるのだ、と。これは暴力への恐怖を率直に表現できない、暴力への恐怖を抑圧してしまうマチズモとも深く関係しているとおもいます。

5 — 解釈労働を強いられ、欲望が喚起される

このような現象について、政治学者のジェームズ・スコットがある著作で論じています。[4] かれがそこで主題にしていたのは、支配と被支配の両者における「公式のスクリプト」と「舞台裏のスクリプト」です。たとえば、おもてむきには奴隷主は奴隷のことに心を砕く慈悲深い人物としてあらわれ、奴隷もそれに合わせます。しかし、奴隷主も奴隷もそれを本当は信じていません。それぞれの舞台裏、とりわけ被支配者の舞台裏ではちがった語彙、非難、侮蔑、嘲弄といった語彙が支配します。ところが、それはあくまで「舞台裏」のことで、残された記録のほとんどが「公式のスクリプト」です。したがって、歴史の記述はこの現実の「公式版」の記述となる傾向があります。要するに、支配する側とされる側の両者が、あたかも共謀して歴史記録を改ざん（修正）するかの

ようにふるまう傾向があるのです。

おそらくこの分析は、天皇制でも原則的には該当するようにおもわれます。たとえば、敗戦直後の天皇の巡幸のような風景は、日本の民衆がいかに天皇を崇敬したかの証拠のように語られます。しかし、それも「共謀して歴史記録を改ざんする」ひとコマとまったくいえないことはないようにおもいます。

たしかに、天皇制においては、「王の二重の身体」、つまり、現実に滅びもする生身の支配者と永遠を受肉した神である支配者の二段構えを通して、現実の支配関係を相対化する契機として天皇の「お気持ち」が解釈されることによって（つまり、実際にじぶんをいじめる直接の支配者を上から叱ってくれる無垢なる存在としての天皇という位置によって）、公式のスクリプトはより舞台裏にも浸透していたのかもしれません。

しかし、原則はこれも「解釈労働」を介するヒエラルキーの保持と強化によっていること、そしてここにはやはり現実の公式版が舞台裏を覆い尽くすことはないということが重要です。一見した舞台裏にも、『はだしのゲン』で怒りをもってえがかれていたような「町内会長」的人間、いまでいう「ネトウヨ」的な民間の監視装置のような人間がいることも多々あるでしょう。かれらが率先してほとんどの生活の場面を現実の公式版に転換させ、舞台裏のスクリプトをさらに不可視にしている可能性もあります。しかしみえにくいかもしれませんが、それが存在していたことは、舞台裏での「崇敬」のエピソードだけでなく、「不敬」のそれもたくさん生き延びていることからもあきらかです。

そうです、問題は暴力でした。いずれにしても、「解釈労働」が、権力者への愛ないし欲望とみえるような現象をもたらすことはまちがいありません。しかし、その解釈労働を強いるヒエラルキーは暴力と無縁に存在するわけではありません。したがって、それは上からの抑圧か下からの欲望か、といった二者択一の問題ではない。不断の暴力がヒエラルキーを構成し、そのヒエラルキーが「解釈労働」を人びとに強います。そしてそのテロルの環境が生成されるヒエラルキーの上位者への人びとの感情の備給、あるいは「欲望」の喚起が、不断にそれを「崇敬」や「愛情」のようなものへと転化させる条件になります。ここからすると、「大衆は抑圧されているのではなく欲望したのだ」といった問いの立て方は、けっしてよい問いの立て方ではないということがわかります。そしてこの問いの立て方のうちには、たいていのばあい、大衆嫌悪と知識人のナルシシズムとでもいうようなものの成分が、わずかにでもひそんでいるようにおもうのです。

1 Etienne de La Boétie, *Le discours de la servitude volontaire*, Editions Payot & Rivages, 2002（西谷修監修、山上浩嗣訳『自発的隷従論』ちくま学芸文庫、二〇一三年、三〇頁、二四頁）.

2 同右（三六頁）。

3 解釈労働についての議論は、David Graeber, *The Utopia of Rules: On Technology, Stupidity, and the Secret Joys of Bureaucracy*, Melville House, 2015（酒井隆史訳『官僚制のユートピア――テクノロジー、構造的愚かさ、リベラリズムの鉄則』以文社、二〇一七年）を参考にしている。

4 James C. Scott, *Domination and the Arts of Resistance: Hidden Transcripts*, Yale University Press, 1992.

10

「自由を行使する能力のないものには自由は与えられない」

——二〇一八年「京大立て看問題」をどう考えるか

初出――「京都大学新聞」二〇一八年六月一六日号

1 ——（ひとつの）大学は終焉していた

京都大学の「立て看問題」にかんしては、すでに「終わった」問題が再燃しているという感じをもっている。もちろん、原則的にいえば、「終わる」ことのできる問題などほとんどないし、したがって、やはり原則的にいえば、この問題も「終わっていない」。「終わった」というのは、ひとつのサイクルである。この大学のいわゆる「管理強化」の問題は、直接には一九七〇年代からネオリベラルな大学改革をへて現在にいたる長期にわたる歴史をもっていて、とりわけ一九九〇年代からゼロ年代にかけてはその総仕上げであった印象をもっているからである。したがって、このサイクルがまるでなかったかのように、フレッシュな問題として、当事者である学生やこの問題に多かれ少なかれ取り組んできた人間以外が騒ぎたてるのには、どうしても一定の距離を感じざるをえないのである。

わたしが「とどめ」だと感じたのは、反原発から反安保法制にいたる過程で大学教員の多くが参加するようになった抗議活動が、こうした足元の「デモクラシーの崩壊」と交わることなく一定の高揚をみせ、**ごく一部の**学生の運動を神輿に担ぎ、その学生と相互批判をはらんだ対等な対話者というよりは保護者然《パターナリスティック》とした態度をとり、なおかつ「キャンパス内にこだわらない学生運動はあたらしい」などの「分析」をくり広げたことである。そこにこそすでに、このかんのデモクラシー精神の崩壊の深度があからさまに露呈していたという印象を受けざるをえない。わたしは、このような矛盾をことさらにあげつらって、なにがしかの危機にたちむかう態度をシニカルに否定するのを好まないが、ここまで管理されてしまったキャンパスへの見つめ直しとまではいかなくとも、多少の恥じらいはあってよかったとおもう（というより、ことさらに「キャンパス内にこだわらない」という点を強調する言説は、ここまでにいたるにあたっての自身の責任の否認であるように感じられた）。[1] あたかも、管理強化にあたって行使された数々の力での抑え込みや、それに対して起きた数々の抵抗[2]もなかった、あるいはないかのように、自由やデモクラシーを語る気分には、すくなくともわたしはなかなかなれなかった。要するに、この社会がいまこのようになるにあたって、みずからの足元を掘り崩されるのをわたしたちは座視してはこなかったか、あるいは、むしろわたしたち自身も関与してこなかっただろうかという問いが必要なのではないか。この過程への、わたしたちの責任は重いようにおもうのだ。

2 護憲派リベラル、かく語りき

ここでわたしがおもいだすのは、ゼロ年代中盤の、ある大学でひらかれた管理強化問題にかんするシンポジウムの場面である。数年前に、長年の歴史をもつ自主的サークル空間が、学生によるひさしぶりの大規模な反対運動や抵抗にもかかわらず、その大学では強制的かつ徹底的につぶされていた。そうした文脈でのシンポジウムである。ずっと客席で耳をかたむけていたある著名な護憲派の憲法学者が終わりのほうでおもむろに手をあげて、おおよそ以下のような趣旨の発言をおこなった。「自由を行使する能力のない者に自由は与えられない」。リベラルな護憲派知識人としてメディアでも重用されはじめていたこの人物は、受動的に地下部室撤去を受け入れるだけでなく、積極的に学生の反対を不法のものとして扱い、その考えに従って「行動」していた。そのかれの積極的行動の詳細はここでは避けたいが、かれのふるまいは、日本がファシズムへとなだれ込むのはおそらくかんたんだったし、これからもかんたんなのだろうと感慨をあらたにさせることになる。いずれにしても、すでにこの時期には、護憲派の著名憲法学者がこのようなかたちでキャンパス内での運動や表現の自由を自発的に規制するぐらいの（右傾化した）時代になってはいたのである。[3]

その護憲派リベラル憲法学者の口から「自由を行使する能力のない者には自由は与えられない」というフレーズが発せられたとき、もちろんそのかんのかれの立ち居ふるまいからすれば、そう矛盾したものではないはずだが、何度もおなじやり口にだまされる人間のように、性懲りもなくおどろいてしまい落胆もしてしまった。なぜかといえば、当時この論理は、よほどの右翼でもないかぎり「それをいっちゃあおしまいよ」的なものと感じていたからである。かれがどこまで意識していたかはわからないが、この論理は、フランス大革命以来、この出来事への反動として形成された保守主義が提示してきたものだった。いわく奴隷制は擁護されねばならない、かれらは自由を行使する能力に欠けているからである、貧民あるいは女性に参政権は与えられない、かれらは自由を行使する能力に欠けているからである。すでに革命以前への退路は断たれたなかで「保守主義」の構築したこうした論理を突破しながら、わたしたちのいま享受する権利、とりわけ憲法レベルでの基本的人権は獲得されてきたのである。実際、晩年にいたるまでフランス大革命の擁護をやめなかったカントは、この「自由を行使する能力のないものには自由を与えられない」という反革命の論理を根本から批判している（そもそも、革命とは「自由を行使する能力に欠ける」と想定されてきた者たちが歴史のなかに割って入る契機である）。カントによれば、わたしたちは、この啓蒙化された社会においては、万人があたかも自由を行使する能力を与えられているかのようにふるまわなければならない。おそらく、日本の大学にはこの「だれもが自由を行使する能力を与えられた自律的主体であるかのようにふるまう」というカント的論理が、時代のなかでときに封殺の脅威にさらされながらもまだ脈々と、というか細々とは生きてきたといえる。それを、内側から解体してきたのがこの十年あまりだった。京大のこの「立て看問題」は、景観条例など独特の文脈をもっているが、基本的に、この解体の過程の最後の一場面であるといってよいだろう。

3 ─ 混沌なき社会に創造性は宿らない

この問題はあまりに根深い。たとえば「規則遵守をなによりの価値とする体制派」ぐらいを意味する「秩序派」という言葉が社会全体にある種の悪口として通用した一九八〇年代までであれば、まだこの社会の力を信じることができる。このような「気分」は、社会が危機に陥ったときの再生する力の所在を示しているからだ。つまり、「秩序派」という言葉が否定的に機能するといった裏には、重大な理念につながる感性がひそんでいる。上から与えられた規則より大事なものがある（それが既成の規則の再検討やあたらしい規則の生成を促す）、混沌にはなにか創造的価値がある、といった理念である。そして、その理念こそ、デモクラシーの根源であり、かつ社会に刷新する力のひそんでいるしるしなのである。しかし、この社会を生きる人びとの感性が、そして政治的立場のすべての示す感性が「秩序派」であるようなとき、とりわけ左派が「統一と団結」の悪癖をついにみずから克服できないとき、再生の力もすでに消えている。

ある新聞でコメントしたのだが、この「立て看」をめぐる事態にデモクラシーへの嫌悪が貼りついているのはそのためだ。といっても、投票率の低さとかそういったことをいっているのではない。「投票率の低さ」はデモクラシーの強度とは関係がない。それどころか、「投票率の低さ」こそデモクラシーへの欲求の健全さの表現であることも十分ありうる。ここでいうデモクラシーへの嫌悪とは、「自由を行使する能力のない」と想定されていた主体が歴史に割って入るような不測の事態への嫌悪ともいえるし、あるいはより一般的に混沌への嫌悪ともいえる。つまり、あれこれの自由な行動や主張が衝突し合うような混沌を創造性にむすびつけることができず、ただ厭わしいと感じられてしまう事態である。

これは美的な言明としてもモラルの言明としても表現される。きれいなほうがいいとか、迷惑をかけるべきではない、といったことが文脈を抜きにして語られるとき、警戒すべきであるのは、そこにはデモクラシーへの嫌悪がひそんでいたり、あるいはいつでもデモクラシーの否定に転化するからである。ビラが地面にちらばる光景は「醜い」かもしれない（わたしは、デモでの混乱のあと、埃とともにビラの舞うような光景のようなものが詩にうたわれない社会が、審美的にもよい社会とはおもわないが）。しかも、それらは感性にまで根深く食い込んでいるから厄介なのだ。

今回の「立て看」にまつわる攻防の内包する問題は、おおげさなようだが、世界に拡がる幅をもち、また、わたしたちの慣習や感性の深くまで根を下ろしてしまった「政治」の問題である。これを覆していく闘いは長く、「立て看問題」の終わったあとよりも悪化しながらつづいていく。わたしのねがうのは、この「立て看問題」を一過性のものとすることなく、京大キャンパス、あるいは左京区、そして日本の枠をこえて、この課題に取り組み、考察をめぐらせて、その長い闘いに与していく人が、これをきっかけに一人でも増えてほしいということである。

1 さらにいうと「キャンパス内部にこだわらない学生運動」云々については、一九八〇年代にもさんざん運動内で議論されていたし、また、そのような考えを実践に移した、しかも運動史に足跡を強く残した運動もあった。

2 たとえばゼロ年代の終わりにいったん撤去になりそうだった百万遍の立て看を守った「石垣カフェ」は、この時代の東京にまで拡がるキャンパス管理強化に対する運動に戦術的にも人的にもつらなる独自の系譜をもっていた。

3 こうした件については、ある種の「事情通的反応」がある。おおまかにいえば、「一般学生」にはわからない表面上に収まらない複雑な問題があるのだ、というものだ。しかし、たいていそうした「事情通」は、そこで長年くり広げられたさまざまなレベルでの交渉、運営、要求の歴史あるいは経緯、そしてそこにひそむ思想性に無知である。

11

「中立的で抑制的」

——維新の会と研究者たち

初出一「2019年8月25日 酒井隆史 講演」発行委員会『ジェントリフィケーションへの抵抗を解体しようとする者たち
——「大阪・釜ケ崎、沖縄—政治に揺れる街の声」(岸政彦×白波瀬達也対談)批判』、Kindle版、二〇二一年

1 ―― 日本の右傾化する知的空気

『福音と世界』というキリスト教の雑誌があります。いま、保守化のとどまることのない日本の言説世界のなかで、それに抗っている本当にわずかな雑誌のひとつだとおもいます。この雑誌がオリンピックと万博を串刺しにして批判する特集をやりたいということで（「現代のバベルの塔――反オリンピック・反万博」［二〇一九年八月号］というタイトルです）、わたしにも原稿の依頼がありました。特集全体も、バベルの塔というキリスト教の聖書のシンボルになぞらえながら現代を読み取るという興味深いものになっています。ただ、万博って、大阪ではそれなりに騒がれてますけど、関西でも京都の人なんか、あまり知らなかったりするのですよね。東京ではなおさら知られていません。もちろん、なにやら大阪が異様なことになっているというのは、なんとなく知られてはいます。

わたしは万博を中心にジェントリフィケーションを視点におきながら書いていくという感じで、原稿を求められていました。そこでこの機会に、『中央公論』（二〇一七年七月号）に掲載された岸政彦氏（立命館大学院教授）と白波瀬達也氏（関西学院大学准教授、当時）の対談「大阪・釜ヶ崎、沖縄――政治に揺れる街の声」にもふれています。

これはきわめて問題のあるテキストであり、いまの日本の右傾化する知的雰囲気をよく表現しているとおもえたからです。さらに、大阪をめぐる言説としてもひとつの右傾化の画期をなしているとおもっています。

ここではみなさんも、かれらの言説にも、その文脈にも危惧を感じていらっしゃるということで、意見や情報が共有できれば、とおもい、わたしの考えることをお話ししたいとおもいます。

2 研究者たちは西成特区構想をどのように言祝ぐのか

いま、アートの世界もゆれていますが、研究者の世界もおなじです。というか、現実に、関連しあっていますが。総じていうと、だんだん保守化、右傾化していくというような状況があります。この二人の対談を読んで、ついに釜ヶ崎を語る言説にまで、こうした全体の流れに乗っかるようなものがあらわれたのかと、最初はおどろきました。しかも、おそらく、かれらは、とりたてて右派ともみなされていないのではないかとおもいます。その人たち、とりわけ東京中心の「論壇」のなかで影響力のあるような人たちが、『中央公論』という、非常に「権威」のある雑誌でこのような発信をする。これはおそらく、重大なターニングポイントだと感じました。

かれらの語りにはいろいろ問題があります。たとえば、白波瀬氏の岸氏におもねるような態度は、正直、愉快なものではありませんし、「現場」から語るといったいくつかの演出も、あざといものがあるとおもいます。もちろん、これらはかれらの研究領域で起きている状況の一端を表現しているのでしょうが、ここではそういう話はおいておきます。問題は、かれらがはっきりと西成特区構想に賛同していることだけではありません。

(1)最大の問題は、そのような特定の政策、きわめて争点ぶくみの政策を擁護する立場を、みずからの価値意識や立場表明と照らしてではなく、「ボトムアップ」の要求であり「悲願」であるというかたちで、つまり「民意」の流れに追随するというかたちで裏づけようとしていることです。みずからの立場をかぎりなく中和するようなかたちで、はっきりと特定の政策を擁護するのです。これは、かれらをふくむ、近年の支配的言説のパターンでもあり、重要なポイントです。

(2)つぎに西成特区構想の提示の仕方の問題があります。白波瀬氏は、あたかも西成特区構想が、福祉施策であるかのように提示しています。[1] 特区構想と一体のものである大阪都構想も、実現されなかったことを悔やんでいるようです（「西成特区構想は、高い生活保護受給率と高齢化率を低減させるプロジェクトです。特別区への再編は叶いませんでしたが（…）」）。都構想とそれが一体のものであることは、かれも認識しているのです。しかし、都構想がどのようなものであるか、おおざっぱにいえば、これは大阪の大半の住民にとっては不利益をもたらすものであり、きわめて問題をはらんだ、維新のプロジェクトです。したがって、それはまさに「ボトムアップ」でさんざん批判されてきましたし、維新に制圧されたマスメディアのプロパガンダにもかかわらず、二度の住民投票で否決されてきました。こうした状況のなかで、なお、都構想や西成特区構想が擁護されるべきであるならば、そのような都構想をふくめたかれらのプロジェクト全体の検討は必須であるとおもいますが、それはありません。それをおいたとしても、西成特区構想を福祉構想であるかのようにみせる、ここでの提示の仕方はおよそ恣意的というほかありません。

（3）かれがよろこばしいものとして語る西成特区構想の中身です。橋下市長の辞職のあとも、そのプロジェクトは継続している。その積極的な中身は、警官の増員（暴力団対策としてです）、生活保護受給者の就労支援、治安や衛生面の改善、そして星野リゾートの建設です。これらはなんの検討もぬきによいことになっていて、しかもそれが「地元の悲願」であることを経由して肯定されているのです。

（4）橋下元市長の評価です。このプロジェクトは「（…）橋下氏という強いリーダーシップを持った人物がいなければ進まなかった」。わたしたちは維新の強権的トップダウンによってこれまで、さまざまなものがふみにじられてきたことを知っていますし、経験しています。釜ヶ崎は、特別扱いだからいいのだ、都構想もそのために必要なのだ、というのでしょうか。かれらの対談からみえてくるのは、この「あえてする」視野の狭さです。もし視野を拡げるならば、さまざまな検討材料があらわれ、葛藤にさらされるでしょう。本当に擁護したいのなら、その葛藤にさらされながら、主張すればよいとおもうのですが、一貫してかれらの語り口はそれを回避しようとします。いずれにしても、ここでは「強いリーダー」が「トップダウン」ですすめる手法が肯定されていることがポイントです。ただ、そこで言い訳のように、それが「ボトムアップ」ですすめられたものだ、ともいっています。しかし、「強いリーダー」による「トップダウン」は、称賛されるのです。本当に「ボトムアップ」ですすめるのならば、なぜ橋下のような強権的トップダウンの手法が必要なのでしょうか。[2] しかも、かれのその手法が、法的にも、しばしばきわめて粗暴なものであって、さまざまな人びとの尊厳や基本的権利をあからさまにふみにじるものであることは周知の事実です。だからでしょうか、「絶賛はしない」とわずかの留保は忘れていません。ただし、その内容ははっきりしていません。とても、橋下維新が社会に負わせた傷の深さに見合っているとはおもえない、むしろ処世術的ふるまいにしかみえない「留保」です。

それにしても、暴力団の取り締まり強化で警官増員という現象に、はたして即、うなずける歴史を釜ヶ崎がもっているでしょうか。生活保護受給者の就労支援も、維新の政策が即、肯定できる内容なのでしょうか（生活保護費の削減やきびしい受給制限、さらには生活保護受給者への差別、それらを橋下維新が強力に促進してきたことへの考慮はいっさいありません）。さらに**治安**と**衛生**の改善を言祝ぐという態度は、釜ヶ崎への戦前からつづく差別的な目線とどこがちがうのでしょうか。そもそも「治安」とは、なんでしょうか？　さらに、星野リゾートが来ることがなぜ、検討ぬきに良いことなのでしょうか。すくなくとも、釜ヶ崎のような場所を研究対象としてきたのなら、こうしたひとつひとつが躊躇なしに、検討ぬきには語れないタームなのではないでしょうか。「マジョリティ住民の視点」、あるいは運動主流派の見解によって、そのような態度が正当化されないことはあきらかです。しかし、ここでも「ボトムアップ」の要求であるということを正当化の口実にすることで、検証する負担から逃れているのです。

このような「ナイーヴ」にもみえる態度の文脈には、原口剛氏も指摘しておられますが、この対談では、すでに退けられたとおもわれていた「社会病理学」的視点が復活していることがあるとおもわれます。[3]「社会病理学的」視点とは、釜ヶ崎の貧困や労働者の生活様式、日常的ふるまいなどを「病理」とみなし、それを「正常化する」ことを目標として対応をすすめる言説です。このような知的様式は、戦後のある時期までは強かったのですが、やがて差別的であるとして後景に退けられました。そこにはもちろん、じぶんたちは「治療すべき病理」ではないと主張してきた釜ヶ崎の労働者とその運動の蓄積があります。さらにそれを受けて、釜ヶ崎の労働者を（対処すべき客体ではなく）主体とみなし、そしてかれらによる提起を、むしろ主流社会がみずからの「病理」に気づくきっかけとして受け止めるといった、研究者や活動家の態度の転換があったとおもいます。この転換は、それこそ一九六〇年代から七〇年代にかけて、人文社会科学が獲得してきた貴重な遺産だとおもいます。[4]かれらの言説は、そのような歴史を逆行させるものであるようにもみえます。原口氏もいっているように、「中立的で抑制的」とされた白波瀬氏の歴史叙述は、とても「ニュートラル」なものではないのです。

3 なぜ中立を自称するのか

ここで「中立的で抑制的」ということの意味を考えたいとおもいます。「中立的で抑制的」とは、岸氏によるこの白波瀬氏の態度への評価です。[5] もちろん、ポジティヴにいっているのですし、おそらく、みずからの立場もそれによって示したいのだとおもいます。そもそも、この対談は、「中立性」への偏執が全編にちりばめられていることによって、一種異様な印象を与えます。「自分でも冷静に客観的に書くことは心がけて」（白波瀬）、「感情的になったり煽ったりしてはいけない」「白波瀬さんの叙述は非常に冷静で安心感があります」（岸）などなど。「中立的で抑制的」という態度は、先ほどから問題にしている、「ボトムアップ」であること、「民意」であること、そしてそれを擁護することを経由して、支配的施策を支持するといったかれらの議論の立て方によって可能になっています。

さて、かれらのこうした「中立性」への偏執は、「右でも左でもない」という日本にも浸透したイデオロギー、一面ではテクノクラート的心性の浸透と、一面では、ある時期から（おそらく一九八〇年代からだとおもいます）日本独特の根深い伝統となった「左翼運動」への忌避感が駆動するイデオロギー、ある種の「バックラッシュ」の複合があるとおもいます。

しかし、かれらは先ほどもいいましたが、おもてむきには右派とはみなされていないでしょう。だからなおさら問題なのであって、逆にいうとだからこそ、いまの日本の支配的イデオロギーのありようが浮き彫りになるのです。

まず、このような「抑制と中立」の強調がここではっきりと一線を画しているのは、「暴動は既成の社会秩序に対する抵抗である」と岸氏が一括して語る、暴動にかんする「ロマンティック」な言説です。[6] ここでなにが念頭におかれているのかはわからないのですが、おそらくたとえば寄せ場学が開いた言説の地平もがそこにふくまれているのだとおもいます。

岸氏はこういいます。「私も釜ヶ崎の暴動には胸が熱くなり、共感するところはあるけれど、あまりにもロマンティックな解釈には違和感もある」。この「胸が熱くな」るといった表現に、かれらのこれもやはりあまり愉快ではない言説戦略があるようにおもいます。これについてはあとで検討したいのですが、これが「シリアス」とはいえないことは感じられるでしょう。要するに、**揶揄しているのです。**

とはいえ、重要なのは「暴動は既成の社会秩序に対する抵抗である」とかれが括りだして、というか「揶揄」してみせる「ロマンティック」な「解釈」です。こうした素朴な「解釈」なるものをわたしはみたことがないのですが、それにしてもここにはかれらの言説の特徴がよくあらわれています。ちょっと考えてもわかりますよね。暴動なのですよ。「既成の社会秩序への抵抗」といった雑なレベルでも、そうでないはずがあるわけないじゃないですか！　一九一八年の米騒動、一九六〇年代のワッツ暴動、一九九〇年代のロス暴動、二〇〇〇年代のパリの郊外暴動などなどをとりあげてもいいです。それらは、はっきりと「既成の社会秩序」への抗議でした。これは「解釈」の問題ではありません。

ここにはいくつかの問題がひそんでいるとおもいます。

まず、岸氏が質的調査についてここで述べていることともかかわりますが、ここではあまりそれには立ち入るつもりはないので、一言だけいっておきたいとおもいます。暴動では、暴動する主体はみずから語ります。なにが不満であり、なにに怒りを感じ、なにがなくなるべきなのか、なにを変えたいのか、はっきりとみずから語るのです。この差別には耐えられない、このような扱いはもうたくさんだ。これは「解釈」の問題ではありません。

この点は、基本的な論点と関係しています。かれらの議論には、暴動を理性を失い感情に隷属した民衆の暴発であるとみる、長期にわたる保守派——左右ふくむ——の見解が反映しているのです。そしてここでのかれらの議論は、先ほどから述べている「社会病理学」への後退ともむすびついているようにおもいます。

つぎに、おそらく暴動にかんする政治的抗争や知的蓄積への無知があるのではないか、という疑念です。暴動は長いあいだ先ほども述べたように、無知な大衆の感情まかせの暴発としてつねに、左右のスペクトルに関係なく、退けられてきました。それに対して、暴動のうちに働く理性、暴動の価値、暴動がはたす役割について、さらにいえば運動における自発性の重視が、これも運動の進展や研究の展開によって発見されてきました。これも一九六〇年代以降の転換とかかわっています。

そして最後、これが結局、本当の意図ではないかともおもわれるのですが、暴動を重視する立場自体、そしてそれを培ってきた土壌それ自体を退けたいという欲求です。たとえば、岸氏はこう発言しています。暴動を「ロマンティック」に解釈する立場を槍玉にあげつつ、「研究者も何らかの立場から研究を開始するから、どうしても目線が偏ってしまう」。つまり、暴動を「ロマンティック」に解釈する立場の人間は、「中立的で抑制的な」じぶんとはちがって、「偏っている」といいたいのです。

ここには、日本全体に拡散している気分、つまりなにか「逆らう」こと――それが運動であっても――を異様に忌避する空気を共有しているとおもいます。かれらの言説が、とりわけ東京から発信されて流布することの意味はここにあります。

対談では、「ジェントリフィケーション」という言葉は使われていません。そういえば白波瀬氏はどこかで、「じぶんは宙に浮いた抽象的概念は使わない」というようなことを述べていました。おそらくそれは、「ジェントリフィケーション」といった用語を使わないこと、ひいては、構造分析にかかわる分析タームを忌避したいことの表明かなとおもいました。いまはすこし姿勢は変わったようですが。ジェントリフィケーションという言葉を使うと、態度を鮮明にしなければなりません。西成特区構想を支持し、星野リゾートの建設を喜んでいるのだから、ジェントリフィケーションに賛成ということは、はっきりとしています。しかし、ジェントリフィケーションにかんしては、膨大な批判的検討と、世界の民衆運動の蓄積があります。いまでも世界的に闘われているし、重要な争点のひとつであることは、だれだって認めざるをえないでしょう。したがって、そのような厚みと対峙せざるをえなくなります。『福音と世界』のエッセイでも書きましたが、そこからは西成で起きていることの大きな文脈、たとえば、ネオリベラリズムと気候変動の重層する世界的趨勢のなかで「成長」や「開発」のもつ意味、こうした都市政策がどのような経緯をもっているのかの歴史的位置づけ、どのような政治経済的力関係に由来しているのかといったリアルな支配関係、このような問題に介入するさいに必要におもわれる諸要素の考察がない、というか回避されているのです。

そして、こうした回避の正当化に、質的調査や「現場」の強調があるようにみえます。この態度には、先ほど述べた、「民意」への依拠による、検証の負担の回避とおなじ構造がみられるようにおもいます。現場は多様である。さまざまな階層によりさまざまの見解がある。それをひとくくりにしてはいけない。それはわかります。それはそうでしょう。ところが、そのうえで、なぜか支配的な、先ほど述べたようにきわめて問題ぶくみであるはずの施策が肯定されるのです。

なぜそうなるのか、というと、ここでいう「多様性」は、主要には、抵抗にむけられているからです。ここでも、「ネトウヨ」的言説が集約的に表現している日本の支配的言説形態が影をおとしています。多様性が強調されるとき、「偏り」はいけません、というかたちで、なにがしかの抵抗にむけられることがあります。たとえば、安倍首相すら「みんなちがって、みんないい」を引っぱってきますが、かれはそれを、護憲運動とか労働運動、反原発運動にむけているわけです。つまり、そんなひとつの意見を押しつけるんじゃない、多様性が大切だ、そういうことで、抵抗を解体して、現状を肯定するのです。「ネトウヨ」もそうでしょう。かれらのいう「表現の自由」は、主に、表現のもつ暴力や差別性への抗議にしばしば、むけられます。多様性を抑圧するのか、というわけです。これとまったくおなじ構造が、かれらの対談のなかにはみられるのです。

しかし、なにかが「偏する」のは、たんに主観の問題ではありません(ただし、神でもないかぎり「偏らない」ものなどこの世にないというのは大前提ですが)。現実そのものが「偏して」いるのです。なぜなら、現実は不均等な力関係や富の多寡などによって、構造化されているからです。かれらのここでの現実の多様性の強調は、主要には、暴動を重視するような「偏った」見方、ひいてはこれまでの運動や言説のひとつの積み上げの系譜を打破することにむけられています。そしてそれは、構造レベルでなにを意味しているのか問わないこととむすびついています。いわばかれらは、問いが押し寄せてくるであろう地平を回避し、「解決」だけをひたすらみようとしているのです。それによって、かれら、というより「民意」が「解決」として要求していると位置づけられた西成特区構想も手放しで肯定できるわけです。

この特区構想ないしジェントリフィケーションと、現場の「多様性」なるものをむすびつけているタームが、わたしは「成長」とか「発展」であるとおもいます。ここがポイントです。岸氏は対談で、「かつてのゴチャゴチャした釜ヶ崎のほうがよかった」という「ノスタルジー」を批判しています。しかし、「ゴチャゴチャが消える」ということについても、きわめて重大な意味があります。
わたしは、「ノスタルジー」をかんたんに非難の語として使う風潮には反対ですが、しかし、だとしてもこれは「ノスタルジー」とは関係がありません。そこにあるのは、人間の生とそれに対するかまえのかかわる、きわめてシビアな問題であり、権力の発動のありように対してどういう態度をとるかにかんする問題です。以前、西成を明るくしてカラフルにするといっておこなわれた「アート・プロジェクト」について、釜ヶ崎を拠点にしながら活動をし映画を創作されている中村葉子氏が批判をしました。[7] 彼女は、「灰色の街に色彩の力を！」といったスローガンでおこなわれるアート・プロジェクトについて、「それまでに堆積してきた釜ヶ崎の都市の風景がまったく無視されている」といいます。

いまも街を歩けば今も南海電車高架下に露店があり、古着、テレビ、道具類、海賊版ＤＶＤ、賞味期限ぎれの菓子パン、真っ赤な服を着た朝鮮人の輸入タバコ屋がある。そして、一見ゴミであるが、リサイクルされてわずかな稼ぎになる、コタツ、箪笥、食器、タイヤ、導線、布団、ネジなどあらゆる物であふれている。それら無秩序な色彩とでもいえるものは、取り締まりの対象になる色だ。そしてさらに目を凝らして街を見れば、奥深くに様々な色が隠れている。夏祭りの慰霊祭は月明かりに照らされた鎮魂の青、暴動の火柱は奇声、歓声とともに真っ赤に燃えたぎるとともに、白と黒の陰影を鮮烈なものにしていった。

そしてこういいます。「つまり、ここにあるのは「色彩」対「灰色」の対立ではなく、一方の色彩の体制のみが称揚されるということなのだ」。おなじようなことは、たとえば、アレックス・カーという日本の風景を愛してずっと京都に住みつづけてきた作家もいっています。変貌していく京都に失望したかれは、かつてじぶんが愛した日本の美をみるために、まさに釜ヶ崎にでむくのだといっているのです。これは一九九〇年代くらいの話です。このように、そこにただ「灰色」一色をみない、あるいは「灰色」のうちに豊かなニュアンスをみいだす、美的感性もあるのです。

中村氏はここで、こうした釜ヶ崎の風景を「灰色」と一色に還元し、それをなにか正常化すべき「カオス」としかみない発想が、どれほど差別的まなざしを内包しているのか、そしてそれが、どれほど大きな社会的構造とむすびついているのか、を指摘しています。こうした発想には、すでに「社会病理学的」視点が露骨にあらわれているのです。わたしは、岸氏にもおなじようなことがいえるとおもいます。かれが「ゴチャゴチャ」しかみないところに、そうでないものをみている人たちがいるのです。したがって「ゴチャゴチャ」が奪われることに対して反発する感性は、なにか重大なことを表明していることもあるのです。

4 「開発か貧困か」という問いの罠

岸氏はこのような「ゴチャゴチャした釜ヶ崎」への「ノスタルジー」批判の文脈で、「開発への反発心は、沖縄の人は『貧しいままでいろ』と言っているようなものです」と断言しています。[8] ここで、なぜかれらが西成特区構想にここまで共鳴しているのかがわかります。

問題はたくさんあります。まず、この物言いが、原発の開発にかんして、地方にそれを押しつけるときの行政の論理そのものである点です。開発か貧困か、など、それこそ暴力的な二分法であり、その脅迫によって、地方に原発は押しつけられてきました。いまでも、それを擁護する人びとは、開発による果実を正当化に掲げます。

しかし、こうした議論で見落とされているのは、たいがい、原発への押しつけに対して、地元では闘いがあったことです。そこには規模の大小はありました。それによってはねのけた事例もあります。そこで拒否した人たちは、自分たちなりの生活のヴィジョンがあり、豊かさへのさまざま想いがあったとおもいます。しかし、「開発か貧困か」という暴力的な二者択一で、しばしばそうしたさまざまの想いは歴史から抹殺された、そうした墓場のうえに、いまのわたしたちの社会の姿があるのです。つまり、開発か貧困か、という二分法の手前に、そこには別の豊かさのイメージ、別の生活の可能性があったはずなのです。釜ヶ崎には、そのようなイメージが無数にあったはずです。そしてそれが、また「ゴチャゴチャ」の理由でもあるはずです。

つぎに、「開発」をめぐる、おそらく意図的な単純化です。「開発」の批判は、たんにいまあるものをそのままにせよ、あるいは不便にせよ、といったかたちでなされることはあまりありません。たとえば、有名なところではニューヨークの「開発」です。戦後、ロバート・モーゼスという剛腕権力者の市長のもとで自動車中心にニューヨークの町が開発されようとします。ある程度それがすすんだところで、市民の運動が強力になり、それは食い止められます。いまのマンハッタンが魅力的なのは、ひとつにはその運動が開発を阻止したおかげです。市民たちは、自動車の「便利」よりも、歩く「不便」を選んだ。より正確にいえば、そこでいう「便利／不便」という二者択一自体を拒絶したのです。

こうした事例にとどまらず、一九七〇年代以降、「成長」のもたらした深刻なダメージを問うなかで、だれのための開発か、だれのための「便利」か、が争点になったはずです。かれらの議論には、そうした膨大な知的蓄積への配慮がなく、それ以前のシンプルな「開発主義」に退行しているのです。

大阪の「ジェントリフィケーション」をめぐっては、研究者のやることはたくさんあるとおもいますし、わたしもやらなきゃなりません…まず、維新の公園の「私有化」をめぐる施策が、歴史の抑圧を前提におこなわれていることをあきらかにすることです。たとえば、天王寺公園です。かつては人がいなくて、衰弱していた、ところが、維新の「私有化」のおかげで、こう活性化しているじゃないか、これが正当化の物言いになっています。しかし、もともと「民衆の公園」としてきわめて活気のあった公園を、一九八〇年代にメガイベントのために封鎖し、有料化させ、閑散としたものにしたのは、政策です。ジェントリフィケーションには、あえて荒廃させ、そのうえで資本を導入して、その活性効果を正当化するといったプロセスがよくつきまといます。研究者の意義は、そうした宣伝に唱和したり、その宣伝の提示する歴史を鵜呑みにするのではなく、それがなにを歪めているのか、どこで虚偽が働いているのかを指摘することにあるとおもいます。

ここで指摘しておきたいのが、この対談の「あざとさ」です。かれらは、二人して反省とともに語ります。かつてじぶんも「ロマンティック」だった、かつてじぶんも「冷静さを欠いていた」、それがいまだに克服できていない、などなど。一見、誠実であるようにみえます。かれらの言説には、このある種の「誠実」を装いたいという欲求がよくあらわれています。これは、おそらく注意深い読者ならだれもが気づくとおもいます。かれらのこの言説は、けっして本当にじぶんの内部にむかっているのではありません。この世代の研究者が、なにか「周縁的」な場所をみて「不便なままであってほしい」などと素朴に考えていたことも信じがたいのですが、もし本当にそういう心情があったとしても、アンビヴァレントであったはずです。近代文学を読めばすぐにわかりますが、このような感情くらいは、近代化のなかでだれしも抱えてきたものです。たいした話題ではないのです。ただし、そのだれもが割り切れないアンビヴァレンスこそ、大切なものだとおもいます。日本の近代をみてみましょう。不便だ、開発で便利になる、などといわれながらも、みずからの生活を守ろうとして、敗れてきた無数の人たちがいます。あの「地獄」と呼ばれた炭坑労働をも、その解体に激しく抵抗し、退いたあとも深い愛着を抱きつづけ、いまだに山本作兵衛の絵に涙を流す人がいます。そのようななかで人びとがひねりだした、はなから「政治」によって退けられた対案もおびただしくあります。もしみずからをも問うて問題なのは、この割り切れなさだとおもいます。ただしすぐにつけくわえねばなりませんが、この「割り切れなさ」の称揚は、現代の無害なる紋切り型です。このような物言いも、「みんなちがって、みんないい」とか「問いかけることが重要だ」というような文言とおなじ機能をはたすことが大半です。つまり、システムに対立を入れるようなかたちで断固とした態度をとることの忌避と容易にむすびつくのです。その次元にとどまるのを拒絶するとすれば、その「割り切れなさ」は、さまざまな抵抗、破れた構想、ついえた夢想などとむすびつけられねばならないとおもいます。これはわたしの考えにすぎませんが、そこで研究者ははじめて、政治家とも行政官、資本家、マーケッターとも区別され、どこかで人びとと通じることができるとおもうのです。

ところがかれらの態度は、単純化されたそうした過去の態度を「ロマンティック」であったと克服してみせます。これは内省的な「誠実」さにみえて、実はきわめて攻撃的な態度です。要するに、これらの発言は、すべてだれかにむけた攻撃なのであり、「おまえたちはじぶんたちがケリをつけた過去なのだ」といっているのです。先ほどの暴動が「ロマンティック」である、云々のくだりの「揶揄」をふくんだ言説戦略もこう考えるとわかります。「胸を熱くする」「素朴」で「偏った」目線・対・冷静で抑制的な目線の闘いは、あらかじめ勝利を保証されているのです。

くり返しになりますが、かれらの言説的かまえは、じぶんの価値とそれと対立する価値ではありません。中立的で抑制的であって「民意に沿っている」という絶対的な正しさから、いっぽうはイデオロギー的に偏っていると宣告しているのですから。これはかれらだけの態度ではなく、現代の支配的イデオロギーの形態をきわめてよく表現しているにすぎません。

岸氏はこういってます。「深刻な差別を受けている人や、過酷な労働条件で働いている人、孤立して生きる高齢者。苦しい条件の中で生きる人々は、時間をかけてその場をやりすごし、なんとか生き延びようとしている。そのつらい経験そのものを理解し共有することはできないけれど、その経験をどう解釈し、どのように記憶し、どのように語るのか。質的調査による記述で、私たちは少しずつ理解を深めていくことができると思うのです」。ここでかれは「感情」を露呈させています。しかし、先ほども述べましたが、研究者がそれを「解釈」するべくもなく、「つらい経験」なるものを、多くの人は率直に語ります。ときに雄弁に、ときに明晰に語ります。「理解し共有すること」が問題にならない局面も多々あります。たとえば「かれはこれに反対するとかいっていたが、ほんとのところ社会に自己を承認されたいのである」などというような「解釈」的態度がゆるされないくらい明快な場面です。かれらは研究者の「解釈」など必要のない、「主体」なのです。またそれを聴く立場の人間が打ちのめされることもあります。おまえの立場はなんなのか、じぶんたちといっしょに闘うつもりはあるのか、このように、つきつけられることもあります。それによって、みずからの世界観が根本から再考をせまられることもあるでしょう。そうした、ある意味で「みずからが否応なく解釈される」、そのような契機は、すくなくともかれの暴動にかかわる発言からはいっさい感じられません。

この問題はおいておくとしても、なぜこのような作業をへた結果が、橋下維新の政策との一体化なのでしょう。なぜ「開発」のひとしなみの肯定なのでしょう。どうしてそれを「抑制」しないのでしょう。こうした作業から、まったくちがった結論をみちびきだした「質的調査」の作業ならば、日本の戦後に無数にあるというのに。だれに聞くのか、だれに問うのか、どういう問いを投げかけるのか、こういう問いを発するならば、どうなるのでしょうか。

5 ― 参加しない勇気

先ほども述べましたが、このような粗雑な二分法によって、開発や成長を肯定するイデオロギーが、まっすぐに維新と共鳴できてしまう根拠だとおもいます。二〇一三年に松井大阪府知事〔当時〕は、「大阪のど真ん中にあるあいりん地域がニューヨークのハーレムのように変われば、この地域の可能性、ポテンシャルが大阪の成長に好影響を与える」と語っています。そしてこの松井のヴィジョンが、西成特区構想はもちろん、都構想にも貫徹していること、それが大阪万博やカジノ構想もふくめた、大阪市の民衆が長年にわたって蓄積してきた資産の大規模な「大売り出し」の動きと関連していることはあきらかです。

維新の強さのキーワードもひとつにはこの「成長」だとおもいます。このあいだの地方選でも、維新の「成長を止めるな」というポスターがあちこちに貼られていて、けっこうインパクトありましたよね。大阪自民や共産党に入れると、なんかよくわからないけど「成長が止まる」とおもわせるわけです。たしかに、インバウンドで外国人が大勢きてわさわさしてて、なんとなく活気が出ているような感じです。万博誘致もなんとなく成功しているようだ。あるいは大阪城公園に劇場を建てて、「よくやってくれた」とおもう人もいるのでしょう。とにかくこうした眼につくお祭りを継続的にぶちあげて、「成長」している感覚を普及させて――実態はちがうようですが――、なんとなく「成長」すれば、すべてついてくるといった漠然とした期待が、維新支持の基盤のひとつであるようにおもいます。

先ほども述べましたように、一九六〇年代以降、公害問題、交通問題、エコロジー問題などの噴出によって、「成長」という価値観は、問い直しをせまられました。公害や労働の疎外など、人間性をおしつぶすものではないか、という懐疑がありました。成長は生活や住民に対立する、問題であるとみなされていたこともあったのです。それは大切な視点でしたし、気候変動によって、根本から人類の存立が動揺しているいま、ますます大切な視点であるとおもいます。いまヨーロッパでも、若い世代が最も過敏に反応して、起ち上がる争点のひとつは、気候変動ですよね。日本はそれに地震が重なりますし、まじめに成長とその動力である資本主義にかんして、深く再検討する時期に入ったとおもいます。まさに高度成長に対して異議申し立てをつづけて、その「成長」に対する根本的懐疑をつきつけてきた戦後の釜ヶ崎の歴史は、そうした現状に対して、未来を示唆する資源の宝庫のはずです。であるにもかかわらず、「成長」が鍵を握るというような発想のなかで、釜ヶ崎のそうした側面はいっさい棄却されようとしているのです。

これはおそらく、対抗的実践が衰弱し、知的言説が保守化するなかで、資本主義とか国家という大きなフレームにはふれられなくなったことが反響しています。日本では遅ればせながら（世界では次のステージにむかっています）、批判的知や実践の「リベラル化」――リベラルにとって資本主義と国家が枠づけるゲームそのものは問われざる前提ですから――がすすみ、そのなかで成長やその意味も問われなくなる傾向にあります。それどころか、成長が社会保障や福祉、雇用に対する解決であるかのような言説も目立つようになりました。これが、「経済」をいうことで、なぜか運動的なものに「参加」したことになるような雰囲気の背景にあるとおもいます。

まさにオリンピック問題にかんして、神戸大学の小笠原弘毅氏らがずっと強調していますが、大会がはじまってしまうと、なんだかんだ反対していた人たちも、なかに入ってよくしていこうという姿勢に変わっていくということです。「はじまったんだから、もうごちゃごちゃいうのはやめて、すこしでもよくしよう」というわけです。しかし、わたしはオリンピックだけでなく、いまの日本全体にも広げられるような態度だとおもいます。要するに、はじまってしまったら、もうフレーム自体に文句はいわずに、「そもそも論」などやめて、すこしでも目の前のものをよくしようよ、という態度です。

過去をふり返るなら、戦争に最初は反対していた知識人たちもだんだん文句がいえなくなった、それどころかむしろ没頭していった態度も、そのように「はじまったのならすこしでもよくしよう」という態度そのものであるという人もいますし、たしかにそうだとおもいます。そして、戦争とおなじく、そのような「すこしでもよくしよう」という態度が、そのゲームをますます悪化させていくのです。

これも「参加」とかかわっているようにおもいます。「参加」すると当事者になるので、批判はしづらくなりますし、それどころか、つい最近までおなじ批判する仲間だった人間をこんどは「参加」した立場から封殺にかかるのも、この社会の常でしょう。「参加しないでいうのは無責任だ」というように、「なにかしていること」、「現場にあること」が特権性や優位性としてふりまわされ、批判の声を封じるのも、ありふれた光景です。権力はこうして、反対を無力化し、取り込んでいくのです。フレームそれ自体を問うて、根本から反対する人がいないなら、「そもそも論」をいいつづける人がいないなら、つまり、「参加」しないがゆえの強力な遠心力がないなら、たんに権力のやりたい放題になってしまうのです。「参加して変えよう」という発想は、危険な罠であり、いまのように危機の深い時代、このままではやっていけないような時代ならなおさらです。権力のゲームとはそういうものです。それはいまの〔東京〕オリンピックが、これほど約束を破り、適当なことをやりながら爆走したことからわかるはずです。緊張感がなければ、権力は舐めてかかって、どこまでも適当になり、粗暴になるのです。「参加」には警戒すべきなのです。

1　「「西成特区構想」は橋下氏が「大阪都構想」とともに一二年に打ち出したプロジェクトです。都構想は大阪市二四区を五つの特別区に再編し、税収の低い西成区は、税収の高い中央区と合併させようとしていました。一方、西成特区構想は、高い生活保護受給率と高齢化率を低減させるプロジェクトです。特別区への再編は叶いませんでしたが、一五年に橋下氏が市長を辞任した後も、西成特区構想のプロジェクト、例えば警察官を増員し暴力団の取り締まりを強化する、生活保護受給者の就労支援を強化するなど、短期・中長期それぞれの対策が進行中です。西成特区構想によって治安や衛生面の課題が大きく改善するようになり、こうした動向を受けて、高級ホテルの「星野リゾート」が隣接する地域にホテルを建設することにもなった。これはやはり、橋下氏という強いリーダーシップを持った人物がいなければ進まなかった話だと思うのです。／一方、この構想が強い橋下氏のトップダウンだったかというとそうではなく、むしろボトムアップで、商店会や支援団体、研究者らの以前からの取り組みが下地にあったからこそ成り立ったのです。そういう意味で、橋下氏を絶賛する気はないが、一方で彼でなければ、ここまで進むこともなかった気もする」（一二〇 - 一二一頁）。

2　この「ボトムアップ」の実相については、それを詳細に検証した以下の論文を参照せよ。中村葉子「意見書「西成特区構想」・「あいりん地域まちづくり検討会議」の問題点」『部落解放研究』二八号、二〇二一年。

3　原口剛「労働者の像から都市の記述へ」『理論と動態』vol.10、二〇一七年。

4　「（…）青木秀男らにより切り開かれた寄せ場学は、社会病理学の知が労働者に対する差別や抑圧と表裏一体のものであることを告発した。そうして、それらの土地やそこに生きる労働者を差別的にまなざす市民社会にこそ、「病理」を見出す視座を獲得したのである。またそれらの知は、市民社会の代理人たる研究者のまなざしをも厳しく批判し、研究者とはいかなる存在なのかを問うた」（原口前掲、一一〇頁）。

5　「ところで白波瀬さんの『貧困と地域』は、釜ヶ崎をめぐる問題、例えば「西成特区構想」など議論の割れがちな問題も、中立的に抑制的に書いている。そういった類書は実は少なくて、まずはそれが評価できると思うのです」（『中央公論』二〇一七年七月号、一一七頁）。

6　「なかには、「暴動は既成の社会秩序に対する抵抗である」と解釈する人もいます。私も釜ヶ崎の暴動には胸が熱くなり、共感するところはあるけれど、あまりにもロマンティックな解釈には違和感もある。（…）研究者も何らかの立場から研究を開始するから、どうしても目線が偏ってしまうのですが、その点、白波瀬さんは抑制的に中立的に分析していました」（同右、一一九頁）。

7　中村葉子「なぜアートはカラフルでなければいけないのか――西成特区構想とアートプロジェクト批判」（https://antigentrification.info/2017/09/16/2014ny/）、二〇一七年。このテキストは、小沢健二が二〇一五年におこなったセッションでの報告「アートとネオリベラリズムのむすびつきの批判（「アートという罠：アートではなく」とともに読まれれば（記録は以下をみよ）グローバルな文脈での理解が深まるようにおもう。（https://see-r.tumblr.com/post/938325615/%EF%BC%91%EF%BC%91%E6%99%82%EF

%BC%91%EF%BC%90%E5%88%86%E3%81%8B%E3%82%89%E3%81%AF%E5%B0%8F%E6%B2%A2%E5%81%A5%E4%BA%8C%E3%81%AEskype%E3%82%BB%E3%83%83%E3%82%B7%E3%83%A7%E3%83%B3%E3%82%A2%E3%83%BC%E3%83%88%E3%81%A8%E3%81%84%E3%81%86%E7%BD%A0%E3%82%A2%E3%83%BC%E3%83%88%E3%81%A7%E3%81%AF%E3%81%AA%E3%81%8F/amp）。

8　「西成特区構想が進めば、町並みも変わってくる。すると、ノスタルジーから『かつてのゴチャゴチャした釜ヶ崎のほうがよかった』と言う人も出てくるでしょう。／僕も沖縄を二〇年以上研究してきましたが、確かに開発がまだ進んでいなかったかつての沖縄に郷愁を感じます。昔の那覇はモノレールもなく、どこに行くにもまずはバスターミナルに行かなければならなかった（…）そういう不便な、素朴なものに、外から来た人間は魅力を感じ、僕も沖縄にはまっていたのだけれど、その郷愁や、開発への反発心は、沖縄の人は「貧しいままでいろ」と言っているようなものです。研究をする上で、そういった時代の変化を受け入れられるか、ということも、試される」（前掲『中央公論』一二二頁）。

12

この町がなくなれば居場所はない

――映画『月夜釜合戦』と釜ケ崎

初出｜『現代思想』二〇一八年三月臨時増刊号、青土社

1―ひとつの場の消失

二〇一七年末から一般公開されているので、まさに現在進行形である〔本稿の初出は二〇一八年〕。宣伝文句風にこの映画作品を説明すると、さしずめこんなところか。「大阪映画に刻まれた数々の映像的記憶へのオマージュと消滅の淵におかれた釜ヶ崎で紡ぎだされた夢想から最後のリアルな大阪が浮上する、空前絶後の聖杯物語。どたばた人情喜劇のなかに織り込まれた抒情と秘められた怒り。ひとつのショットに、町やひとの表情と身ぶりを折り畳んだ万華鏡」。古典落語の演目「釜《かま》泥《どろ》」をもとにした筋をかんたんにいうと、あるやくざ一家の、三種の神器ならぬ、王冠ならぬ、あるいは聖杯ならぬ、釜をめぐる争いに、三角公園に君臨する炊き出しの巨大釜も巻き込まれ、やがて、地域の人間がどたばたをくり広げる、というものだ。

本作品は、佐藤零郎《れお》監督にとって、長編二作目の作品である。一作目は、『長居青春酔夢歌』（二〇〇九年）と題されたドキュンタリー。大阪の長居公園における大規模な野宿者の排除が主要な対象であった。

『長居青春酔夢歌』は、監督自身も「活動家」として出来事の渦中にあり、その成り行きにともによろこび、ともに泣く。そのナイーヴにもみえるある種の「現場性」や「当事者性」は、しかし、いまだカオスのまま、わたしたちのまえに、出来事と対峙するとは、それを記述するとはどういうことなのかという問いをつきつけてやまない。このシニカルな時代にあって、映画と現実との関係、そして、その可能性をむきだしに問うという姿勢において、かれらはいま、えがたい、というよりほとんど唯一に近い存在である。

『月夜釜合戦』では、ドキュメンタリーを指向していた佐藤がフィクションに挑んでいる。技術的継承性も乏しく、かつてのように同伴する運動的批評家も不在である困難な時代に、一六ミリフィルムにこだわりながら、長期の産みの苦しみをへてようやく陽の目を見た。ただし、アプローチは異なれども、かれの問題意識は一貫している。佐藤監督やNDS（中崎町ドキュメンタリースペース）のフィルモグラフィーをみれば、かれらの作品のほとんどが、「撤去」や「排除」といった出来事に取り組んでいることがわかる。それは、かれらの関心というよりも、一九九〇年代以降のこの世界の経験でもある（本当はもっと厳密にいわねばならないが、ここではかんたんにそうしておく）。一言で、「喪失」の経験であって、都市でいうと、すさまじく加速している場の消失の経験である。本作品の最深部で共鳴しているのは、世界と共鳴するその喪失の経験である。

2　釜ヶ崎のダイナミズム

この作品を、大阪映画の系譜としてみて画期的な点がひとつある。戦後映画において釜ヶ崎は、いくどとなく舞台となった。たとえば、釜ヶ崎暴動の直前に公開された大島渚の『太陽の墓場』

や同時期の『がめつい奴』は、釜ヶ崎の「スラム」としてのときに神話性（ステレオタイプ）に依拠し、あるいは、その神話性を促進する媒体であった。ところが、それらの映画は、実のところ、ほとんど釜ヶ崎で撮影をしていない。断片的に釜ヶ崎で撮影されたショットが挿入されることもある。しかし、釜ヶ崎と銘打って、実際に釜ヶ崎の風景をロケで背景にするということは、ほぼないのである。本作品が大きな影響を受けているとおぼしき田中登監督『㊙色情めす市場』であるが、インタビューでみるかぎり、田中自身は、ロケをした場所について「釜ヶ崎」と認識しているようだ。ところが、監督の認識とはちがって、映画には釜ヶ崎のショットはほぼ存在せず、ほとんどが釜ヶ崎に隣接した飛田新地界隈（山王地区）で展開されているのである。ここで述べておかねばならないが、本作品はむしろ、『㊙』とその地理性を共有している。釜ヶ崎と山王のえがく複合地理を舞台としているのであって、しかも、その地理的複合のもつ意味に自覚的である。このことは、決定的に重要である。いずれにしても、釜ヶ崎を舞台にすると銘打ちながら実際にその空間を文脈として撮影された釜ヶ崎映画は、すくなくとも物語映画としては、本作がはじめてともいえるようにおもう。

ただし、これは釜ヶ崎の巨大な結界のような厚みが希薄になった事態を示してもいるのであって、この映画の功績のみに帰することはできない。あるいはこうもいえよう。皮肉なことに、この映画が危機感をもっているその事態が、この映画の可能性の条件なのである、と。しかし、いっぽうで、これはかれらが、たとえば炊き出しや祭りに参加しながらそこで地道に積み上げてきた関係性の結果でもある。そしてそれゆえに、そこには見る人によって限界はあるだろうが、ステレオタイプの釜ヶ崎ではなく、そのリアルな地層に共鳴しえたのだとおもう。

本作品は一貫して喜劇であって、そこには正面切って社会的主題はあらわれない。いくらでもとりえた、ドキュメンタリーという手法をかれらは、とらなかった。

そもそも、釜ヶ崎は一見ドキュメンタリーにふさわしい。そこは「社会問題を集約した」空間として、「ヒューマン」なまなざし、「参加型」の意欲、「意識の高さ」を惹き寄せる。最近でも、あるドキュメンタリーが話題を呼び、アートが話題を巻き起こし、そして研究者は「社会問題」としての釜ヶ崎を語りつづける。NDSとしてのドキュメンタリー路線からすれば、また、かれらの釜ヶ崎をめぐる深い危機意識をみれば、本作品がドキュメンタリー路線をとることは必定であったようにみえる。ところがそこで、フィクションが選択された。しかも、それは、貧困の問題、福祉の問題、差別の問題に直接にふれてはいない。そういう「高い意識」の視点からすれば、どこが「リアル」だ、ということにもなるだろう。

なぜだろうか？　一言でいえば、釜ヶ崎を「場」としてトータルにえがこうとしたからといえるだろう。この作品が、人とナラティヴの運動をもってつねに「場」というか、器としての空間を浮上させようとしていることに注意しなければならない。フィクションというアプローチを必然のものとしたのは、その「場」の内側の問題ではなく、「場」そのものの消滅という事態を直視した、むしろ危機意識の深さである。「かわいそうな人たち」がいるからでも、現代日本の矛盾が集約しているからでも、考えねばならぬ問題がそこにあるから釜ヶ崎ではないのである。

この作品は、おそらく、未来の世代にとって、釜ヶ崎ないし「ディープサウス」の歴史の最後の一局面、その蓄積された風景と空気を、どんなドキュメンタリーよりも巧みに切り取った資料として貴重なものとなるはずだ（実際、フィルムに焼き付けられた風景のかなりの部分はすでに存在しない）。また、この映画は、釜ヶ崎という場が秘めているであろう、虚構と現実のすれすれの感じをなによりもつかんでいる。もちろん、それは「釜ヶ崎」だけのものではない。

わたしはよく、新世界から西成にかけての大衆演劇の芝居小屋の圧倒的な多さの背景には、この一帯に、そもそも芝居と人生を浸潤させるような、ある意味で古典的な民衆的身ぶりがあるように感じていた。すでに本作品によせられた多くの批評や感想が、プロアマの数々の役者たちのすばらしさにふれている。もちろん、本作品が映画作品として引き締まっていることに対して、プロの役者たちの寄与なしにはありえない。しかし、本作品の醍醐味は、うまいへた、感情のこもったセリフとアマの棒読みなどのちがいが、だんだんどうでもよくなってきて、そこからトータルな場が浮上してくるところにある。考えてみれば、ふだんのしゃべりも棒読み気味の人間なんてざらにいるわけだが、ここには、よそものがよそものとしてゴツゴツしたまま土地の人間になるという、おそらく、釜ヶ崎のような場のもつダイナミズムそのものが表現されているようにおもわれる。それには場の力にも与っているだろうが、やはり、主要には、佐藤監督たちの場所への執着と批評的観察力のなせるわざとおもえるのである。

3 「癒し」と「再生」という語りに抗して

本作品は、ドキュメンタリー的に釜ヶ崎を「社会問題」として扱わないだけでなく、映画の表面からも深刻さのようなものを慎重に排除している。たとえば、それに関連しているとおもわれるが、平井玄氏は、私娼たちの用心棒として「へらへら」と生きている主人公仁吉（川瀬陽太）を『幕末太陽傳』のフランキー堺（居残り左平次）になぞらえている。なるほどそういう見方もあるのかともおもうのだが、わたしの印象はすこし異なっている。

かの川島雄三作品におけるフランキー堺は、その肉体に悲劇（不治の病）を抱えながら、どこにも所属しないおのれの生き方はゆずらず、やばくなれば逃走を決め込む。たしかに、仁吉もどこにも所属しない（できない）人間であり、人生の重荷からは逃走を決め込んでいる人間であることはまちがいない。異なるのは、フランキー堺がふと暗い表情をみせ、ある種の孤独な実存をみせるのに対し、かれはとことん場当たり的なお調子者であって、いつも集団とともにあるという点である。ところが、かれには、この愉快な作品全体を縁取っているあるトーン、不治の病よりももっと深いものであるかもしれない、ある悲劇が影を落としている。

本作品には、ただひとつ、ささやかでも深刻さをうかがわせるシーンがある。『㊙色情めす市場』においても登場して印象を残す百度石の前で、幼なじみのライバル（渋川清彦）に、「おまえみたいな人間はもう化石」であって、「この町がなくなればおまえの居場所はない」といわれるシーンである。

深刻なふりをいっさいみせないこの作品は、その力を、このシーンにのみ示唆される、ある深刻さあるいは悲劇から汲み取っている。その悲劇とは、この町が消えてしまうことであり、そのときには、ここに登場する人間たちすべて（そしてこれまでこの町を横切った人間のほぼすべて）が忘れられるだけではなく、かれらのありかたそのものが否定されてしまうだろうことである。実際、いま、アートや研究が釜ヶ崎を語る言説は、わずかなヴァリエーションをともなっているが、収斂するところはおおよそひとつである。まちの「再生」であって、未来であって、そして希望である。それがリアリティを枠づける、絶対的な地平を構成している。その地平上から逸れたもろもろは、たとえば癒されるべきもの（怒りやすさ、けんか早さなど）、否認され忘却されるべきもの（暴動）とされるのだ。こうして、高度成長で浮かれた戦後社会をトータルに否定しながら、その裏面の「真実の」顔をつきつけてみせた、おそるべき「問いの鏡」は、やはり、浮かれたままでいたいこの社会、そしてその警備員たちによって、「解消されるべき問題」として馴致される。本作品が全力で抵抗しているのは、この力にほかならない。

わたしは、おそらく、仁吉やその仲間たちは、この町と一緒に消えてしまうとおもう。この町は、いままでは、もう困ったらどこかに逃げればいい、というような町ではない。そういう町は、ほかにはこの世にはないのだから。とことん場の固有性に拠りながらも、本作品でえがかれるのは、場ならぬ場の「アレゴリー」であって、そこは、人が心から笑うことや共に生きることのでき、そして愚かな者たちがゆるしあって生きていけることのできる、可能性そのものなのである。

この作品の成立には、もちろんさまざまの偶然が寄与している。しかし、その悲劇を直視し、それに抗う意志をもつものによってしか、この作品をこのような傑作にはなしえなかった。佐藤監督とスタッフたちの意志と情熱、そして諧謔と機知に富んだ創意こそ、本作品の抱える未熟さをも歴史に一度かぎりのえがたい結晶に変貌させているのである。

III

この世界の外に——抵抗と逃走

13

「ブラジルでFIFAのブレザーなんて着たがるヤツはいない。殴り倒されるからだ」

――二〇二〇年東京オリンピックをめぐる概観

初出｜『10＋1website』LIXIL出版、二〇一三年一〇月

1 大衆に包囲されたメガイベント

二〇二〇年オリンピック開催地は東京に決まった。もともと候補地として最有力視されていたのはイスタンブールであるが、それが誘致レースから脱落し、選考日直前に、マドリッドと東京が浮上してきた文脈には、いうまでもなく、今年〔二〇一三年〕のイスタンブールにおける騒乱がある。しかし、それだけではなく、世界へと視野を拡げてみるならば、今年は、オリンピック、あるいはメガ・スポーツイベントをめぐって異変が顕著に起きていることが直感される。

とりわけ眼につくのは、二〇一四年にＦＩＦＡワールドカップ、二〇一六年にリオでのオリンピック開催をひかえているブラジルである。

ブラジルでは今年の六月なかばから、公共交通機関の値上げが、一九八五年に独裁政権の息の根を止めた民衆蜂起以来の大規模な蜂起の波をまねきよせた。興味を惹くのは、この値上げが「わずか」であったことである。その「わずか」の大きさをよく理解することのなかった当局側は、デモの規模に見合わないという不平をもらしたが、そのわずかなほころびは、うずまいていた濁流を決壊させるには十分であった。決壊した奔流のなかで、要求項目は次々と拡大した。とりわけそれは、ヘルスケアや教育をはじめとする公共政策、社会政策の貧弱さと政府当局の腐敗にむけられた。そして、そのリーチは、二〇一四年にリオデジャネイロで開催予定のワールドカップにまでおよび、開催中のＦＩＦＡのコンフェデレーションズカップでは、試合中のスタジアムの外で抗議の大衆が激しく警官隊と衝突した。この期におよんで、ブラジルの民衆蜂起は「サッカー暴動」とも名指される。

スペインとブラジルは決勝で対戦し、FIFAの役員はそのためにブラジルに結集していたが、かれらを出迎えたのは、世界一のサッカー狂たちの、強烈な反FIFA感情とその表現である激しい抗議行動だった。「ブラジルでFIFAのブレザーなんて着たがるヤツはいない。殴り倒されるからだ」と、あるイギリス人ジャーナリストはブラジルにみなぎる空気を表現している。[1]

リオW杯は、そもそも、当初予算においても二〇〇六年ドイツ大会のほとんど三倍近くもかかっているが、その後も、ふくらみつづけている。このような膨大なコストと、それがもたらすブラジル社会の分極化の加速、さらに、開発にともなう貧困層の強制排除――二〇一二年二月の時点でリオではおよそ一万五千人の住民が退去をせまられている――、手の届かない高額なチケットなどが、このFIFAと政府当局への怒りの根底にある。[2] FIFAは開催の条件として税の免除ときびしい商業ルール――日本でもIOC（国際オリンピック委員会）が「五輪おめでとう」のような張り紙すら禁じているように――を押しつけることができ、それが、オリンピックの「経済効果」の幻想に万人をも巻き込むことができない、つまり、しょせん一部の連中をうるおすお祭りとはじめから見積もらせる一因となっている（そのようなFIFAを「国家のなかの国家」として激しく批判をつづけているのが、かつてのW杯の英雄ロマーリオである）。

今回、二〇二〇年のオリンピック開催地として最も有力視されつつも敗退したイスタンブールはどうだろうか。イスタンブールのオリンピック誘致敗退の最大の原因が、二〇一三年の五月末に火のついた大規模な民衆蜂起であることはまちがいない。きっかけはイスタンブールの長い歴史をもつタクシム広場に近接するゲジ公園の再開発プロジェクトであり、公園をショッピングモールに変え、広場に歴史的建造物を再建し商業施設にするというものであった。イスタンブール市民の憩いの場と、再開発によって失われる都市の緑地を守れ、という要求によって、わずか五〇名の環境活動家によってはじまった抗議行動は、またたくまに拡がり、オキュパイ・ゲジという戦術へと展開し、また争点も拡大し、すくなくとものべ二五〇万のイスタンブール住民の参加する大規模な民衆蜂起に発展した。当局は強硬姿勢をくずさず、警官隊による激しい弾圧にみまわれた。

イスタンブールは、公正発展党のレジェップ・タイイップ・エルドアン首相のもとで、大規模再開発のただなかにあり、それはトルコに経済的成長をもたらすいっぽうで、エルドアンは財界、メディアとの一体化をすすめ、表現の自由や集会の自由に制限をかけ、イスラム色の強い教育プログラムを導入するなど、ネオリベラルとイスラム専制主義の結合といった指向性をもつ権威主義的体制を着々と構築していた。したがって、争点は、ネオリベラルな都市再編への反対とエルドアンの権威主義体制への批判といった、二つの軸に沿いながら——それに警察の弾圧への反撥——拡大していったおもむきがある。

こうしたなかでの今年の民衆蜂起は、中心グループの当初掲げた要求項目「公共空間、海岸、水、森、川、公園、都市のシンボルを民間（私営）会社、大企業、投資家に売り渡さないこと」に典型的にあらわれるように[3]、ネオリベラル的再開発に対抗するという意味合いの強い要素をもち、オリンピックがこの「エルドアンの狂気のプロジェクト」ともいわれる大規模再開発の一端をしめていることは、のちにふれるが、強力な批判の矛先がオリンピック用に計画された第三大橋にむけられていることひとつとってもあきらかである。

マドリッドはどうか。スペインではそもそもオリンピックへの世論の抵抗はきわめて強かった。スペイン各紙での世論調査をみると、ばらつきはあるが、およそ八割が反対であるという結果がでている。[4]七月にはマドリッドで大規模な、大統領のスキャンダルをきっかけにした反政府抗議行動がおこなわれており、そのさいすでに、こうした抗議行動がイスタンブールと同様に、オリンピック招致に暗雲をもたらすと報じられていた。[5]そして、この機運が、ニューヨークのオキュパイ運動に直接の影響を与えた、二〇一一年からはじまる「反資本主義」運動の波に位置する15M運動の延長にあることはまちがいない。たとえば、二〇二〇年の開催地決定のための、ブエノスアイレスでのＩＯＣ総会の期間における、目立った抗議行動として、街灯にのぼった男がある。ここで興味を惹くのは、かれが15M運動の流れをひく、強制退去に反対する活動家であることである。[6]

開催地決定の直前に東京を予想していたある記事が、その東京である予想の根拠を示している。それが会期中にプロテストに見舞われないであろう安全な場所、ということだが、[7]それだけではないにしても妥当なひとつの見方だろう。この記事では、ＩＯＣの懸念しているようにおもわれる問題点のリストに福島の放射能汚染の問題はあがっていない。ＩＯＣの懸念は、放射能汚染によるアスリートの健康被害よりは、オリンピックへの、あるいはオリンピック時の抗議行動である、ということは十分に想像がつく。

2 巨大資本から都市を取り戻す

以上、三都市のケースから感じとることのできるひとつの仮説は、いまや世界において、スポーツのメガイベントは、民衆の抗議のうねりに巻き込まれて、開催へとこぎつけることが、あるいは、開催できたとしても平和裏におこなわれていると見せかけることすら困難になってきているのではないか、ということだ。

二〇一三年六月、燃えるブラジルのただなかにあって、ロイター通信は「ブラジルの暴動はメガ・スポーツイベントに疑問をつきつける」と題した記事を配信している。[8] 記事は現在のブラジルの情勢を「FIFAとW杯の歴史にとっての分水嶺」と位置づける。開催にとどまらず招致のコストまでうなぎのぼりの現状によって、都市がW杯やオリンピックに立候補する気力はくじかれているというのである。あるスポーツマーケティングの研究者は、「おなじ少数の国がくり返しイベントを開催する」、いわば「産業集中」が起これば、「公共性やスポーツの民主主義にとっては好ましくない」とし、「近年のグローバル経済の減速が、メガ・スポーツイベントは手の届かないところで膨張する代物だ、という人々の感覚を強化している」という。

また、記事があげるのは、今年の五月にベルリンで開催された、スポーツ大臣をあつめ、W杯、チャンピオンシップ、夏季、冬季オリンピックなどのメガイベントのありかたについて憂慮を示す宣言が発表されたユネスコの会合である。その宣言では、多くの巨大なスタジアムがイベント開催後に財政的にもたないことが指摘され、ホスト国への高まる要求が、大スポーツイベント開催への意欲を減退させ、特定の国を立候補から排除させる危険があると警告している。

このように都市住民の反発のたかまりに応じて、支配サイドにも危機感が昂じているのがわかる。そうした動向のひとつのブレイクといえるのは、二〇一二年のUEFA（欧州サッカー連盟）の決定だろう。UEFAは、二〇二〇年のヨーロッパ・チャンピオンシップ開催に三件の応募しかなかったことから、一三の都市で分割して開催し、各都市で三、四の試合をひらくことに決定した。[9]この動きは、状況次第では、オリンピックやW杯も追随する道になるかもしれない。

しかし、ここでは、このように支配サイドを動揺させている、抗議行動の動向にさらに注目してみよう。経済のいっときの下降が人びとのメガイベントからの疎外意識を強化している、という指摘にわれわれは満足することはできないからだ。

先ほど、スポーツのメガイベントが民衆の抗議のうねりに巻き込まれると述べたが、オリンピックでその印象を与える最近の事例は、二〇一〇年、ヴァンクーバーの冬季オリンピックである。オリンピックの開催中、街は抗議の波によって覆われ、催涙ガスがとび交い、商店街のガラスが割られた。若い世代を中心とした抗議者の構成も、戦術からも、物議をかもしたブラックブロック（二〇一三年のブラジルでも活躍している）の動きからも、一九九九年シアトル以来の反グローバリゼーション運動の延長線上にあるとおもわれるが、そこでの焦点は、環境破壊、ホームレス排除、そしてセキュリティの強化などにおかれていた。その時点から考えるならば、いま、オリンピックやW杯を巻き込んでいるのは、アラブの春、15M運動、オキュパイをへて、より大衆化し、ヴァージョンアップした民衆蜂起の波動であるといえる。たしかに、ブラジルやイスタンブールで起きている事態で特徴的であるのは、オリンピック、W杯そのものに対するというより、オリンピックやW杯のようなスポーツのメガイベントをその部品のひとつとする装置総体が攻撃にあい、それにイベントが必然的に巻き込まれるというところにある。

先ほど、いっときの経済的下降が、メガ・スポーツイベントが手に負えないという人びとの意識を強化しているのではないか、という研究者の指摘を紹介したが、それについては、とりわけイスタンブールの事例から疑念を呈することができる。というのも、イスタンブール、というよりトルコは、おなじく民衆蜂起にさらされている、たとえばスペインやギリシャのような他のEU諸国とは異なり、近年、およそ年一〇％の経済成長を記録していた「模範的」な国家である。したがって、トルコの事例は、他のEU諸国にみいだしうる緊縮政策のもたらす「反資本主義的」動向とは異なり、むしろ、世界の「反資本主義的」動きを現在のグローバル資本主義そのものと相関させてみるようせまるものである。

アンリ・ルフェーヴルの「都市への権利」という概念が、このかんのイスタンブールの動きのなかで頻繁にあらわれるのは、そのひとつの徴候であるようにおもわれる。その動向の反響として、ブラジルの民衆行動について、たとえば『ニュー・リバブリック』紙は「ブラジルの抗議行動は実質的には都市への権利にまつわるものだ」と題した二〇一三年の六月一三日付記事で、イスタンブールとブラジルの動きの共振を「都市への権利」の要求という点にみいだしている。[10]この記事には、ブラジルをフィールドとするバークリーの人類学者が談話を残しているのだが、要点は、このブラジルの蜂起は、ブラジルという巨大国家で進行しているとめどもない都市化を文脈として、そこで生じている都市生活の質への要求、参加への要求、すなわち都市への権利についてのものだということである。

この記事の着想は、より自覚的に「都市への権利」がスローガンとして用いられているイスタンブールにある。タクシム広場での抗議行動についての記述で、その発端を The Right to the City 連合が主導したというものに出会ったりするが、筆者はその連合体について現時点でさほど知識がない。[11]ただ、すでに数年前から、大規模な都市再開発、ジェントリフィケーション、強制排除に反対するNGOや市民運動、研究者などの連合が形成され、タクシム広場で会合をひらいていることはウェブでの情報からわかる。また、二〇一二年の研究論文は、それまでのトルコの都市運動の文脈で、「都市への権利」がさまざまに論じられ、鍛えられてきたこともわかる。[12]

タクシム広場の民衆蜂起は、したがって、突発した出来事ではなく、すでに蓄積のあったところで発火したものだった。発端となった公園の再開発案は、再開発が都市中心部にせまり、この歴史的記憶にのこる公園にまで手を伸ばしたときに爆発したのである。

トップダウンの都市開発によって、たとえば、オリンピックにむけて交通渋滞緩和を名目に計画されたイスタンブールのヨーロッパ側とアジア側を東西に分断するボスポラス海峡に架橋する第三大橋の建設やイスタンブール運河の建設のような、大規模プロジェクト。先ほどあげた連合のウェブサイトによれば、それらのプロジェクトは、「グローバル都市アプローチ」をとっているという点で問題視されている。グローバル都市アプローチとは、そこでの意味づけによれば、投資家の誘致のために、人権や環境権の容赦のない無視によって、歴史ある住宅区から住民を追いだす（追いだされた住民は遠いエリアへと移動を強いられる）というものである。それだけでなく、イスタンブールでは、不法建築の総称である「ゲジェコンドゥ（gecekondus）」の住民に不動産所有権を付与することを通じたネオリベラルな手法によって、歴史的貧困地区のクリアランスが強行され、退去の強制がくり返されていた。そうした動きに対する抵抗の積み重ねが「都市への権利」というコンセプトと交わりながら、都市運動をかたちづくっている。[13] それと、つけくわえておかねばならないが、トルコは二〇一〇年に原子力プラントの導入を決め、日本との提携のもとに黒海沿岸にいまや着々と原発建設をすすめている。そのような原子力発電導入への抵抗が、同地域でのダム建設への反対運動とあいまって、今回の前哨戦の一端を形成していたといわれている。

こうしてみれば、イスタンブールの蜂起は、オースマンのパリ改造のあとのパリ・コミューンのように、あるいは、ロバート・モーゼスのニューヨーク改造のあとのジェイン・ジェイコブズたちのように、住民による都市の奪回の衝動をかかえていることがみえてくる。都市の剝奪のネオリベ版に対する動きであり、それはグローバル経済の動向に対応して、国際的な波及力をもち、争点を拡げつづけている。

こうしてみれば、イスタンブールの蜂起が、オリンピックを当然、巻き込んでいるのは必然であり、最近の事例は、メガ・スポーツイベントが、都市住民の幻想を獲得するのに失敗しているという冷厳な事実である。ブラジルの出来事がよく示唆するように、メガイベントは、その主催団体と政府と諸利害集団による「掠奪」的動きを促進させるにすぎないものとして経験されている。オリンピックの「経済効果」が疑わしいことは、このかん、さまざまに指摘されているが、それは世界の都市住民にとって「実感」としてあらわれている。事実としても、アテネオリンピック以後、ギリシア経済が崩壊したことはもちろん、長野オリンピックの開催前から数々の不祥事を引き起こしたプロセスとその帰結、そしてこの年より、日本の不況がさらに深刻化し自殺者が三万を超えはじめることだけでも、重度の健忘症とはいえ日本社会はおもいだすべきだ。メガイベントは、いまや、メディアの祝福を受けながら空転するのであり、それは、メディアの信頼を失墜させつつその本来の機能を人びとに想起させ、統合のみせかけはさらに空洞化していくだろう。なにがしかの「分け前」に与るであろう少数と、それによって多かれ少なかれ危害をこうむる多数のあいだの隔絶はもはや――メディアの「感動」スペクタクルによっても――抑え込みようのない水準に到達した。

3　中国化する資本主義――アンダーコントロールされているのは誰か

　では、東京である。オリンピック東京招致は、イスタンブール有利の下馬評のなかで実現度がうすいようにみられていた。ところが、一転、東京も有力な選択肢として浮上した。選出直前に、国際的にも問題視されはじめた福島第一原発の汚染水流出によって、あらためて3・11以降の東京での開催をＩＯＣがのぞまないのではないか、という観測も一部ではあった。

　しかし、結果はこのようなものである。安倍首相はブエノスアイレスで全世界にむかって福島第一原発の事故が「完全にコントロールのもとにある」という、だれも信じるもののいない、翌日には東電によってくつがえされる程度の仕掛けの大嘘をついた。このような嘘をつかなくとも、招致の成否に大きな影響をおよぼしたともおもえないし、本来、公人が恐怖を感じるべきは、きわめて重大な問題において、しかも世界に対して無責任な嘘をつくことであるはずだ。しかし、そうしたジレンマのようなものは安倍首相からは、みじんも感じることができない。このこと自体、おどろくべき事態であり、また、大メディアがほとんど問題視しなかったこともおどろくべき事態である。多くの人が嘆くように、それがメディアだけでなくこの社会そのものの末期的事態のしるしであることはまちがいない。しかし、このことからみえてくるのは、公人の無責任な「虚言」というものに対する、この社会、とりわけ日本社会の感覚の変化である。庶民の小さな「欺瞞」には、あるいは、特定の政治家が福島についてこぼした「真実」には、ときに、よってたかって血祭りにあげることの社会の奇妙な「寛容」である。ここまで露骨に発言をひるがえし、あからさまな嘘をつき、それにひらきなおって、なお、立場が揺るぎもしない国や地方の首長がいる、という現象に筆者はこれまでおぼえがない。これはなにかこの社会のありかたの変容を示しているだろう。

ただし、ここではそれを深く追求している余裕はない。この原稿の関連するかぎりでまず一点いうならば、この社会の死命をも決しうる問題についての「虚言」が可能であるのは、原子力体制そのものが、戦争とおなじく、「虚偽」を必須としており、それなしには維持できない、というハードな条件があるからだ。それが根底から揺らいでいるわけだが、にもかかわらずそれを維持しようとすれば、虚偽が露骨に浮上してくるのは当然である。そして、いま進行しているプロセスと存在しているようにみえる秩序に「波風たてない」ことが「現実」や「真実」よりもはるかに優先させられるという、日本ではもはやあらゆる局面にほとんど例外なく浸透しきったミクロな心性である。ここまで破綻しながらも、破局をくり延べながら根強く存続する原子力体制は3・11以降の、あるいはすこし以前からの、「偉い人」が平気でくりだすこの社会の奇妙な「虚偽」への寛容と、それを可能にする心性なしにはありえない。

国際舞台での大見得を、ありえない想定だがかりにどれほどお人好しであるにしても、IOCが信じるはずもない。安倍首相の「完全なコントロール」発言は、IOCにむけて、暗黙に字義以上のメッセージを発していたようにもおもう。つまり、その発言で問題になっているのは、現実に福島第一原発がコントロールされているということではなく、「日本の状況」が完全にコントロールされているということ、そして、これからもコントロールするという約束である。つまり、福島第一原発が本当にコントロールされていようが、汚染水問題がどれほど深刻であろうが、アスリートにどのような影響があろうが、それはＩＯＣにとってはたいした問題ではない。最大の心配は、そうした問題が、東京を動揺させてしまい、大事なイベントを巻き込んでしまうことである。

しかし、それはだいじょうぶである。これだけの事故に遭遇しながらも、原子力体制を維持し、その存続を公言し、さらには輸出まで精力的におこなう政党を第一党に祭り上げ、その政策の急先鋒である首相をいだく、この社会である。メディア、労働組合、企業、知識人、都市住民、そして社会運動すべてが「完全にコントロール」されている、という自負にも説得力があったはずだ。

もとより、東京においてもすでにあげられている問題をみるならば、世界の直面しているものと事情はまったく変わらない。それどころか、3・11以降の福島の問題を抱え、かつお粗末で気力の乏しい対応しかできていない日本がなぜ巨大な予算をつぎこんでオリンピックか、という、多くの人が当然疑問におもい、批判を口にする点がある。

すでに、東京招致反対の立場からはさまざまな問題が指摘されていたが、決定以後も、続々と疑義があらわれている。まず、メイン会場となる新国立競技場の問題がある。ここは神宮の森の風致地区に立地するが、ここに現在の国立競技場の、延べ床面積にして五・六倍、最高箇所七〇ｍ（二五ｍの規制を緩和して）となる「世界一の」（またもや、である）スタジアムが計画され、その環境破壊が批判されている。さらに、巨大化したあとの施設の維持とそのコストが問題となる。もちろん、それは都民の肩にかかる。ちなみに、総工費は現在の見積もりだけでも一三〇〇億かかる。[14]

かねがね問題視されていた、築地市場の豊洲移転の問題がある。歴史的な伝統をもつ場所がプレスセンター設置によって簡単に撤去されるのも問題だが、豊洲の汚染問題とからみあった利権の構造は深刻である。また、カヌー・スラローム競技が行われる候補地とされているのが、葛西臨海公園。公園で観察された野鳥は二二六種にのぼるが、クロマツ林など鳥の居場所が失われ、えさとなる生物も減れば、鳥の種類も減ると予想される［市民運動により計画は一部変更になった］。青山劇場の撤去。そして、もともと一九六四年の東京オリンピックのさい立ち退きによってつくられた都営霞ヶ丘アパートの再度の立ち退き問題。もちろん、野宿者排除はすでに招致活動のさいから問題になっており、今後も激しい争点になることが予想される。再開発の利権は膨大であろういっぽうで、東京住民へのダメージも深刻であることが予想される。

このような問題点をまとめた「反五輪の会」の主張は、国際的に大規模な争点になっているものとまったく共通のものである。[15]つまり、ここでもやはり「都市への権利」とされていることが争点となっているはずなのだ。

諸問題を生産する条件は、日本において悪化しこそすれ、良好化することはかんがえにくい。そのうえ、日本は放射能汚染の問題をかかえている。「完全にコントロールのもとにある」という記述的言明であり遂行的約束である発言は、こうした点を考慮にいれるとますます無気味にひびく。

近年のオリンピックの特徴のひとつは、セキュリティ・コストのおそるべき増大である。[16] ポスト9・11という文脈によって加速したこのプロセスは、二〇〇一年の「同時多発テロ」以後、最初の夏季オリンピックであるアテナ大会の約一五億ドルから、北京オリンピックでは一三〇億ドルへの飛躍的伸びを促した。これが、GEのようなセキュリティ産業を中心に、おそるべきあらたな利権構造を生みだしているのはもちろんだが、北京でそうであったように、公共交通機関のあらゆる場所、IDカード、監視カメラ、などこうした装置はそのまま大会後も維持され、日常の治安管理に活用されている。すでに、東京オリンピックでの反対派の「テロ」を想定しての機動隊の訓練を高らかにプロパガンダしているようなセキュリティ体制が、今後、オリンピックを名目にどこまでシビアなものに展開していくかは容易に想像がつく。公安条例の自由自在な適用によって民衆の運動をがんじがらめにしたあげく、反原発運動、がれき拡散反対運動に対する異常な弾圧と司法の機能不全のいっぽうで、取り調べ可視化のような改革はすすまず、さらには数々の市民的自由と権利にとどめをさすであろう秘密保全法を準備している日本は、すでに充分なほど警察国家への道を歩んでいるが、その流れに拍車をかけるだろう［二〇一四年に特定秘密保護法案が施行された］。

ナオミ・クラインは北京オリンピックを、「カミングアウト・パーティ」であるといった。つまり、それは中国政府が数十年かけてみがいてきた、「不穏なほど効率のよい社会の組織方法」を世界におひろめするパーティである、と。すなわち、中国政府は、記録的速度でスタジアムを完成させ、ハイウェイを貫通させた。めざわりな民衆の居住区は、無慈悲にブルドーザーでかたづけた。またたくまに木と花を植え、それにそって街並みをととのえた。住民の習慣を改造し町をてばやく清潔にしあげた。それが可能であったのは、権威主義的共産党支配のための政治的ツールのおかげであり、絶えざる監視、無慈悲な抑圧、集権的計画のようなツールが、そこでは、グローバル資本主義の展開のために動員されるのである。

権威主義的資本主義、市場スターリニズム、マッコミュニズムなどと形容されるこの中国型資本主義であるが、それをローカルなものではなく、「資本主義の中国化」という現代の世界資本主義の趨勢に位置づけるスラヴォイ・ジジェクの分析は、ナオミ・クラインによる北京オリンピックの観察と無気味に反響しあっている。この事態の文脈にあるのは、資本主義と民主主義との分離、とジジェクの特徴づけるプロセスである。[17] むろん、その推進力は、民主主義を資本主義が圧倒的に凌駕していくという方向にむけられている。あらためてこの視点からみるならば、日本の近年の政治的動向がこのラインに沿っていることは十分に想像できる。

現代の巨大化したスペクタクルとしてのスポーツイベントは、利潤生成の契機という以上に——それはあったとしてもごく限定されたものにますますなりつつある——、壮大な動員の装置である。人はその奉仕に駆り出され、邪魔なものはあっというまに撤去され、異論は攻撃にさらされ、メディア上では、瑕疵のない見世物として世界へと発信される。原子力体制も、利潤のみでは理解できない、人間と環境の動員とコントロールを動力とする巨大な装置である。

この装置のめぐらす夢想は、もはや人の欲望を捕獲できないものになりつつある。日本ではどうだろうか。オリンピック招致決定のあとも、熱はそれほどでもないが、かといって、この幻想をつきやぶるほどの動きを起こすほどの力はない、というところだろうか。二〇一二年の東京スカイツリーもそうだったが、この国は、かつての栄光に、巨大志向による「成功」の夢想に、いまだにとらわれている。だが、それも、その夢想に魅力がさしてあるからというわけではなく、夢想をつきやぶる萌芽がどこにもないから、ともかくしがみつくしかない、といったところだ。つまり、この国は、社会を過剰に馴致し同質化したあげく、ミニマムな「反」の弁証法的モメントすら喪失してしまったようにみえる。それが、過去の「栄光」の力のない反復と、幻想は希薄化しているが、かつてより拡散し、強制力を増している、というような奇妙な感覚をもたらしているようにおもう。耐性がつき効果がとぼしくなった注射を頻繁に打ちつづけるしかないジャンキーのようでもある。

先ほど述べた、昨年のUEFAの決定は、スポーツイベントのヨーロッパ的起源、すなわち都市国家への、あるいは国家を都市ネットワークが凌駕していた中世ヨーロッパ回帰のしるしとみえないこともない。いっぽう、二〇二〇年、東京オリンピックは、もしそれが一九四〇年の「まぼろしの東京五輪」とおなじく途中で座礁にのりあげないとしたら――まったくありえないわけではない――北京で頂点にたっした流れを規模をおとしたかたちで踏襲するだろう。それは、オリエントの帝国のもの、ルイス・マンフォードのいうあの「メガマシーン」であり、原子力体制と一体化した、世界史的にもずばぬけて巨大で、かつ破滅的なものとなるだろう。「資本主義の中国化」とメガマシーンとしてのスポーツイベントは、相性は悪くないのである。

1 Andre Mayer, Brazil protests show cost of hosting major sports events, CBC News, 29 Jun, 2013,（https://www.cbc.ca/news/world/brazil-protests-show-cost-of-hosting-major-sports-events-1.1358504）.

2 Simeon Tegel, Brazil's World Cup, Olympics upgrades spark criticism, in Global Post, 16 Feb, 2012,（https://theworld.org/stories/2012-02-16/brazils-world-cup-olympics-upgrades-spark-criticism）.

3 http://en.wikipedia.org/wiki/2013_protests_in_Turkey

4 童子丸開「スペイン国民を辛うじて最終的破滅から救った「五輪誘致３連続失敗」の悲喜劇」二〇一三年九月二五日（https://chikyuza.net/archives/38704）。

5 Emily Goddard , Madrid anti-Government protests cast shadow over 2020 Olympic bid, in Inside the Games, 19 Jul, 2013,（https://www.insidethegames.biz/articles/1015165-madrid-anti-government-protests-cast-shadow-over-2020-olympic-bid）.

6 A man hangs from a street lamp to protest Madrid's 2020 Olympic Games candidacy and. the city's eviction policies in Madrid Source: Reuters, 7 Sep, 2013.

7 Running Scared of Protest - Why Tokyo is Favourite to Host the 2020 Olympic Games, in. Inside Left, 7 Sep, 2013.

8 World Cup - Brazil riots raise questions over sporting mega-events, in Yahoo Sport, 23 Jun, 2013.

9 European Championship: Uefa to hold 2020 finals across continent, in BBC Sport, 6 Dec, 2012,（https://www.bbc.com/sport/football/20631963）.

10 Marc Tracy, The Brazil Protests Are Really About the Right to the City, in New Republic, 21 Jun, 2013,（https://www.newrepublic.com/article/113577/brazil- protests-are-really-about-right-city）.

11 Neighbourhoods taking action together / Istanbul claims the right to the city, 26 Jan, 2012,（https://www.habitants.org/news/inhabitants_of_europe/neighbourhoods_taking_action_together_istanbul_claims_the_right_to_the_city）.

12 Hade Türkmen, The struggle to belong Dealing with diversity in 21st century urban. settings.Amsterdam, 7-9 Jul, 2011.

13 Ibid.

14 「神宮の森 美観壊す／20年五輪 新国立競技場 巨大すぎる」『東京新聞』二〇一三年九月二三日朝刊。当初案は撤回されたが、延べ面積は三・七倍、最高箇所は四七・四mと問題は変わらなかった。総工費は一五〇〇億を超えた。

15 「〈緊急声明〉東京都はオリンピック開催を辞退しろ！」反五輪の会、二〇一三年九月八日（https://hangorin.tumblr.com/post/60572638787）。

16 Naomi Klein, The Olympics: Unveiling Police State 2.0,（https://www.huffpost.com/entry/the-olympics-unveiling-po_b_117403）.

17 Slavoj Žižek, Trouble in Paradise: The Global Protest , in London Review of Books, 18 Jul, 2013,（http://www.lrb.co.uk/the-paper/v35/n14/slavoj-zizek/trouble-in-paradise）.

14

戦術しかない／戦略しかない

——二〇一〇年代の路上における二つの趨勢

初出｜『10＋1website』LIXIL出版、二〇一六年一月

1——闘争、運動、戦術

この数年、アラブの春からオキュパイ運動の渦中にあった若い世代の活動家の話を聞いたり、かれらによるテキストを読んでいると、ただちに気づく顕著な現象がある。「戦術」に対する意識の高さとおかれた比重の大きさである。バナーにどのような意味や機能をもたせるのか、器物損壊についてはどうするか、どのように情宣するのか、どのように多様な戦術を組み合わせるのか、などといった論点だけではない。たとえば、パソコンのディスプレイ上でたくみに都市のストラクチャーをレイヤリングしてみせ、どこでどのようなかたちの行動の可能性があるのかを議論したりしている光景をみると、その徹底したつきつめかたには感嘆させられる。もちろんわたしのふれた部分がほんの先鋭的な一部であるにしても、二〇一一年の民衆叛乱前後から現在までの全体の傾向のある側面を具現しているのはまちがいないとおもう。

こうした議論を目の当たりにして、いささか次元はちがうものの、ただちに想起されたのは、二〇〇九年頃にソウルで大規模に展開された「ろうそくデモ」である。筆者はたまたまそこに居合せたことがあったのだが、そこでその近未来ぶりというか機転というか、いずれにしてもその大胆さに仰天したことがある。若い活動家たちがラップトップのコンピューターで町中の監視カメラにアクセスして警察の動向を把握し、最もその配備の手薄なところをその都度ネットにアップすることで、人びとに行動のための情報供与をおこなっていたのだ！[1]

先ほど若い世代の活動家たちが、戦術に焦点を集中させていく傾向があると述べた。その傾向を動かしている強力な衝動によって、戦略そのものをしりぞける部分をその極にもつにいたっている。理念も戦略も不要である。われわれはただ行動の可能性を拡げることにしか関心がない、と。話をきいてみると、それはアラブ諸国からヨーロッパ、ニューヨークにいたるまで、実に多様なかたちで権力とわたりあった末の冷徹な認識にもとづくものでもある。かれらは、もう「運動」はいらない、とさえいう。運動と闘争は異質なものだ。運動は闘争の障害物である。運動は闘争を抑え込み、闘争を排除し、無効化するのだから。わたしたちが一歩すすむためには、運動から闘争を解放しなければならない、と。

わたしはいま、このような議論の含意を文脈のすみずみまで検討したうえであきらかにする準備はないし、この趨勢についてじぶんなりに判断することもできない。とはいえ、このような傾向は、日本の状況に、なにがしかの照明を当ててくれるようにおもわれる。すなわち、以上の趨勢を「戦術の過剰」というか「戦術がすべて」を極としてもつものとすれば、他方の極には「戦略の過剰」あるいは「戦略がすべて」を想定できるということだ。そして日本のいまの趨勢は、あきらかに後者にある。「戦略がすべて」とは、戦略に戦術が完全に従属している状態である。たとえば、なんらかの大きな組織に指導された運動においては、戦略のために最も効率的に奉仕すべく戦術がすべて統制される傾向にあるが、このとき戦術の独自性や自律性はほぼ無となる。あるいはマーケティングである。それは「戦略がすべて」の側にある発想であり、すべての戦術は、だれにどうアピールするか（買わせるか）のために動員され、その目的にむかって奉仕するものでしかない。「見映え」に過剰な力点がおかれるのは、戦術への拘泥ではなく、戦略がすべてであり戦術に自律性の存在しないことの徴候である。

戦術とは、どういうふうに行動を組織化し、どういうふうに行動を展開するかという次元に位置するものであって、それゆえ、きわめて具体的なものである。戦略が抽象的なマップだとすれば、戦術はつねにこの肉体でもってどう動くかという具体性の次元にあるということだ。したがって、戦略が目的＝手段図式で抽象的に展開されうるのに対し、戦術はそれを実現する人びとの具体性（たとえば具体的生活）の局面から離れることはない。

ここですこし、ふり返ってみよう。谷川雁は一九六二年、三井三池闘争以後の炭鉱労働者による運動の後退局面にあって、つぎのように述べている。

だが状況がかくあるときこそ、固定観念をはらって見るならば、抑圧されつづけた大衆の戦術思想をよみがえらせる好機である。たとえば大正行動隊のとった戦術は、例外なく往昔の坑夫たち、現代の中小鉱の坑夫たちが私闘、公闘のなかでうみだした発想に根拠をもつといってよい。[2]

このテキストの文脈には、一九六〇年の三井三池闘争が敗北に終わったあと、つまり、これまでの戦略＝戦術連関が破産し、運動が袋小路に追いつめられたという状況認識がある。そのときに谷川雁は、戦術の次元の独自性、戦略からの自律性に注目し、その地点から戦略＝戦術連関総体を組み替えるよう提案している。つまり、デモ、ストライキ、ピケといった戦術が袋小路におちいったとき、ケンカまでふくむ坑夫たちの生活とその継承のうちに独特の厚みをみいだし、さらにそこに、戦術の組み替えを可能にする「思想性」の存在を示唆しているわけである。要するに、この目標のためにどう闘うか、には、その闘いを具体的に担う人びとの日常生活のうちに育まれたなにがしかのモラル、思想性、あるいは合理性が表現される。逆にいえば、戦術の独自性ないし自律性が希薄であるということは、その日常性の厚みが希薄であるということにもなる。

2　組織と戦略の蒸発──安保闘争からブラック・ブロックまで

洋の東西を問わず、近現代史のうちには、しばしば逸脱的に突っ走る民衆の「土着」の戦術と近代的組織による戦略にもとづく統制の対立する場面がみられるが、谷川雁はこの「土着」の戦術のうちに近代的組織を超えていく思想性をみいだしているわけだ。かれのこの例にみられるように、目的と手段の連関が機能不全におちいるような契機において、とりわけ戦術の次元の独自性が浮上してくるようだ。くり返しになるが、その独自性は、戦術を具体的に担う人びとの、その日常生活のありように深く根ざしている。たとえば、かつての軍隊での実践とその記憶が利用されることもあれば、日頃からの耕作の手段や道具が活用されることもある。あるいはコンピューターが活用されることもある。戦術は、闘争主体の自律性・自発性の多寡にしたがって、民衆世界に密着した独自性が与えられるかのようだ。そして、戦術そのものの自律的意味は、闘争のうちにその主体の自律性が多かれ少なかれ作用しているようなばあいには、抗争のあるところ、いつの時代にも伏在しているわけだ。

さらにおなじ一九六〇年を例にとりたいのだが、この年の安保闘争についてさまざまな資料を掘り返していると、この運動を「突破者」的に牽引した全学連主流派（第一次ブント）について、かれら自身はどのように大仰な修辞によって世界革命の「戦略」を語っていたとしても、実践においては「戦術」に大きく傾斜していたことがわかる（あるいは、そのような状況に否応なくおかれたといったほうが正確であるかもしれない）。かれらは膠着した状況をどう流動化させるかに全体重をかたむけ、実際にたびたび沈滞におそわれた安保闘争を、一九五九年末の「国会突入」――ただしこれはブント単独の行動ではない――から羽田空港占拠、装甲車乗り越えなどでその都度、流動化させ、闘争の終息とともに解体する。いまでは忘れられがちだが、国会突入によって事態が大きく流動化する直前までは、安保闘争は盛りあがらない（「安保は重い」）という諦念まじりの見方が反安保諸勢力のなかで拡がった観測であり、しかもいったん弾みがついてもいくどかの沈滞をへているのである。状況を突き動かす主要な駆動力でありながら、一貫して大メディアや革新側の大組織からは非難され罵倒されつづけた「不幸な主役」（清水幾太郎）としてのブントは、運動の終息とともに（というか運動の終息を待たずして）たちまち解体した。実態としては、冷徹な状況認識や判断にもとづく合意による決断というより、たんにズルズルのなりゆきの産物だとはおもうが、組織の存続が目的へと転倒し、しばしば事態の膠着に手を貸すヒエラルキー的組織に化してしまうことも往々にしてある日本社会においては、この「役割が終わったら解体する」こと自体、意味があるようにおもわれる。それに、そのような情勢に対して受動的にふりまわされ――しかもその弱みもさらけだし――場当たり的に突破口をひらきながら消滅したこと自体も、それほど否定されるべきことではないとおもう。そして、そうした点を組織至上主義の観点からただただ弱点とのみ認識した党派からは、まさにかれらは「戦術左翼」とののしられていたわけであり、かれら自身もそのような点を限界とみなし、既存の、あるいはあらたな党派への糾合や形成にむかった。

かたや、わたしたちは、二〇一〇年代の趨勢に反射させながら、この「戦術左翼」という特徴づけを、当時の文脈から抜き取って、いわば「ニュートラル」にとらえ返してみたい。そうすると、この時期の全学連主流派が、いま「ブラック・ブロック」と呼ばれている潮流と類似している点をいくつかもっていることに気づく。それこそ世界中の占拠行動や抗議行動に黒ずくめの匿名の集団としてあらわれ、「過激」な行動で物議をかもすアナキスト「集団」とみなされているブラック・ブロックであるが、しかし、このようなプロフィールにはまずもって大きな誤解がある。そもそもそれは集団でも組織でもないからである。ブラック・ブロックとはたんに特定の**戦術の名称**であり、どのような組織に属していようがいまいが個人でこの戦術をとると意志するならば、ブラック・ブロックを形成する一員となればよい。組織ではないからかれらを主体とした文書もあまり存在しない。ブラック・ブロックは抗争のあるところ、その都度、趨勢の境界線を引き直し、膠着状態を突破し、可能性の領域を拡大し、そして消えていく。ある意味でいえば、ブラック・ブロックとはなんの戦略＝目的にも従属せず、ただ戦術を通して「可能性」そのものを拡げるために存在する。行動の空間の可能性、行動の多様な展開の可能性、そして究極的には、いまここにある実定的な世界以外の世界の可能性である。その世界がなにかを示すことはない。ただ**可能性一般をひらく**のみなのだ。したがってそれは「革命組織」のようなものでもない[3]。

ただし、これをあたらしい現象とみなすよりも、あらゆる社会運動のうちに存在する力学をある意味では「蒸留」させたものとみたほうがいいようにおもう。情勢が流動化し状況が突破されたりするとき、なにがしかの整然とした組織的なものが揺らいだり崩れたりして非組織的な「行きすぎ」のような現象が生じることは歴史の常である。一枚岩であったり効率的であったりする組織とは無縁であり、日頃はナメられていたりする少数グループやルーズな運動の連合体が、いったん事態の流動化に直面すると鍵となる重要な役割を担ったりするということはよくみられる経験なのである。

たとえば、フランシス・フォックス・ピヴェンとリチャード・クロワードはその古典的著作『貧民の運動――成功の理由と失敗の理由』（一九七七年）において、大恐慌時代の労働運動、公民権運動、ベトナム反戦運動などを検討しながら、それが成功するさいの条件について論じている。かれらによれば、最も断絶的、最も対決的、最も組織化されず、最もヒエラルキーが不在であるとき、すなわち、収拾をはかる大組織も政党もなく、妥協する指導者もみえないとき、それは成功する[4]（逆にいえば、どんなに戦闘的に煽っていても、いつのまにか抵抗をつづける大衆は置き去りにして、そのヒエラルキー的組織部分がひそかに妥協して一転収拾にかかりはじめ、それどころか、かれらの約束の履行をもとめる人びとを弾圧しはじめるといった事態も、マクロミクロ、本当によくあることである）。逆説的にも、既存の回路のなかでの成果の効率的な達成をめざす、組織化された戦略が解体したときほど目標が達成されやすいのである。これは戦前日本において、社会的／福祉的施策を最も促進した動因が、労働運動でも無産政党でもなく、あるいはより正確にいえば、それら以上に一九一八年の米騒動であることをかんがみれば理解しやすい。

「戦略の蒸発」というこのところの趨勢の文脈には、もちろん（より露骨となっている暴力の行使をともなう）管理技術の深化と同時に政治的無力化のいっそうの深化がある。そして、それにともなう、もはや可能性がすべて封じられたという憂鬱な感覚である。このような感覚は、たとえば「ＩＳ（イスラム国）はアラブの春の灰燼からあらわれた[5]」といわれるように、一挙に開花した可能性が一転して封じられ、希望のうちにかいまみられたヴィジョンとは真逆のものとなって返ってくることへの絶望的な空気である。このような動向は、二〇一五年のギリシアでは、より「先進的」制度においても明快にあらわれた。すなわち、どれほど路上が沸騰しよう――シリザの政権獲得を準備したのはギリシアにおけるおどろくほどの多様で創造的な直接行動の開花であった——が、それが既存の「デモクラシー」のシステムに回路をもとめた瞬間にすべて無効化してしまうというものである。たとえ、その政策が国民投票で信任を確保した、すなわち「デモクラシー」的な正当性を与えられたにしても、いっさいなにも変えることはできないどころか、事態は悪化するばかりであり、もはや「金融寡頭制」には手も足もでないといった感覚である。このような「現存デモクラシーの機能不全」の情勢は、世界でも共通のものであって日本に特有のものではない。

3 路上から自他への問いが生まれる

この数十年、一般的な語り口とは異なり、日本においても市民運動も学生運動も不在であったわけではまったくない（メディアの表象空間にあらわれないということは、実在しないということではない）。いままでも多様で微細な動き（それこそ「闘争」）があって、それが全体的なシーン（弾み）を形成しているにもかかわらず、このところ、すくなくとも言説上では、あたかもひとつの特定の学生運動の潮流のみが学生の動きのすべてであるかのようにピックアップされ、「権力の局在した」と想定される場所での特定の行動が「運動」として過剰に焦点化されていた。このような「ピックアップ」や「焦点化」のありかた自体、権力論としてもメディア論としても、さらには原理的にも、そして重要なことだが実践的にも、それなりに長いあいだ問われてきた態度のはずであるが、それはここではおいておこう。しかし、このような形式的にも内容的にも「焦点化」の好まれる状況そのものが、現代日本における「戦略の過剰」の無意識への浸食度を端的に表現しているようにもみえる。

それに関連しているが、それなりに運動が「可視化」され（たとされ）ればされるほど即座にその運動と「議会政治」とがむすびつけられるようになった。おそらくそのプロセスと、言葉がフラットなものになっていく印象はつながっている。つまり、言葉からカッコがとれていくといった印象である。もちろんそれだけではないにしても、わたしたちにとっても街頭にでるということはなによりもまず「離脱」の経験であった。つまり、それは世界を分節しなおす経験であって、その世界の「現実」から距離をとる経験だったのである。たとえば、「国民」「民衆」「治安」「民主主義」「自由」「動員」「暴力」「暴動」「暴徒」「過激派」、それこそ「現実」など、この世界を構築しているもろもろの語彙の自明視された意味がことごとく宙づりにされるような、それ以降はカッコに入れることなしには語れなくなるような経験である。それらのいっさいが語れなくなるのではない。それを語るにはなにがしかの思考が必要である、という命法がじぶんのなかで生まれるのである。この「世界」を変えていく、第一歩の経験がそこにあった。

したがって、そのような行動が、「多数の同意をえること」「多数を変えること」といったこと、つまり、目標のための手段とはさしあたり直接には関係がないことは、めずらしいことではないし、そこにネガティヴななにかがあるわけでもない。その直接性の表現される場所が、じぶんに対しても他者に対しても「問い」のひらかれる空間であるということが大事なのである。究極的には、そこで経験されるのは**可能性のひらかれ**そのものであるといってもよい。そして、そのような出来事の起きる場だからこそ、即効性はないようにみえてもときに力をもつ——ときに目標の達成にみちびくこともある——のであり、だから、そのロケーションはどこであれ、このような空間が維持されているかぎり、たとえ世界が崩壊の危機に瀕しても再生への潜在的力をもちうるのだ。ところがそのような可能性のひらかれは、大きな戦略に従属させられる度合いにしたがって圧縮されてしまうものでもある。圧縮不可能な「なにか」がかならず存在しているにしても。

しかし、いま、公安用語すらも活動家の口からポジティヴにでてくるような街頭にでむくことは、こうしたカッコをむしろ取り去ってしまうことに、すくなくともより大きく作用しているようにもみえる。さまざまな戦後の体制の解体と再編、とりわけ平和主義にかんするそれにあたって、さしせまった危機意識がこのような状況を促進している文脈にあることは理解できる。ごく当然のことだが、「焦点化」がときに必要なこととそのものを否定しているわけではない。しかし現代のそれが、副産物としてもたらしつづけているこの世界の強化、視野の狭隘化、可能性の上からの封じ込めは、中長期的にはダメージのほうが大きいように感じるのだ。

奇妙なことに、これまではむしろそれを問い返す契機であったはずの場所もふくめ、すべての領域に繁殖をつづけている「リベラリズム」とその系列に属する語彙は、この可能性をひらく動きを促進させる以上に不可視化させるものであるようにみえる。そして、それに集約される可視的世界にあらわれないもの、そこからこぼれおちるものこそ、ひそやかにつぎの時代の土壌をたがやしているのだとおもう。

1 ろうそくデモ」が日本で注目されるとしても、たぶんあまりこういう次元ではないだろうから、もうすこしふれておきたい。すでに下火であると何度も現地の友人たちに釘を刺されつつ、そのようなコンピューターによる解析の割りだされた当該時点で最も行動に適した場所におもむくと、たしかに人はまばらであったが、おそらく高校生とおぼしき人たちがあらわれ、横断歩道をしきりに往復しはじめた。最初は、なにをやっているのかわからなかったのだが、だんだんみえてきた。彼女たちはそうやって交通を遮断し、空間を占拠していたのである。そうこうしているうちに人が増えていき、抗議の声や歌声があがりはじめていくと、これは普遍的な顛末であるが警察がやってきた。警察は特殊な塗料を噴出する装置を装着した車を用意しており、しきりにそれを噴出しはじめる。わたしはまぬけにも、夜空に飛び散るその鮮やかな色の塗料の美しさよ、などとぼおっとみつめていたのだが、同行していた仲間に強く腕をとられ、その場から引き離された。その塗料が付着していれば逮捕されるのである。そのようななかで、彼女たちは一時避難所を確保していて、警察の動向に合わせて、その拠点が危うくなるといったんひき、すきをみては出撃する、をくり返していた。ちなみに、マクドナルドすらもその拠点のひとつであり、その行動のためにひらかれていた。彼女たちは、都市全体を行動のための空間に変貌させていたのである。

2 谷川雁『影の越境をめぐって』現代思潮社、一九六三年、五〇頁。ここにおける炭鉱労働者の自発的戦術思想への注目には、先行した一九六〇年の三井三池闘争での出来事におけるそれの延長といったおもむきがある。ここは本文にあげた大正炭鉱の闘争よりもさらにイメージを喚起させるところなので、引用しておきたい。三井三池の一九六〇年は、闘争の膠着を破るある事件——闘争妨害のために雇われた暴力団による組合員の刺殺事件——をきっかけに、労働者たちは大組織の上からの指令による行動様式を突破するにいたる。労働者のなかでも「近代化」された部分ではなく「土着的」部分を中心とした自発的な展開をみせるのである。そのさい労働者たちがとった戦術は、かつての戦争の記憶から動員されたものであった。「かくて三池は戦後はじめて躍りでた労働者の自然発生的な武装闘争となった（…）端緒的ではあるが、大隊単位の部隊編成がなされた。大隊長のいるところに大隊旗をもった労働者がしたがい、くりかえし演習が実施された。三池艦隊とよばれる木造船の海軍が登場した。最高潮時には二万人の第一線戦闘要員と家族をふくむ一万人の補給要員が組織され、炊事から衛生にいたるまで、この三万人の戦時編制師団はほとんど想像もできない滑らかさで活動した（…）それにしても、何人も予想せず、評価すら加えられないままにあらわれ、消えていこうとしている人民軍は愉快な軍隊であった。指導の上部にいくにしたがって軍隊のおもかげはなくなり、ただの労働組合にすぎなかった。しかし底部にいくにつれて、それは実体としてまごうかたなき軍隊であった。大衆は進んでそれぞれの分隊長や小隊長の決然たる式を要求した。「特別警備隊」略して「特警」に選ばれることを若い坑夫たちは至上の名誉と考えるのだった。さまざまなアイディアが独自に放胆にとりあげられ、創造し、模倣し、あのホッパー・スタイルというような制式がうみだされた。事実、覆面ひとつで被逮捕者の数はいちじるしく少なくすることができた。軍隊というスタイルをとった、下部からの組織化の方向なしに、三池がこれまで隔絶していた中小鉱をふくむ坑夫の気分とあれほど密着することはとうてい考えられなかった（…）では、この軍隊的発想はどこから思いつかれ、借用されてきたか。いうまでもなく、赤軍や八路軍ではなかった。あきらかにそれは敗戦以前の日本帝国主義軍隊であり、戦中派の体験がその支えとなっていた」。

3 ほとんど日本語圏（だけではないが）では理解されていないブラック・ブロックについて、とりあえず日本語で読むことのできる最良の説明は、デヴィッド・グレーバー、高祖岩三郎『資本主義後の世界のために——新しいアナーキズムの視座』以文社、二〇〇九年、二三－二八頁をみよ。

4 Frances Fox Piven and Richard A. Cloward, *Poor People's Movements: Why They Succeed, How They Fail*, Pantheon Books, 1977.

5 Violence Comes Home: Arun Kundhani interviewed by Open Democracy, 27 Nov, 2015,（https://www.opendemocracy.net/en/violence-comes-home-interview-with-arun-kundhani/）.

15

「わたしは逃げながら、武器を探すのです」

――ジョージ・ジャクソン、アボリショニズム、そしてフランスにおける「権力批判」の起源について

河出書房新社編集部編『BLACK LIVES MATTER——黒人たちの叛乱は何を問うのか』河出書房新社、二〇二〇年

1 ― セドリック・ロビンソンの『ブラック・マルクシズム』

二〇一七年の夏にニューヨークに行ったときのことですが、ニューアーク空港に到着したんです。夜だったこともあり、人もまばらでさびしかったのですが、パスポートチェックを待つあいだ、テレビはCNNニュースを流していました。#BlackLivesMatter（以下#BLM）の女性の活動家が、どこかの施設内でインタビュアーに応答しているところを延々と流していました。それで、二〇一四年のファーガソン以来の余波を体感したのです。

それからブルックリン・ミュージアムに出向いたところ――なにをやっているかはチェックせずにです――、おどろいたことに、「わたしたちの欲しいのは革命だ――ブラック・ラディカル・ウィメン一九六五年から八五年（*We Wanted A Revolution: Black Radical Woman 1965-85*）」と題した展示を大々的にやっていたのです。それは、わたしがミュージアムというもので経験したいずれの企画にもまさる、すばらしい企画でした。エントランスには、アンジェラ・デイヴィスの巨大なカリグラフィーですか？　それが飾ってありました。ブルックリンのコミュニティ（つまりかなりがアフリカ系）に関与しつづけているブルックリン・ミュージアムの底力を再確認するとともに、運動の余波を感じました（マンハッタンの町中に、アンジェラ・デイヴィスの写真が貼ってあるのもいくどかみました）。

そして、書店では、ストランドのようなニューヨークをシンボライズする書店のレジ脇に山積みだったのがアンジェラ・デイヴィスの一年前に公刊された最近著『自由はたえざる闘いである――

ファーガソン、パレスチナ、運動の諸基礎（*Freedom is a Constant Struggle : Ferguson, Palestine, and the Foundations of a Movement*）』でした。それもふくめて黒人運動に関連する文献をあれこれ買い込んだわけですが、そのなかにセドリック・J・ロビンソンという研究者の『ブラック・マルクシズム――ブラック・ラディカル・トラディションの形成（*Black Marxism : The Making of the Black Radical Tradition*）』という本も混じっていました。

で、帰りの道中でこの本にざっと目を通してみたら、なんかおもったのとちがうんです。もちろん、黒人知識人とマルクシズムは近現代史において深くて複雑な関係をきりむすんできていますし、その系譜に属する人物について、即座に頭に浮かぶのも二、三人どころではありません。したがって、この著作は、こうした黒人知識人のいとなみがマルクシズムに与えてきた独特の色合いを歴史上に位置づけていく、そのような研究であると、ぼんやりイメージしていたのです。ところが、比重はそれと対立的に位置づけられた「ブラック・ラディカルの伝統（以下、ＢＲＴ）」のほうにあったのです。サブタイトルも「ブラック・ラディカル・トラディションの形成」と題されていますが、主眼はそちらのほうだったわけです。

――そういえば、一時期、興奮してましたよね。

そうなんです。

というのも、なぜ資本主義的近代あるいは資本主義のもとでの権力の認識においてアフロ・ディアスポラの経験が参照されなければならないのか、そこにどのような普遍的意味があるのか、それをおおづかみに理解させ、根拠づけてくれるようにみえたからです。

このアフロ・ディアスポラの知識人たちは、みずからの苦境をもたらす原因についての世界認識を、まずマルクシズムにもとめ、それから多かれ少なかれ批判的距離をとったり、批判的に組み替えたりした人たちです。そして、それはマルクシズムのみならず批判的あるいは革命的知性にとって、つねに切断的意味をもっていました。たとえば、即座におもいだすのが、サルトルにとってのフランツ・ファノンです。マルクシズムのある種の硬直化とか体制内化、あるいは穏健化に対して、つねに、ブラックの知識人や実践は、内側から批判し、しばしば突破口を開いてきたのです。

この本は#BLMをはじめとした新世代のブラックたちの運動に大きなインパクトを与えつづけています。かれらのテキストや発言にしばしばあらわれる「人種資本主義《レイシャル・キャピタリズム》」という概念も、この本に由来するものです。

でも、じぶんとしてはこれを読んだときは、トータルなコンセプトとしては興奮しましたが、その具体的内容にはのれない部分も多かったのです。

たとえば、「人種資本主義」という概念は、資本主義は中世のレイシズムを母胎として生まれてきたとされます。これはいっぽうでは、資本主義がレイシズムにとって、その本性からニュートラルではないというラディカルな認識をもたらします。つまり、資本主義はレイシズムなしには作動しないものであり、レイシズムを終わらせることは資本主義を終わらせるという要請になります。

新世代のラディカルな運動の活性化には、もちろんオバマ以降という問題があります。資本主義は基本的には人種やジェンダーのようなファクターには不関与であり、それどころか原則的には公正であるはずの市場の論理を徹底すれば消えていくという発想がありますよね。ネオリベラルもふくむリベラリズムのパラダイムです。オバマは、そのような論理を体現するかのようにみえました。ところが、オバマ以降も、レイシズムが退潮するどころか、警察による死体の山というかたちで、可視化されてきた。#BLMたちの問いは、当然、こうなります。なぜ、資本主義にレイシズムはつきまとうのか？　抽象ではなく具体を大切にすれば、資本主義の歴史がレイシズムを棄却したことはこれまで一度もない。とするならば、それはなぜなのか。これが切実な問いであり、それに応じるのが「人種資本主義」の概念だったわけです。

それはよくわかるのですが、ロビンソンの議論は、わたしが信頼してきたレイシズム論というか資本主義の起源にかんする議論からするとかなり異なります。セオドア・アレン[1]とかピーター・ラインバウ、マーカス・レディカーといった人たちの議論です。そして、さらにデュボイス、ジェイムスたちの評価にかかわるところでも、留保がいくつかありました。ただ、これは速断的で表面的な印象にすぎず、検討はこれからしていきたいとおもいます。

とはいえ、この本がいまや、そのインパクトにおいて、無視しえないものであることはまちがいないし、わたし自身が興奮したその認識は不滅であるようにおもいます。

2 逃走は革命的だ——ジョージ・ジャクソン

——そういえば、フーコーにとってのブラック・パンサー党という問題もありました。

そうですね、ここではじぶんのこれまでの関心の延長線上で、日本語圏では欠落しがちな「BRT」上の重要な系譜、ブラック・パワーのもたらしたものとアボリショニズムにおけるその系譜にまずふれてみたいとおもいます。

一九六八年以降のフランス思想の「失われた環」であった一九七〇年代初頭の知識人の実践、監獄情報グループ（Groupe d'Information sur les Prisons：以下GIP）をめぐる文書が、近年まとめられ公刊されたことをひとつのきっかけに、考古学から系譜学への転回といわれるフーコーの思考の動きのうちになにが起きていたのか、これまで以上に深い洞察をえることができるようになりました。この知的動向は、それこそ#BLMのような新世代のラディカルな反レイシズム闘争との共鳴によって急速に展開をみせています。それを追尾するならば、一九六八年以降、とりわけフーコーの問題設定の変容と展開に、ブラック・パワーのもたらした巨大な影響はあきらかです。もちろんフランスの側にとってはGIPが焦点でした。しかしそれは、GIPにとどまらず、一九六八年以降の諸運動にとってもそうだったのです。フランスにおけるGIP文書のアンソロジーで編者たちはこういっています。「なによりも重要なのは、GIPによるアメリカの状況への関与である（…）アメリカの抵抗運動、とりわけ黒人解放運動は、一九六八年五月以降のフランスの運動を支え、政治的行動の再定義に貢献したのである」[2]。

ここで、ジョージ・ジャクソンをおもいださなければなりません。監獄情報グループは、一九七一年に創設され、一九七二年一二月には解散します。Intolérable、耐えがたいものと題したパンフレットを四号だけ残していますが、そのなかの一号（シリーズ3『ジョージ・ジャクソンの暗殺』）がまるごと、刑務所で殺害されたばかりのジョージ・ジャクソンに捧げられます[3]。

ジョージ・ジャクソンは、一九四一年にシカゴで生まれ、一五歳のとき、はじめて押し込みと盗難自転車の所持の罪で少年院に入れられ、それからもう一度、軽い犯罪で捕まります。そして一九六〇年、一八歳のとき、ガソリンスタンドから七〇ドルを盗んだ友人を車に乗せて逃亡させたことで逮捕されます。三回目の犯罪です。そこで一年から終身という不定期刑を科されます。仮釈放の請求もことごとく却下されます。一九七一年には殺害されるわけですから事実上の終身刑となったわけです。

かれは、刑務所である活動家と出会い、その手引きもあって、革命家へと転身していきます。マルコムXを筆頭にして事例には事欠かない、典型的なパターンをふんでいくわけです。独房での監禁のなかで、かれはマルクス、レーニン、トロツキー、毛沢東、フランツ・ファノンなどを読みます。獄中で活動家たちとつくった理論研究グループは、やがて黒人囚人の自衛の権利を主張する革命的組織ブラック・ゲリラ・ファミリーへと発展し、それと同時に、ブラック・パンサー党に入党し、「野戦司令官」となります。

ジャクソンはすでに、六〇年代の終わりには、刑務所におけるラディカルな理論家であり活動家として知られていました。かれはあの手この手で挑発され、罪を着せられ、そして一九七一年にサンクェンティン刑務所内で看守によって殺害されます。紙幅の都合でこれ以上詳述できませんが、そこにはまた、ジャクソンの弟であるジョナサン・ジャクソンやアンジェラ・デイヴィスを巻き込んだ、ドラマがありました。

今年［二〇二〇年］のジョージ・フロイド殺害をきっかけとした大規模な反レイシズム大衆運動の高揚の文脈に、レイシズムにあきらかに起因する、やむことのない「警察の蛮行《ポリス・ブルタリティ》」があることはようやく日本でも知られてきました。このリアリティをすこしでも感受するには『ソルダッド・ブラザー』に刻まれたジャクソンの経験にふれるのがひとつはベストです（せっかく翻訳がありながら、現在入手不可能であるのは本当に不幸なことです）。ジャクソンがくり返したのはそれこそケチな犯罪にすぎません。それなのに、警察官はかれにいともかんたんに発砲し、その弾丸がかれを仕留めなかったことをくやしがり、さらには、発砲で負傷したかれを故意に放置し、その負傷がかれの肉体を破壊するようにさらしたままにします。

――ジョージ・ジャクソンを取り上げたＧＩＰのパンフは、この殺害を国家による暗殺として告発するものなのですね。

そうです。時代の雰囲気もあるのでしょうが、ブラック・パンサーと深い連帯と交流の関係をむすんでいたジャン・ジュネが序文を書き、ジャクソンのインタビューと、フーコーやダニエル・ドゥフェールらによるテキストで構成されたこの一冊は、怒りに満ちています。

ここではBRTとこの時代のフランスの思想の交錯という点で、やはりGIPのメンバーだったジル・ドゥルーズとの関係で、すこしメモしておきます。

ドゥルーズは、ジョージ・ジャクソンを一九七〇年代に複数回引用しています。ガタリとの共著で二回、クレール・パルネとの共著で一回。とりわけ、最初に引用があらわれる『アンチ・オイディプス』が重要であるようにおもわれます。

まともなひとたちはいう。逃げてはいけない。それはよくないことだし有効ではない。改革をめざして努力しなければならない、と。しかし、革命家は知っている。逃走は革命的で、引きこもり withdrawal や気まぐれ freaks さえも、テーブルクロスを引っぱって、システムの一端を逃げ出させるのなら革命的である。ジョン・ブラウンのやりかたで、みずから黒人にならざるをえないことがあるとしても、壁を通りぬけること。ジョージ・ジャクソンはこう語っている。「私が逃げることはありうる。しかし、逃げている間じゅう、いつも武器をさがしているのだ」と。

ここでの引用された部分のフランス語原文は、*Il se peut que je fuie, mais tout au long de ma fuite, je cherche une arme!* この一節は一九七〇年七月二八日付の手紙にあらわれます。該当する英文は、*I may run, but all the time that I am, I'll be looking for a stick!*。『ソルダッド・ブラザー』の日本語訳では、前後もふくめてこうなっています。

> 包括的な意味において、ぼくのかけひきに、あなたはぼくの性格の型破りな特徴を見出すことでしょう。**逃げても良いのだけれども、いつだってぼくはそんなふうで、棒きれを探すのです！** 身を守る位置を！ 横たわって蹴とばされるなどということは、ついぞ考えてもみなかった！ そんなのはばかげています。ぼくがそうする時は、蹴っとばす奴がくたびれるのをあてにしているのです。それより良い戦術は、相手の足をちょっとひねってやるか、できればその足を引っぱることです。[4]（強調引用者）

「武器」というと英語でいうweaponも想像させますが、ここはstickが使用されているのですよね。ジャクソンは、都市ゲリラ戦にかんする議論ではweaponも多用しているのですよ。しかし、ドゥルーズとガタリがとくに注目したのはここだったのです。武器を探すというと、ライフルとか手榴弾みたいなイメージも浮かびますが、もともと「棒きれ」なわけです。しかも、それはひたすら防御の手段としてイメージされています。

ドゥルーズ＝ガタリの『千のプラトー』では、「国家の巨大兵器に対抗すべく新たな武器が発明されるのは逃走線上の出来事である」という議論の文脈で、やはりおなじ箇所が引用されます。つまり、あきらかにドゥルーズたちは、マルクシズムの語彙体系の内部にありながら、なおかつ「革命」を国家の囲いから引きずりだすために、BRTに手がかりをえているわけです。

——なるほど。

3　監獄というシステム

もっと重要なことは、ジョージ・ジャクソン、そしてアンジェラ・デイヴィスが、監獄のあたらしい分析を創造したことです。そして、それが直接に、監獄／刑務所のアボリショニズム、さらには現代の警察機構のアボリショニズムへと流れ込んでいることです。#BLMが日本語圏に可視化したもののひとつが、この知的・実践的系譜です。

ジョージ・ジャクソンは、刑務所で実践的に会得した知、そして読書によって獲得した知、を動員して、なぜじぶんはこのようなかたちで収監されているのか、分析を深めようとします。当時、外の世界ではかれの同胞たちも、既存のマルクシズムに満足しえないまま、分析を展開していました。

それがさらに、かれの知的展開を促しました。たとえば、ブラック・パンサーの「内国植民地論」です。それはマルクシズムにBRTが衝突するなかから生まれてきました（ここでもやはり、ファノンが重要です）。資本主義は、一国の外のみならず、内にも植民地を形成し、それを収奪の源泉とします。そこで行使されるのが、レイシズムなのです。

以下は、パンサー党の中心メンバーであったエルドリッジ・クリーヴァーの有名な分析です。

> われわれは〈ルンペン〉である（…）ルンペンプロレタリアートは生産諸手段や資本主義社会の諸制度において、いかなる安定した関係も既得権ももちあわせていない。この「産業予備軍」の一角を占める人間たちは、永続的に予備軍のままである。けっして働いたこともなければ、働くこともない（…）機械やオートメーション、コンピューターによって追い払われ、そのうえ「あらたな熟練《スキル》を身につけることもその機会も与えられ」ない。福祉だよりの、あるいは国家保障だのみの人間たち（…）そしてまたいわゆる「犯罪分子」、小知恵で生きる怠け者（…）仕事を欲しいともおもわぬ者、（…）要するに、端的に経済から閉め出され、みずからの正当な社会的遺産を奪われた者。[5]

いま現在の分析ではないかとみまがうばかりのアクチュアルなテキストですが、ジャクソンは、こうした現状認識を共有しながら、さらにやはり収監中であったアンジェラ・デイヴィス（デイヴィス自身はこの時期、共産党員でした）ともやりとりをしながら——かれらが獄中で書いたノートや論考はその多くがパンサーの機関誌を通してリアルタイムに公刊され、アイデアの相互交換を可能にしていました——刑務所の機能について考察を深めていきます。アンジェラ・デイヴィスはこうふり返っています。

収監されているあいだ、わたしは刑務所という制度について、政治活動家を抑圧する装置としてのみならず、レイシズムの維持に深くむすびついた制度として分析する可能性を（…）考えはじめました。このアプローチについては、わたしはジョージ・ジャクソンに深く負っています。[6]

かれらの分析によれば、刑務所とは、主要には、犯罪を取り締まる装置ではありません。政治犯を収監する装置でもありません。それは、搾取と収奪によって深く亀裂の入った社会を構成し、維持するためにレイシズムを死活の要請とする、巨大な社会統制の装置なのです。そして、その分断線は奴隷の子孫、あるいは、国内において植民地化された人口です。マルクス主義においては、まずプロレタリアあるいは労働者階級本隊があり、それから寄生的性格をもつルンペンプロレタリアがあります。基本的階級は原則的に資本制的生産様式によって規定されています。パンサーたちはそうではない、と考えました。資本制はつねに、レイシズムを通してプロレタリアを二重化している、と。デイヴィスとジャクソンは、この戦略の結節点に刑務所があると考えました。

こうした分析にはわたしたちは既視感があります。もちろん、ミシェル・フーコーの監獄の分析です。フーコーも、刑務所あるいは監獄が、主要に犯罪の取り締まりのプロセスに関与しているとも、「犯罪者」の矯正に励んでいるともみなしていませんでした。監獄の体制は、「犯罪者」ではなく、「非行者」ないし「非行性」の生産にかかわっているのです。この「非行者」は、パンサーたちが「ルンペンプロレタリア」とみなしたものと機能的におなじ位置を占めています。そしてそこにレイシズムが深く浸透しているのもフーコーの発見ではなく、あきらかにこの時代の黒人たちの闘争と分析に由来しています（やがてこの線は「生権力」の分析へと延びていきます）。ダニエル・ドゥフェールによれば、すでに一九六八年の時点でフーコーは、「マルクス主義的な社会理論から解放された戦略的分析をくりひろげている」として、ブラック・パンサーに注目しています。おそらくこうした前史的な諸々の線が、GIPの結成やジュネとの密接な政治的交流、それを通したパンサーやアンジェラ・デイヴィスの分析との接触、みずからのアメリカ刑務所の訪問などの複数の契機、そして『監獄の誕生』に結実する系譜学の模索と緊密に絡み合っていたことはまちがいありません。つまり、フーコーの考古学から系譜学、すなわち「権力分析」への転回は、このアメリカ黒人の反乱とのフランスの運動、そして知識人との相互作用に源泉をもっています。あえていえば、フーコーのこれまでの監禁や閉じ込めへの関心を政治化させ、考古学から系譜学への転回を促し、むしろ後期フーコーよりもアクチュアルかもしれないポスト一九六八年的資本主義的近代の認識へと転回させた屈折点に、パンサーたちがいるのです。

4　隷属を強いるすべての機構を廃絶する

――ところで、やたらと使用される「アボリショニズム」は「奴隷制廃絶運動」とはイコールではなさそうですが、そのようなばあい、この言葉はなにを指しているのでしょうか？

abolitionには、なにごとかを撤廃する、廃絶する、根絶するといった、「全廃」というニュアンスがあります。アメリカ史の文脈だと、アボリションとは、まず奴隷の解放と奴隷制撤廃のことを意味しています。したがって、ふつう「奴隷制廃絶(奴隷制廃止)」と訳されています。アボリショニストは「奴隷制廃絶論者(奴隷制廃止論者)」です。でも、最近、おっしゃるように、この概念は、そんなダイレクトな文脈から外れてよく使用されています。おそらく＃ＢＬＭの文脈で「アボリショニズム」「アボリショニスト」という概念をはじめて耳にした人も多いかもしれません。要するに、「アボリション」とは、過去の出来事ではなく、いままさにリアルタイムで生きた概念なのです。

もちろん、動産奴隷制はすでに廃絶されています。したがって、この概念がいまのアクチュアルな概念として使用されとき、その廃絶は、たとえば刑務所や警察機構のような別の制度を対象としています。そこで要求されているのは、こうした制度の撤廃、すくなくとも根源的な変革です。このような「アボリショニズム」の概念をアクチュアルな概念として賦活させたのが、やはり主要にはアンジェラ・デイヴィスだとおもいます。しかしその種を蒔いたのはもっと前の人、Ｗ・Ｅ・Ｂ・デュボイスです。デュボイスは、先ほども名があがりましたが、（一九世紀から活躍していましたが）二〇世紀の代表的なアフリカ系アメリカ人知識人であり活動家でもありました（『黒人のたましい』という名著が翻訳され、岩波文庫として公刊されています）。BRTの歴史のなかできわめて重要な位置を占めています。そのデュボイスが、『アメリカにおける黒人再建《ブラック・リコンストラクション》』[7]という重要な本のなかではじめて提示したのが、「アボリション・デモクラシー」という造語でした。

じゃあ、デュボイスはそこでなにをいっていたのか。もともと「リコンストラクション」とは、奴隷制解放、一八六七年から連邦軍が撤退しそれが挫折する一八七七年までのことを指します。それが挫折したというその南部再建のプロセスは、最初から南部白人の猛烈な抵抗や反撃にあい、遅々としてすすまず、動産奴隷制の形式的廃絶以外に実質的な成果がほとんどえられなかったからです。それどころか、かれらは選挙権を奪われ、教育機会を奪われ、アパルトヘイト政策によって隔離され、しばしば奴隷制の時代より劣悪といわれる小作制度のもとに留めおかれました。そして、どこにいくにもリンチ殺人の恐怖にさらされていました。それが変化をはじめるのが、公民権運動の時代からです。この公民権運動からブラック・パワーの時代を、だから「セカンド・リコンストラクション」ともいいます。

デュボイスは、奴隷制廃絶が意味をもつためには、たんに奴隷制を根絶する以上のものが必要である、としました。暴力による強制労働に終止符を打つだけでは、本当に奴隷制を廃絶したことにはならない、と。解放された黒人たちが、社会の平等な一員として生きるためには、政治、経済、社会、文化総体をつらぬいて、あたらしい制度、あたらしい慣習、あたらしい社会関係の構築が必要です。そのような全域にわたる社会の創造、あたらしいデモクラシーの創造が、デュボイスにとって、奴隷制の廃絶の完成を意味していました。それを指して、かれは「アボリション・デモクラシー」と名づけたのです。のちにアンジェラ・デイヴィスたちは、この概念にアクチュアルな生気を吹き込み、同時代のレイシズム体制を奴隷制の延長とみなし、その解体を目標とすることで、このデュボイスの構想を継承しようとします。[8]

マルクシストでもあったデュボイスは奴隷制の遺産を一掃するデモクラシーの構築が、資本主義体制と相容れるとは考えていませんでした。むしろかれは、リコンストラクションを徹底させるならば、連邦軍をバックにした一種のプロレタリア独裁のような非常態勢のもとで、経済的な変革をもたらしうると考えていたくらいです。

重要な点は、アボリショニズムとは、特定の制度の廃絶を超えた次元を指していることです。つまりそれは、人に隷属をもたらすすべての機構の廃絶をめざすものです。必ずしも刑務所の廃絶をプログラムにしていたわけではない（かれらはプログラムの提起のようなものを拒否していました）GIPやフーコーの作業がアボリショニズムと重ねて語られるのは、ここに強い根拠をおいています。つまり「改良主義」の拒絶という点においてです。実際、GIPの最高揚期という文脈で理解すべきドゥルーズとの著名な対談「知識人と権力」をはじめとして、[9]この時代のかれのテキストには「改良主義」の拒絶、「改革」の拒絶がひんぱんに強調されています。それはフーコーの一貫した知的かまえではありますが、それがこれほど強い政治的文脈を帯びたのが、この時代の特徴ではあるとはおもいます。フーコーは、一九七二年にこういっています。

> （…）フランスよりもましな刑務所が存在することはたしかです（…）だが、問題は、模範刑務所でも、刑務所の廃絶《アボリション》でもありません。こうしているいまも、われわれのシステムの内側では周縁化が刑務所によって遂行されつつある。この周縁化は、刑務所を廃絶すれば自動的に消滅するというものではないでしょう。そんなことをしても、社会は、ただたんに別の方法を制度化することでしょう。よって、問題はこうです。現代社会が住民の一部を周縁に追いやるプロセスの解明に資するシステム批判を提示すること。それに尽きます。[10]

このような態度は、フーコーのものだけではなく、一般的に一九六八年とそれ以降にきわめて強力になるようなものです。ＧＩＰの最初のパンフのブックカバーにはこう記してあります。「耐えがたい「赦しがたい」もの。裁判所、警官、医療施設、学校、軍隊、テレビ、国家、そしてなにより監獄」。これはあきらかに、独自の仕方でのアナキズムです（「耐えがたいもの」は最初の二号がアナキズム系の小出版社から公刊されています）。そして、このような根源的な批判が代替的なにかを積極的に提示しないままに行使されることで、その作業は、きわだった創造性の源泉となったわけです。

ＧＩＰは解散しましたが、たんに消えたわけではなく、囚人を主体にした運動に場所を譲るというかたちで解散しました（この運動体は、ＧＩＰよりは長期にわたって存続します）。ＧＩＰの運動の成功・失敗については、いまさまざまに評価されています。しかし、そもそも成否の基準とはなにか、と問うこともできます。ひとついえるのは、運動の成否は、運動の持続期間でも、動員力でも、メンバーの数によっても、機関誌の売り上げによっても、必ずしも規定されるわけではないということです。担い手においてどれほど少数で、世論の支持も受けず、それどころか強い反撥をくらおうとも、その主張が深いインパクトをもたらし、長い時間をかけて世界を変える運動もあります。ＧＩＰは、ブラック・パンサーや＃ＢＬＭのように、そのスタイル（つまり「作風」です）において比類のない影響を発揮し、世界的に感染を拡げていきました。いまの日本ですらも、〇〇情報センターという運動組織はすぐにいくつかあげることができるでしょう。

ＧＩＰは、一九六八年以降に活動家を糾合したマオ派組織「プロレタリア左派」から生まれ（たちまち自立した）、活動家も多数関与していたとはいえ、知識人主体の運動であったことはまちがいないとおもいます。が、そこでおこなわれていたのは知識人の意味の組み替えであり、闘争の主体の意味の組み替えであり、理論と実践の意味の組み替えであり、情報に転覆的意味を与える試みでありました。刑務所が闘争の焦点になるのは、六八年以降の弾圧によって多数の活動家が投獄されたことを具体的なきっかけにしています。もともと、それはそうした活動家たちがみずからを政治犯として認めさせるという動きからはじまっています[11]。フーコーは、かれらの要請によって刑務所の調査に乗りだしますが、かれはそこでまず、「普通犯」と「政治犯」の区分をしりぞけます。また、活動家（ジャック＝アラン・ミレールとされています）のアイデアである調査委員会という形態を司法体制に属する発想としてしりぞけました。それにかわってかれの提案したのが、情報グループでした。その提案のうちには、ひとつにはパンサーたちとおなじ発想（まさに汚辱に塗れた犯罪者であり同性愛者であるジャン・ジュネと共鳴した理由があります）、つまり、「はみだしもの」を実践の主体、それどころか、きわめて重要な意義を帯びた主体として認識するという考え、もうひとつには、囚人こそ知の主体であるという、知識人と大衆の関係にかかわる知の布置の認識の転換があります。それはすでに政治的には「代行／代表」の拒絶としてテーマ化されていました。政治とはだれかに指導を、要するに、だれかに権力をゆだねる行為ではなく、みずからが権力になることです。フーコーとの対談でドゥルーズはつぎのようにいっています。

行動し闘うものたちは、いざとなるとかれらの意識たる権利をわがもの顔に独占する党であり、組合であれ、なにものかによって代表《ルプレザンテ》されることをやめてしまっている（…）だれが発言し、だれが行動するかということは、発言したり行動したりする一個人の内部にあってさえもつねに多面的な問題なのです。われわれはだれもが小グループからなっている。もはや代行関係《ルプレザンタシオン》というものは存在しません。あるのは行為のみ、中継組織または網状組織という関係内での理論的行為、実践的行為のみなのです。

このような代表の拒絶は知の次元の転換と不可分であり、それをＧＩＰは定式化しました。

最近風向きが悪くなっていらい知識人たちが発見した事実は、大衆（les masses）が、ものごとを知るにあたって知識人を必要としていないという点です。大衆は、完璧に、明確に、知識人よりもはるかによくものを知っている。しかもその事実を、実にしっかりと言明しているのです。だが、その言説と知とを遮断し、禁じ、無効にする権力の体系が存在する。それは検閲という上部の訴訟手続きばかりではなく、社会の回路全域へと非常に深々と抜け目なく侵入している権力のことです。知識人たちは、みずからこの権力システムの一部をなしている。「意識」と言説の媒介者だという考えそれじたいが、このシステムの一部なのです。知識人の役割は、「わずかばかり先に立ってみたり連帯したりして、誰もが口にできない真実を言明することではもはやなくなっている。それはむしろ、権力の目標であり同時に道具でもあるその地点、つまり、「知」と「真実」と、「意識」と「言説」の領域において、権力のあらゆる形態と闘うことなのです[12]。

この大衆（囚人）自身がすでに有している知を、のちにフーコーは「従属した知（savoirs assujettis）」と名づけることになります。形式的一貫性のもとに不可視になっていた歴史的内容、あるいは資格剥奪されてきた知を指す概念です。

5 社会を再構築するための実践

いっぽう、アメリカの黒人たちはこうした「闘争の季節」がすぎても、なにも変わらない、それどころかGIPの関与した趨勢のますます強化されるなかで生きることになります。フーコーは先ほどの引用で、GIPの役割を「現代社会が住民の一部を周縁に追いやるプロセスの解明に資するシステム批判を提示すること」としていましたが、当該の人びとは、研究者があたらしい関心のためにそれまでのテーマを去るといった具合に現実から去ることはできませんから、刑務所の廃絶の路線をしつこく追求しながら、分析を深め、ジグザグではあったでしょうが運動を継続させていきました。

しかし、その運動のなかでも立ち位置は多様です。#BLMも、警察機構をめぐって、廃絶から改良まで、グラデーションがあるようです。呼びかけ人のひとりであるパトリッセ・カラーズは警察廃絶という立場のようですが、それでもなかなか意思の一致も、さらにそれ以前に議論すらもむずかしいといっています。それでも、かれらは試行しています。たんに機構を廃絶すればいいというのではありません。警察機構を廃絶するということは、社会問題を警察力で解決するフレーム総体を変えるということです。彼女たちは、司法の観念や実践そのものを、オルタナティヴな理論や実践に依拠しながら変えようとしています。フーコーは先ほど述べましたが、司法的体制に属さない、むしろそれを相対化できるような知と実践のありかたを提起しました。#BLMをふくむ現代の黒人の闘争の一部は、そのような知的動きを一歩すすめて、それを社会のシステムとして実現しようとしています。もし他者による物理的・非物理的侵害にあたって、それを警察と刑務所によって担保されない処罰システムを構築しようとするなら、どのようなものになるでしょうか。いずれにしても、刑務所や警察機構のない社会というのは、現在のわたしたちの常識の核心部分をもみほぐさなければ、とても想像力が追いつきません。

GIPは、「耐えがたいもの〔赦しがたいもの〕」を列挙してみせました。それらすべてなしにどう社会を再構築するのか。わたし自身、そこから一歩、先に進まないことを批判すべきこととはおもいません。先ほどもいったように、こうした積極的オルタナティヴを空白にするということが、わたしたちの自由の可動域を拡大することの条件でもありますから。しかし、それはいっぽうで、積極的オルタナティヴを「大衆」（「来たるべき」はつけませんよ！）にゆだねるということでもあるでしょう。もし本当に、だれにもさわれないというのなら、それはたんなるシニシズムに転化するだけです。とはいえ、それを実質化することとは、最も困難な作業でしょう。とはいえ、こうした「知識人」の想像力の限界を、「大衆」が乗り越えていくのも歴史の常です。たとえば、クルド人たちがかろうじて自治区を維持している、西部クルディスタン（北部シリア）のロジャヴァでは、実際にそれまでのような警察機構を廃絶した社会の試行がおこなわれています。その試行錯誤が、シリア、トルコ、ISに囲繞され、つねに暴力と解体への緊張にさらされた最悪ともいえる条件のもとで実践されているという点でも、ほとんどの「知識人」にとっては想像の外でしょう。また重要なことですが、このロジャヴァの事例――あるいはそれ以前のメキシコはチアパスの事例――にみられるように、最も生き生きとした反権威主義的デモクラシー社会の構築は、いわゆる「第三世界」でおこなわれているということです。デモクラシーはいわゆる先進国のみのものであるとするおもいこみは、この事例からだけでも覆されねばなりません。[13]

パトリス・カラーズは、ここまで述べてきたアボリショニズムの伝統のなかにあることを意識してつぎのように述べています。

アボリショニズム社会は、資本に基礎をおいてはいません。資本主義システムとアボリション・システムは両立するとはおもいません。アボリショニズム社会は、なによりも先にコミュニティが必要とする物事に根ざしています。それはコミュニティ自身の自己決定を可能にするためのものであり、またその自己決定を支えるためのものなのです。それは、まさしく周縁のない社会です。それは、すべての生きた存在の相互依存とつながりに基礎づけられた社会です。尊厳に充ちた生き方、すなわち抑圧によってもっともひどい被害をうけた人びとの名を完全に歴史に刻み、いつなんどきもその名を称えることを忘れない生き方。そういう生き方にむかって背中を押す、強い意志をもった社会なのです。わたしの考えでは、アボリショニズム社会は根っからスピリチュアルなのです。[14]

――ここでは日本語訳のある本も多くあがりましたが、ほとんど入手できない状態です。

日本語圏では、かつてジャズを中心とした独特の黒人音楽批評の言説がありました。それは、とりわけ一九六〇年代以降には「革命的」政治性を帯びていましたが、けっして皮相な政治性ではありませんでした。リズムやトーン、その破壊的構築力のレベルでの美学的・肉体的位相での共鳴がそのままダイレクトになんらかの革命性に延長していたのです（わたし自身、こうした問題に多かれ少なかれ関心をもちつづけているのは、かれらの音楽からえている巨大な恩恵ゆえです）。「黒人になること」というドゥルーズとガタリの概念がありますが、音楽を通して、わたしたちは規律を逸脱する身ぶりを模倣し、階級的障壁によって覆われつつあった「市民社会」あるいは「日本的共同体」を逸脱していたのです。わたしは、ソウルやR&Bにも、もっと大衆的レベル、身体的レベルでそれがあったとおもっています。実際、「不良」っぽいお姉さん、お兄さんは、なんかロックよりブラック・ミュージックだったじゃないですか。いま、こういうことをいうと、即座にけっきょくかれらは「天皇制共同体」に取り込まれているとかいってはじかれちゃうわけですが、わたしはそういう感性はあんまり好きじゃないです。

話題が逸れましたが、そのような文化的状況が、アメリカ黒人の闘争（だけではもちろんないのですが）にかんする日本語圏の人びとの深い関心を示すかのような、たくさんの翻訳によって支えられていたようにおもいます。パンサー党のテキストもアンジェラ・デイヴィスのテキストも、すばやく翻訳がなされていますし、日本の読者もそれに共鳴していたのでしょう。

パトリス・カラーズもパンサーの国際主義について、おどろきをもってふり返りながら、見習うべき先例としています。日本でも、かれらの三里塚とか山谷などとの連帯行動はよく知られています。これは位相がややちがいますが、釜ヶ崎の夏祭りのはじまりに立ち会った人から、じぶんたちが夏祭りをはじめるにあたって念頭にあったのはパンサー党のオークランドでの活動だと聞いたこともあります。

#BLMもおなじように、国際的波及力ないし感染力をもっています。ただかれらに連帯するのではなく、みずからの文脈で、みずからの「ライヴズ・マター」運動をおこなうということです。もちろん、「ブラック」の位置に、みずからの文脈にひきよせて、主体を代入することをしてはいけないという意見もあります。しかし、かつてブラック・パンサーがそうだったように、かれらの争点、作風、そして組織化の創造性が、「ブラック」の位置にその都度の文脈を異にするマイノリティの集団的名称を代入することを通じて、世界中の人びとに感染していくダイナミズムは一概に否定的には捉えられないとおもいます（ブラック・パンサーのばあい、パンサーの人びとにすすめられてホワイト・パンサー党も生まれます。それはいまの「ホワイト・ライヴズ・マター」とちがって排外主義的であるどころか、白人至上主義の解体を指向した革命的集団でした。白人であってもマイノリティに生成させるモデルをかれらは提示したのです）。わたし自身、#BLMやそれにつらなる新世代のブラックたち、そしてつきつめれば、その土台にいる無数の黒人大衆の行動とその理念の登場には、驚嘆しました。オバマの登場で、長期にわたるブラック・ラディカルの伝統も消えていくかもしれないと感じていたのですから。そうではありませんでした。か

れらは、アボリショニズムの伝統を引き継ぎ、この間のすべてのマイノリティの闘争、そして反グロからオキュパイにいたる運動で積み上げられた戦術をふまえ、さらに現代世界を把握するための独自の理論的試行錯誤もおこないながら、それらすべてを前進させようとしています。そのねばりづよさ、その強力さ、その創造性には、感服するしかありません。

1 Theodore W. Allen, *The Invention of the White Race*, vol.1, 2, Verso, 2012.

2 Philippe Artières et al.（eds.）, *Le Groupe d'Information sur les Prisons: Archives d'une lutte, 1970–1972*, IMEC, 2003, pp. 92–93.

3 Philippe Artières（ed.）, *Le Groupe d' information sur les prisons: Intolérable*, Verticale, 2013. 近年の研究の進展については、Perry Zurn & Andrew Dilts（eds.）, *Active Intolerance: Michel Foucault, the Prisons Information Group, and the Future of Abolition*. New York: Palgrave Macmillan, 2015.

4 George Jackson, *Soledad Brother: The Prison Letters of George Jackson*, Chicago Review Press, 1994（鈴木主悦訳『ソルダッド・ブラザー——獄中からの手紙』草思社、一九七二年、三〇七頁）。

5 引用はPeter Worsley, Frantz Fanon and the "Lumpenproletariat", in Socialist Register, 1972, p.222より。

6 Angela Y. Davis, *Abolition Democracy: Beyond Empire, Prisons, and Torture*, Seven Stories Press, 2005.

7 W. E. B. Du Bois, *Black Reconstruction in America: An Essay Toward a History of the Part Which Black Folk Played in the Attempt to Reconstruct Democracy in America, 1860–1880*, Free Press, 1998.

8 「デュボイスは、奴隷制の廃絶は消極的な意味においてのみ達成されたと主張しました。奴隷制が違法となり、黒人が鎖から解放されたあと、奴隷制の包括的な廃絶を達成するためには、黒人を社会秩序に組み入れるためのあたらしい制度が構築されるべきでした。（…）奴隷制の真の廃絶は、人びとが生活するための経済的手段を提供されるまでは不可能でした。かれらにとっては、教育機関へのアクセスも必須だったし、投票権やその他の政治的権利の行使も必須でした。このプロセスは、一八七七年に終了した短期の急進的再建では不完全なものにとどまります。こうしてデュボイスは、廃絶を完全に達成するためには多数の民主主義的制度が、つまりアボリション・デモクラシーが必要であると主張したのです」（Angela Davis, *Abolition Democracy: Beyond Empire, Prisons, and Torture*, Seven Stories Press, 2005）。

9 この対談はきわめて重要なテキストであるにもかかわらず、不幸なことに、ガヤトリ・スピヴァックのそれ自体は正当な部分もある批判（『サバルタンは語れるか』）のほうがたいてい先走って読まれることによって、正面から読まれることがすくなくなってしまいました。

10 Foucault, Le grand enfermement, in Dits et Ecrits II, Gallimard, 1994（菅野賢治訳「大がかりな収監」『ミシェル・フーコー思考集成IV　１９７１-１９７３　規範／社会』筑摩書房、一九九九年、二五五-二五六頁）。

11 いまではそれは活動家が政治犯の「特権」を享受しようとしたと解説されることがままあるが、それは矮小化であるとドゥフェールは批判している。Daniel Defert, L'émergence d'un front nouveau: les prisons, in Philippe Artières et al.（eds.）, *Le Groupe*

d'Information sur les Prisons : Archives d'une lutte, 1970–1972, IMEC, 2003.

12 Foucault, Le grand enfermement, in Dits et Ecrits II, 1994, p.308（蓮實重彦訳「知識人と権力」『ミシェル・フーコー思考集成Ⅳ 1971-1973　規範／社会』二五九頁）.

13 Hawzhin Azeez, Police abolition and other revolutionary lessons from Rojav, in *ROAR magazine*, 2020（酒井隆史訳「警察廃絶をはじめとするロジャヴァからの革命的教訓」『福音と世界』二〇二一年二月号）をみよ。

14 Christina Heatherton, #BlackLivesMatter and Global Visions of Abolition : An Interview with Patrisse Cullors, in Jordan T.Camp and Christina Heatherton（eds.）, *Policing the Planet : Why the Policing Crisis Led to Black Lives Matter*, 2016, Verso.（酒井隆史・市崎鈴夫訳「#BlackLivesMatter運動とグローバルな廃絶に向けてのヴィジョンについて――パトリス・カラーズへのインタビュー」以文社ウェブサイト、二〇二〇年六月九日）

16

ポリシング、人種資本主義、#BlackLivesMatter

初出──『現代思想』二〇二〇年一〇月臨時増刊号、青土社

1 人種、世代、国境を越えて

もし本当にすべての生命が問題であるならば、「ブラック・ライヴズ・マター」と強調して宣言する必要はないでしょう。あるいは、BLMのウェブサイトにはつぎのような文言もみられますが、そのような表現の必要もないのです。Black Women Matter, Black Girls Matter, Black Gay Lives Matter, Black Bi Lives Matter, Black Boys Matter, Black Queer Lives Matter, Black Men Matter, Black Lesbians Matter, Black Trans Lives Matter, Black Immigrants Matter, Black Incarcerated Lives Matter. Black Differently Abled Lives Matter. Yes, Black Lives Matter, Latino/Asian American/Native American/Muslim/Poor and Working-Class White Peoples Lives matter. すべての生命が問題だ、というように、倫理的に無難な言い方もできますよ。でもその前に、名指さなければならないもっと具体的な事例がたくさんあるのです。

(Angela Davis)[1]

発端はすでに知られている。二〇二〇年五月二五日、COVID‐19パンデミックで世界中が混乱の渦にあったさなか、そのパンデミックで職を失っていた黒人男性のジョージ・フロイド（四六歳）がミネアポリスの警察官デレク・ショーバンによって殺害された。

経緯はこうである。フロイドが、たばこワンケースを購入したさいに二〇ドルの偽ドル札の使用を疑ったスーパーの店員が警察に通報。到着した警察によってフロイドは、車から引きずりだされ、さらにあとからやってきたショーバンによって、頸部を膝で押さえつけられる。呼吸ができない（I can't breathe）と二〇回以上くり返し、助けてほしいと懇願したにもかかわらず[2]、ショーバンは、八分四六秒ものあいだ姿勢を崩さず、フロイドを死亡させた。

この逮捕の場面の動画がSNSによって拡散され、翌日には、数千もの抗議者がミネアポリスの街頭にあらわれ、警察車両を破壊し、警察署に落書きをおこなう。その後の展開は、説明するまでもないだろう。その抗議行動の波のなかで、ブラック・ライヴズ・マター（以下、#BLM）が、ふたたび脚光を浴びることになる。

この間の典型的パターンは、一九九二年のロス暴動にみられるものだ。警察が黒人を殺害する。それが、なんらかの理由で一般に知られる（たまたまビデオに撮られメディアにのる、最近ではスマホで撮影されSNSなどでシェアされることが多い）。それによって地域で暴動が起きる。しかし、その地域周辺限定である。ところが、数ケ月後、起訴された警官が無罪になる（あるいはそもそも起訴されない）。報道などによって全国に知れ渡る。暴動も全米に拡大する。こういったサイクルである。これは、#BLMの名を一躍、全世界に波及させた二〇一四年のファーガソンにおけるマイケル・ブラウン殺害とその後の抗議行動の流れにあっても踏襲される。

今回はそれとはすこしちがっていた。

事件ののち、抗議行動はすぐさま全米へと——しかもこれまでそのような行動の起きなかった小さな町にまで——波及し、それればかりか、たちまち国際的に波及していった。レッド・パンサー、ピンク・パンサーといった組織を次々と生み出していったパンサー党の波及を彷彿させるかのように、#BLMというアイデアは、世界各地で、その人びとの直面する課題に即して組み替えられ、行動を触発していった。活発なすばやい連鎖の背景には、さらに公民権運動をはるかに越えるといわれる白人の参加をふくむ、多様な人種・エスニシティの人間の参加がある。[3]

2 ― 割れ窓理論と警察の軍隊化

ひるがえって日本語圏の（「リベラル」の）論調で気になるものに、抗議行動への白人たちの参加をニュースや動画でみて、それをなかばバカにしながら「みずからの特権性を捨てる覚悟はあるのか」と叱って（？）みせるというものがある。[4] しかし、根深いシニシズムをしばしば隠せない「アイデンティティ政治」のモラリズムは、とくに今回は場違いだ。それは、まず多数の人びとが、人種を横断して剝奪的状態におかれていること——COVID-19パンデミックはそれを増強した——それにともなうポリシングの強化——「割れ窓理論」に依拠するネオリベラルな都市統治のグローバル化——に悩まされていること、[5] さらにそうした趨勢のなかで、このかんの闘争の蓄積と意識の形成がときに[6]

「ジェネレーション・レフト」とも呼ばれる、ひとつの世代総体――さらに世代を超えて――としての姿勢（出来事への反応様式）をつくってきたことがみえていない。

とりわけ、ポリシングは「割れ窓理論」という「革新」によって、途方もなくその領域を拡大させてきた。[7] 大きな犯罪を阻止するためには、警察はまず、「無秩序」を示唆するささいな兆候、たとえば、落書き、ゴミ捨て、物乞い、立ち小便、タバコのバラ売り（課税を逃れる）などに目を配り、それを阻止しなければならない。このようなシンプルな発想――日本語圏ならば「髪の乱れは心の乱れ」といった発想でおなじみの――が、おそるべき威力を発揮し、その影響範囲を世界中に及ぼしているのである。ポリス・ブルタリティと抵抗のサイクルを加速させている文脈には、あきらかにこの「割れ窓理論」とネオリベラリズムの統合によるポリシングの質の変化と増強がある（「割れ窓理論によるポリシングは、都市規模でのネオリベラリズムの政治的表現と化してきた[8]」）。

たとえば、警官に締め上げられた結果、死の直前に発した"I can't breath"（息ができない）という言葉が運動でもスローガンとなったニューヨークのエリック・ガーナーは、それまですでに警察によって無数のハラスメントを受けていた（ガーナーは一〇年ほど前に、すでに訴えている）。七月に殺害されたのも、バラ売りタバコ販売の疑いによって警察官に呼び止められ、押し問答になった末のことである。そのときガーナーは近寄る警察官をみて、「おまえはおれをみるたびに逮捕するんだな、もうあきあきした、きょうはやめてくれ（"Every time you see me you arrest me. I'm tired of it. It stops today."）」といっている（ちなみに、このときもガーナーを殺害した警官に対し、大陪審は不起訴を決定している）。さらにつけくわえねばならないが、ガーナーの訴えたIt stops todayもThis stop todayとして、「日常的監視、恣意的なハラスメント、すなわち、ガーナーの殺害を招いた日常的ポリシングへの反対」のための要求に活用されている。[9]

忘れてはならないが、そもそも可視化して議論になる警察による殺害はまず、ごく少数であることである。そこにはそれ以上の、なんらかのかたちで不可視化された殺害がひそんでいる（警察や自警組織によって、アフリカ系とラテン系の人びとはおおよそ二八時間に一人殺害されているという）。さらにその裾野には、殺害にいたらない負傷、あるいは追いつめられた末の自殺がある。そしてさらにさらに、その裾野には、おびただしい日常的なハラスメントがある。そして、その状況自体は、基本的に、黒人たちがアフリカから連行され、やがて奴隷にさせられて以来、なにも変化がないのである。

とはいえ、おもてむき「ポスト・レイシャル」であるはずの現代社会において、このようなレイシズム的「蛮行《ブルタリティ》」を支えるには、それなりの仕掛けが必要である。その仕掛けに知的フレームを与えたのが「割れ窓理論」であって、それが定着したのは、「生物学的人種」を経由することなく、それでいてレイシズムとポリシングの密着構造そのものを支えることのできる点で、すぐれたパフォーマンスを発揮したからである。

一九九〇年代のニューヨークで実践へと移行した、この一見シンプルでささやかにみえる「割れ窓理論」は、「ゼロ・トレランス」政策とセットになって、その暴力性をほしいままにしてきた。ロビン・D・G・

ケリーはつぎのように述べている。

「ゼロ・トレランス」ポリシングは、特定の地域を野外刑務所に変貌させ、人身保護法、移動の自由、拷問からの保護さえも弱い立場にある住民から剝奪した。警察は、不審であるとか法に違反しているとみなした人間を観察し、封じ込め、拘束し、逮捕するように訓練されている。憲法が保障する「平等な保護」にもかかわらず、黒人と褐色の身体には生まれた時から「疑惑」のしるしが刻印されているのだ。

そして、そこには警察の軍隊化がともなっている。

ファーガソンに国際的な注目が集まったのは、抗議者の存在だけではない。街頭に出た人びとが、暴動服、ゴム弾、装甲車、半自動小銃で身を固め、ひたすら封じ込め鎮圧する方針で襲いかかる警察に立ち向かったという事実だ。世界の目には、ファーガソンは戦場のように映ったのだが、それは警察が軍隊のようにみえたからである。ファーガソンやセントルイスの黒人住民、そして全米のゲットー・コミュニティにとっては、そこはすでに戦場であり、マイケル・ブラウンやドリアン・ジョンソンが警察官に遭遇して最初に恐怖を感じたのもそのためであった。[10]

このような警察の軍隊化の趨勢が、[11] ネオリベラリズムによるポリシング体制の再編にともなっていることはしばしば指摘されている。とはいえ、このようなブラック・ゲットーが占領地のようであるという認識も、いまにはじまったことではない。とりわけ、それが強く認識され、刑務所／警察による治安体制の機能とともに根本から問われはじめたのは、いうまでもなく、一九六〇年代である。たとえば、ブラック・パンサー党は、「国内植民地論」によって、都市の諸マイノリティの階級闘争がレイシズムとの重層決定によってあたかも内戦のような様相を呈している目の前の事態を説明していた。そしてそれはまた、刑務所における受刑者の運動の大衆化とともに、刑務所／監獄体制批判の言説を刷新させていった。その主唱者としてあげられるのは、ジョージ・ジャクソンとアンジェラ・デイヴィスであるが、かれらは、刑務所／監獄体制が犯罪と矯正、それゆえ「犯罪者」にではなく、収奪と分断、すなわち収奪される者と政治的逸脱者の管理に主要にかかわるものとみなし、資本主義、クラス、レイスが共謀して作動するにあたって刑務所の担う重大な戦略的意味を分析してみせた。そしてその機能のうちに、奴隷制の延長と変形をみた。この時代のこの動きが、現代の監獄／刑務所にかかわる――さらには警察機構にかかわる――アボリショニズム（廃絶主義）とむすびついている。[12]

現代の警察の軍隊化は、この時代の解放闘争に対する反革命的動向にも強く規定されている。それは、ＦＢＩの極秘プログラムＣＯＩＮＴＥＬＰＲＯによる、とりわけパンサー党への猛烈な弾圧からドラッグ戦争（文字通り、都市ゲットーをジャングルとみなし低強度紛争の理論を国内へと拡張しながら軍事的論理をポリシングに導入する機会となった）をへて、おそらく増大していく「過剰人口」の統治術として自覚されつつ、ネオリベラルの戦略のうちに統合され、現代にいたっている。しかし、そのルーツは、一九六〇年代から七〇年代の都市の大衆反乱に対する対応にはじまっていることは指摘しておかねばならない。「割れ窓理論は、一九六〇年代と一九七〇年代の都市危機への政治的な応答として形成された。割れ窓理論は、二〇世紀後半の監禁国家（carceral state）の強化と都市のネオリベラルな変形と並んで、コミュニティ・ポリシングの支配的戦略となった」[13]。近年、認識が共有されつつあるように、ネオリベラリズムそのものが、この時代への反動形成であり、それは経済的論理を活用した政治的プロジェクトにほかならない[14]。階級的亀裂への対応が、レイシズムの活性化、そしてその系として、警察の軍隊化をともなっているのは、そこに淵源を有している。新世代の「ブラック・ラディカリズム」の擡頭は、このような状況を文脈としているのである。

3 ― レイシズムなくして資本主義は存立しない

#BLMを代表とする「新世代」の諸運動には、なぜ「ポスト・レイシャル」とも形容されてきた時代、ポスト公民権あるいはポスト・オバマのこの時代に、なお警察による生命の脅威が終わら

ないのか、という問いがともなっている。なぜ、このようなむきだしの暴力をともなうレイシズムが残存しているのだろうか。その問いは、まさに黒人が大統領に「のぼりつめよう」が、人種別プロファイリングを通した警察の蛮行《ポリス・ブルタリティ》にまったく変化がなかったことによって、より鮮明なものとなった。

かれらのテキストやインタビューでは、警察機構の起源についての近年の研究の展開がしばしば参照されているが、そうした論点をより大きく文脈化するものとして、「人種資本主義（racial capitalism）」という概念がしばしば重視されている。この概念は、直接にはオークランド出身の政治理論家セドリック・J・ロビンソンからとられているのだが、公刊後二〇年あまりの黙殺をへてその存在を認知された『ブラック・マルクシズム――ブラック・ラディカル・トラディションの形成（*Black Marxism : The Making of the Black Radical Tradition*）』[15]が、現在の新世代の活動家や研究者にもたらしているインパクトはすでに知られているだろう。このインパクトのひとつの要因は、まさにこの近年の大衆的行動そのものが、ロビンソンがそこで問題にしているような「ブラックのラディカルな伝統（Black Radical Tradition）」の動きを体現しているようにみえるからだ[16]。そして、このテキストが情熱的に提起し、検討を試みている「人種資本主義《レイシャル・キャピタリズム》」の概念は、反レイシズムや刑務所廃絶の運動を超えて、気候正義運動にいたるまでの共有財産となってきた。

この著作を検討している余裕はないので、核心部分は、資本主義にとってのレイシズムを基本的には偶有的な要素とみなすマルクスやマルクシズムを批判して、それらがいかに不可分の関係をむすんでいるのか（つまり、レイシズムなくして資本主義は存立しない）を歴史的・理論的に解明せんとしたところにある。ロビンソンはこういっている。「資本主義社会の発展、組織化、拡大は、本質的に人種的である方向性にむかう」のであって、「資本主義を通した西洋の文明化の趨勢は、同質化する［かくしてプロレタリアという普遍的な変革のエージェンシーを生み出す］のではなく差異化をもたらすもの、つまり、地域的差異、下位文化的差異、そして弁証法的差異を「人種的」差異へと誇大化するものである」。

この「世界システム論（ないし現代資本主義論）のアボリショニズム的転回」とでもいうべき知的探求の口火を切ったこのテキストには、さまざまな留保も必要であるようにおもうが[17]、その概念がむかう現実とその概念が人に示唆する方向性の正当性と意義には疑いの余地がない。

先ほど述べたように、今回のジョージ・フロイド殺害以降の抗議行動と、その主張や要求は、人種や国境を横断して、かつてない速度で共鳴を波及させていった。そこには、現存の経済システム自体がこのパンデミック状況をもたらしている破局的条件でしかないこと、そして、アメリカ黒人につきまとうポリシングの暗い影が、実は、そのシステムの維持と不可分なのではないかという疑義がひそんでいるのではないか。つまり、かれらの境遇は、けっしてわたしたちと無縁ではないということである。たとえば、ジェントリフィケーションは、とりわけレイシズムやセクシュアル・マイノリティ差別と密接不可分ではあるものの、富裕層以外のすべての住民に無縁ではない。そして、ジェントリフィケーションと割れ窓理論のポリシングは密着しているのだ[18]。世界的にみれば、警察の軍隊化、とりわけ市民の抗議行動への軍事的対応は、アメリカにかぎったものではない。先にふれたようにすぐさま連帯の共鳴をみたパレスチナのガザをはじめ、貧困や剝奪に対し、福祉ではなく警察と刑務所複合体によって応答するといった趨勢は、すでに世界をつらぬいている。

これをひとまず、搾取／収奪の二項で整理してみよう。[19]

「レイスとはクラスの生きられた経験である」といったのはスチュアート・ホールだが、それを参照していえば、クラスのなかにクラスを生産する装置がレイスである。そしてなぜそうなるのかといえば、マルクスが主要な対象とした搾取には、その条件として収奪の過程が必要だからである。もちろん、マルクスはそれを本源的蓄積というかたちで、歴史的に理解した。しかし、そうではなく、収奪は搾取をも可能にする構造的条件なのである。

さて、もし、ブラックのおかれた条件が普遍化しているとするならば、その傾向はレイスを解体する動因ということにもなる。実際、#ＢＬＭたちの問題提起をふまえたうえで、現在の趨勢は、搾取と収奪を隔て、集団（とりわけレイスとジェンダー）に配分していた壁の消失であるとみなす議論もある。[20]「人種資本主義」は、いわばほとんどの人間を「レイス」化することに帰着するというのだろうか。少なくとも、人種、ジェンダー、セクシュアリティ不関与の資本主義といった「（リベラルもふくむ）ネオリベラルのユートピア」の幻想が吹き飛んだのだとすれば、それを吹き飛ばしたのが、氷山の一角として#ＢＬＭに可視化した不屈の大衆運動なのである。

そのあとになにがやってくる、あるいはやってきているのだろうか？

すくなくともこういえるだろう。先ほどの二項を使うならば、さまざまな差別を介して「収奪内収奪」をまきちらす装置を、資本主義はパンデミック以降、さらにターボをかけて稼働させるであろう。右翼ファシストは、ますます、そのエージェントとなって活気づくだろう。それに対して、「人種資本主義」を過去のものにしようとする「夢の防衛者《ドリーム・ディフェンダー》」たちは、それ以上に活気づくであろう。

1 Angela Y.Davis, *Freedom Is a Constant Struggle: Ferguson, Palestine, and the Foundations of a Movement* , Haymarket Books, 2016, p.86.

2 フロイドは最期にこう述べたとされている。"Can't believe this, man. Mom, love you. Love you. Tell my kids I love them. I'm dead."(https://www.bbc.com/news/world-us-canada-52861726)

3 Douglas Mcadam, We've Never Seen Protests Like These Before, in *Jacobin*, 2020,(https://jacobinmag.com/2020/06/george-floyd-protests-black-lives-matter-riots-demonstrations).

4 「ホームレスの権利などというのならおまえの家に泊めればいいではないか」と揶揄するネトウヨの発想と変わらない。

5 ファーガソンでのマイケル・ブラウン殺害のあとの抗議行動とその弾圧をニュースなどでみたパレスチナの活動家たちは、ツイッターを介して、軍事化した警察への対応を抗議者たちにアドバイスした。このかんのアメリカ黒人の闘争とパレスチナにおける闘争との連帯については、Christina Heatherton, #BlackLivesMatter and Global Vision of Abolition : An Interview with Patrisse Cullors, in Jordan T.Camp and Christina Heatherton(eds.), *Policing the Planet : Why the Policing Crisis Led to Black Lives Matter*, Verso, 2016.(酒井隆史・市崎鈴夫訳「#Black Lives Matter運動とグローバルな廃絶に向けてのヴィジョンについて——パトリス・カラーズへのインタビュー」以文社ウェブサイト、二〇二〇年六月九日)や、Angela Y. Davis, *Freedom is a Constant Struggle : Ferguson, Palestine, and the Foundations of a Movement*, 2016, Haymarket Books。

6 #BLMに代表される「新世代」の諸運動がオルタグローバリゼーションからオキュパイにいたるまでの戦術の積み上げや作風、主張の力点を共有しているのはあきらかである。公民権運動から現代の反レイシズム運動における「戦術の多様性」の中核的意義についての重要な議論として、以下をみよ。Lorenzo, St. Raymond, Misunderstanding the Civil Rights Movement and Diversity of Tactics, in *Hampton Institute*, 2015,(https://www.hamptonthink.org/read/ezz9cb4892xkhh9mt42f6bc26gk5bb).

7 Camp and Heatherton(eds.), *Policing the Planet*, 2016の全体を参照せよ。

8 *Ibid.*, p.17.

9 Jordan T. Camp and Christina Heatherton, Introduction : Policing the Planet, in Camp and Hetherton(eds.), *Ibid.*.

10 Robin D. G. Kelley, Thug Nation : On State Violence and Disposability, in Camp and Heatherton(eds.), *Ibid.*.

11 以下の議論をみよ。「警察はますます、軍隊風に身を固め、軍事的観点から思考する。もともとはハイレベルの脅威への対応として設立された重武装の準軍事的ユニットであるSWATチームは、いまでは日常的事態にも動員されている。一九七〇年代には、SWATによる捜査は年間数百程度であった。ところがいまやその数は、一日に一〇〇から一五〇の数にのぼる。こうした捜査が、マリファナ所持やギャンブルのような微罪への対応でおこなわれることもしばしばである。それにその捜査も、認可査察《ライセンス・インスペクション》のような「行政調査」

の名目であれば、令状なしで可能である。こうした捜査のいくつかの動画がインターネットでみつかるが、そこでは、ごく微量のマリファナのために重武装した大隊が家屋を襲うという超現実的なホラーをみることができる」（Peter Frase, *Four Futures: Life After Capitalism*, Verso, 2016）。

12 このような批判は、とくにフランスの理論家たちにも強力な影響を及ぼした。フランスの知的・実践的潮流とアメリカの黒人たちのそれとの遭遇は、テキストのレベルでは、ミシェル・フーコーの著作『監獄の誕生』というかたちで結実する。これにかんしては、たとえばPerry Zurn and Andrew Dilts（eds.）, *Active Intolerance : Michel Foucault, the Prisons Information Group, and the Future of Abolition*, Palgrave Macmillan, 2016を参照せよ。

13 Jordan T. Camp and Christina Heatherton, Introduction, in Camp and Heatherton（eds.）, Op.cit..

14 この点については、拙著『完全版 自由論――現在性の系譜学』（河出文庫、二〇一九年）のとくに補章「統治、内戦、真理」を参照せよ。

15 もともとの公刊は一九八三年であるが、弟子であるロビン・D・G・ケリーの序文を付して再刊された。

16 ケリーはこういっている。「昨今の国家暴力や大量収監に抗する反乱的な黒人の運動は、「人種資本主義」の終焉を要求し、みずからの活動を「ブラックのラディカルな伝統」――この用語はロビンソンの著作とむすびついている――の一部とみなしている」Robin D.G.Kelley, What Did Cedric Robinson Mean by Racial Capitalism, in *Boston Review*, 2017,（https://www.bostonreview.net/articles/robin-d-g-kelley-introduction-race-capitalism-justice/）。

17 もちろん、マルクシズムがその資本主義認識において、レイシズムの位置づけという点で弱点を抱えていたことはたしかである。しかし、そのすべてが「資本主義を通した西洋の文明化の趨勢が、同質化ではなく差異化をもたらすもの」であることを分析してこなかったわけではない。より疑問であるのは、ロビンソンが資本主義にレイシズムを本性として刻み込むその根源にかかわる部分で、支配や従属の力学をネグレクトするきらいもあるようにみえる点である。

18 Christina B. Hanhardt, Broken Windows at Blue’s : A Queer History of Gentrification and Policing, in Camp and Heatherton（eds.）, Op.cit..

19 Nancy Fraser, Is Capitalism Necessarily Racist?, in *Online University of the Left*, 2019,（http://ouleft.sp-mesolite.tilted.net/?p=2698）を参照している。実はフレイザーの議論は、搾取／収奪に交換をくわえた三項図式で展開されているものの、ここでは簡略化のために省略している。フレイザーによるこの三項図式の整理には厳密にいえば問題がないわけではないが、手がかりとして有益である。搾取と収奪については、ざっくり説明しておけば、搾取とはみずからの生存分（その水準は当該社会の生活水準によって定まる）の対価の支払われる労働から資本が余剰を抽出する仕組みを指す。収奪とは、労働からの資本による余剰の抽出

20
が、生存分以下の対価しか支払わないことによっておこなわれる事態を指す。劣悪な低賃金労働はもちろん、奴隷、一時雇用、不安定労働、家事労働などもふくむ。搾取と収奪は、歴史的にみて（一九世紀後半からとりわけ二〇世紀にかけて）、国民たる組織労働者であるマジョリティと外国人労働者、移民、女性などのマイノリティに区分され振り分けられる傾向があった。これも先述のFraser, 2019より。

17

パンデミックと〈資本〉とその宿主

初出―河出書房新社編集部『思想としての〈新型コロナウイルス禍〉』河出書房新社、二〇二〇年

1──資本は停まらない

いま、注目すべきはブラジルである。ブラジルは、その大統領の「幼稚」と「シュール」と「狂気の沙汰（It's madness）」（現地の医師の表現である）[1]の混成によって、現代世界の趨勢をよく表現しているようにみえるからだ。

二〇二〇年四月八日の時点で、ラテンアメリカではすくなくとも報告された数としては最高のCOVID－19陽性者をかぞえている。具体的には、その数、およそ一万四千人であり、死者は七〇〇人である（ブラジル保健省による）。しかし、この数字は、実態を反映しているとはおよそいいがたい（たとえば最大都市であるサンパウロは重症化した事例のみをあげているといわれている）。ブラジルは検査件数がきわめて低いからである（人口一〇〇万人あたり二五八人。ちなみにチリは六四二三人、米国六四二三人、ドイツは一万九六二人、日本は四月一四日の時点でおそらく、およそ五七六人[2]）。

パンデミックの波の不可避の到来をまえに、ブラジルの州知事たちは自宅隔離政策を発令し、商店の閉鎖、交通の閉鎖、宗教イベントへの参加の禁止などを決め、社会的距離の措置をすすめた。ところが、それに対し、ボルソナロは「しょぼいインフルエンザ」ごときになにごとであるかと激しく抵抗。国内全域で企業の再開を強制する政令の発令をもって脅すという挙動にでる。またやはりパンデミック対策をすすめる、みずからの政権の閣僚である保健相とも対立し、解任をちらつかせ、その対策の撤回をせまっている［二〇二〇年四月一七日解任］。さらに、まるで毛沢東ばりに、地方レベルですすめられるそのような「緊急事態」の政治に対し、不服従と抵抗を呼びかけるのである。[3]

そのやりかたは、トランプの盟友にふさわしく、露骨で露悪的である。四月一二日付『ガーディアン』紙の記事によれば、ボルソナロはイースターの最中に外出し、支持者とさかんに握手を交わしては、「だれもオレの往来の自由を妨げる権利はない」と豪語している。そのさいには、高齢の女性と握手をするまえに、手で鼻をぬぐった姿も撮影されている。[4]

かれのキャンペーンのスローガンは「ブラジルは止まらない」である。わたしたちにとっては、なにかを彷彿とさせる。大阪維新の会のスローガン「成長を止めるな」である。たとえ、どれだけ人が倒れようが、死のうが、かまわない。大切なのは、「経済」を回しつづけることである。「約4000万人のフリーランスのためにブラジルを停止することはできない。街頭の労働者、技術者、教師たちのために、ブラジルを停止することはできない。家内労働者のために、ブラジルを停止することはできない」。

ここでのボルソナロが「シュール」な「狂人」にみえるのは、もちろん、かれ自身が「シュール」な「狂人」だからではない。かれは常軌を逸して律儀なだけであって、わたしたちが備える本能的危険察知能力や人間的判断能力を放棄してまで、みずからの主人の命法に忠実なのである。つまり、その身を挺して、主人の命法を代弁しているだけなのだ。その主人とは、もちろん〈資本〉である。ボルソナロの猥雑と残酷と人間の生命への無関心は、そのまま、資本の猥雑、資本の残酷、資本の生命への無関心である。〈資本〉とは、つねに、「わたしを止めるな」と命じるものなのだ。

宿主に寄生しながらみずからを延命させるという点で、それはウイルスと似ているが、しかし根本的には性質を異にする。ウイルスが感染初期には高い毒性をもっていてもやがて毒性を緩和させるのは、寄生先である宿主が絶滅すればみずからも死んでしまうからである。ウイルスにおいては「種としての」生存本能がなによりも優っている。ところが、〈資本〉はそのようなウイルスの生存本能を共有していない（おそらくウイルス程度の生命的実体すらも有していないからである）。それが破滅を前にして停止するとすれば、外的な要因によってさえぎられるからであり、それをさえぎるのは、ひとつはいわば「人間」である（あるいは、その人間の織り込まれた生の平面である）。さらにいえば、〈資本〉がその肉体を借りるところの資本家の生命である（資本家はみずからの縛り首——革命——の肉体的恐怖によって、労働者階級や貧困者、奴隷と妥協する）。ところが、逆説的にも、カール・ポランニーが「社会による反動」と呼んだ、この〈資本〉に対する外的な要素の「抵抗」こそが、むしろ資本主義を延命させてきたのであって、〈資本〉それ自体には生命存続の本能はない。〈資本〉は、その運動のなかで、みずからの宿主を全滅させることもいとわないであろう（そして、それに付随するみずからの死滅もいとわないであろう）。

ＣＯＶＩＤ－19パンデミックによって世界各地に噴出している緊張にかんして、すでにグローバル秩序の頂点から下々にむかって方針がくだされている。国際通貨基金（ＩＭＦ）専務理事（そのすこし前まで世界銀行のＣＥＯ）のクリスタリナ・ゲオルギエヴァと世界保健機関（ＷＨＯ）のテドロス・アダノム・

ゲブレイェソスによって書かれた四月三日付『ザ・テレグラフ』紙の記事のことである。[5]すでにWHOとIMFの合作ということそのものが問題の所在を示唆しているわけだが、そこでかれらは、わたしたちの直面するジレンマをこう定義している。つまり、経済か健康か、生命か生計か、である。かれらはそのジレンマがトレードオフの関係にある、と強調する。「命を救うか、生計を立てるか」。

　これは誤ったジレンマである。ウイルスを制御下に置くことは、生計を維持するための必要条件である。これが、WHOとIMFを非常に緊密にむすびつける。「WHOは人びとの健康を守るためにあり、健康という優先項目について助言する。IMFは世界経済の健全性を保護するために存在する」。このように、かれらは、現在、〈資本〉の運動を停止させるのは、労働者もふくめた宿主を保持するためである、つまり、その運動の継続のためであると位置づけることで、為政者やエリートの不安をとりのぞき、心おきなくロックダウンや隔離に励むよう促しているのである。

　こうしたジレンマにさらされつつ、しかし、さまざまの要因に規定されて、各国の対応はヴァリエーションをとっている。ひとつの極には、(1)「経済を止めるな」の「狂気」の経済優先政策、日常継続路線がある。これはブラジル、そして初期のアメリカ、イギリス、日本などが該当する。他方の極に、(2)権威主義的な封じ込め政策がある。この典型はもちろん、中国である。そしてもうひとつ、その両極のオルタナティヴとして、(3)香港と韓国、そしておそらく台湾に代表される早期の徹底した検査と封じ込めによる軟着陸的政策がある。この最後のヴァリアントは、すでに世界的には模範とされているが、それはいまのところ、最もこのジレンマ――経済か健康か――を穏健に両立させているようにみえるからである。

こうした三つのスペクトラムのどこに位置するのかは、すべてその社会の重層的な要因によって定まっているのであり、たんに国家のすることはみなおなじとみなすことはできない。たとえば、韓国の今回の「模範的」対応には、SARSの経験、先進的デジタル技術の浸透による人口管理技術、フランスの二倍といわれる集中医療ベッドをもつ医療システムなどがあり、さらには、それらすべてに、このかんいくども反乱をくり返してきた民衆運動の強度が影響を及ぼしていることはまちがいない。こうした諸要因が、統治様式、権力技術とケア、生活の保持などの混成体の様態を規定しているのであり、ひとしなみに批判されるのではなく、それらの要素は独自に検討されねばならない（たとえば、現在において民衆運動の強度では世界でも最強クラスであろうフランスが、このたびは強権的方法をとっているのは、マクロンのネオリベラル政策による対応の遅さ、そしてたびかさなるその政策のもとでの医療制度の解体――その点で、ブラジルと中国は裏腹である――などがある）。

日本はというと、それはこの三極のなかで、初期は（1）の経済優先のブラジル型で、そこに初期は分類されていた英米と歩調を合わせていた。ところが事態の深刻さによって、英米が遅ればせに政策を転回させた以降――それとオリンピックの延長決定以降――は、それに追随したいのかなんだかよくわからないといった感がある。最初は四月七日から大都市で、一六日から全国で次々と発せられた緊急事態宣言以降も、警察による盛り場巡回の映像をメディアを通して流したりと、ものものしい雰囲気を演出しようとはしているが、「禁止」の手前で足踏みしている状態であって、いわば、権力のフーコーによる定義を地でいくありさまである。つまり、自由な領域でふるまいに働きかける力にとどまっているわけで、物理的な暴力や国家による拘束によって移動の自由などが制約されているわけではない。たとえば、これはたまたま目についた事例であるが、芦屋市は四月七日付の市長メッセージのなかで、「強制ではなく要請のみを以って、感染拡大を封じ込めた世界で唯一の国」となるよう、市民に不要不急の外出の自粛を呼びかけている。いつなんどきもどんな材料でも「ナショナリズム」(「日本スゴイ」)を扇動するきっかけとする、そのあさましさにも感じ入るが、しかし、強制ではなく要請というところに、緊急事態宣言下の「わが国」のありようが浮き彫りになっている。

おそらく日本は、本音はあいかわらずボルソナロに近く、〈資本〉の命法に忠実に日常の継続をすすめ、それを停止させる健康への配慮はかぎりなく小さくしたいが、それではもう通用しないようなので、世界の動向の空気を読んで、封じ込め政策をしてみるというポーズはとっているというところだろう。そのように煮え切らないから、ホンネがぼろぼろとこぼれ落ちて、封じ込めの前提であるそもそもの検査体制の強化すらやる気がみえず、首相がおもわず犬を抱いて優雅な夜のひとときの動画を流してしまう余裕をみせて反発をくらうなど、ひたすらドリフトしているといったところだろう(四月一五日現在)。

おそらく日本は、基本的な構図としてはこういえる。すなわち、東京五輪開催への熱望が拍車をかける〈資本〉の命法への従属が、民衆運動や「市民的連帯」、中間組織などの衰弱による「社会の反動」力の弱々しさによってカウンターを強く受けないがゆえに、先ほどのIMFとWHOの定式化したジレンマがジレンマとして浮き彫りにならない、と。つまり、〈資本〉の延命のために、いったん〈資本〉を止めるといった決断がくだせず（先述したように、それができるのは〈資本〉の外部の諸要因である）、健康への配慮（の名目で）を通して経済を停止するといった明確な方針も打ち出せず、緊急事態の定義もあいまいなまま、ずるずると日常と非日常のはざまをドリフトしている。もちろん、そこに、長年のネオリベラル政策による医療体制の衰弱、官僚制の隠蔽体質とエリート層の腐敗、ネオリベラル的心性の日常的根づきの深さ、メディアの機能不全、そしていわゆる「無責任体制」などがすべて影響を及ぼしているといったところだろうか。このように一見「ぐだぐだ」でいて、そのくせ憲法改正はすすめようとする、そのような動向には警戒すべきであろうが、しかし、いま日本において例外状態が、〈日常〉の継続圧力を権力の側もいったん切断できない力学のなかで、どのように複雑な状態にあるかは注意が必要である。

2 ゾンビ・ネオリベラリズム

それにしても、この混乱が収束したあと、IMFとWHOのえがいた美しいジレンマの調和がおとずれ、以前の日常が復活するのだろうか？

近年よくいわれるように、ネオリベラリズムには段階があって、それにひとまずのっかるならば、現在のそれは三段階めにあたる。ここではその議論を詳細に追っている余裕はないので、現段階のみをとりあげたいのだが、そのネオリベラリズムの第三段階は二〇〇八年からはじまって現在進行中である。ネオリベラリズムの黄金期は「アメリカン・ヘゲモニーのベルエポック」ともいわれる一九九〇年代である。「冷戦崩壊」で国外の一大勢力であった敵も消え、かつての国内の敵もすべて足元に据え、「TINA（オルタナティヴは存在しない）」のスローガンもあますところなく実現し、凱歌を上げていた時代である。しかしその栄華も長くはつづかず、二〇〇八年の金融危機によって失墜する。そこでネオリベラリズムはすべての矛盾をさらけだし、そのイデオロギー的正当性もなにもかもすべて失った。しかし、そのさいに一瞬、終焉を宣告されたりしながらも、それでひるむどころかネオリベラリズムは、かつてよりも強固なものとして不死鳥の如く復活した。この再度這い上がってきたネオリベラリズムを（なんとも美しくない概念だが）「ニュー・ネオリベラリズム」という。それはすでにイデオロギー的正当性もなにも空洞化して、人をして足元にひれ伏せさせる、かつてのオーラはない。それだけに、このあたらしいネオリベラリズムは、警察や軍隊、あるいは借金を負わせて脅すといった古典的方法でもってみずからのルールを押しつける傾向にある。これを称して「懲罰的ネオリベラリズム」の段階ともいうが、「ゾンビ・ネオリベラリズム」といったほうがよいとする論者もいる。ゾンビのほうが、「死してなお取り憑く」といった、現在のネオリベラリズムの特徴をよくあらわしているというのである。とはいえ、「ゾンビ」は、そもそも死んだ労働が生きた労働を支配するという〈資本〉の定義でもあった。
COVID−19パンデミックの収束したあと、ふたたびゾンビ段階のネオリベラリズムに復帰するのか、それはわからない。全力で復帰させる動きが支配的であろうが、経済に対する今回のダメージは、現在はかりしれないものがある。しかし、強調しておかねばならないのは、今回のウイルス騒ぎが、歴史的に人類が経験してきた疫病のたんなるくり返しではないということである。すでに多々指摘されているように、それはこの「人新世《ひとしんせい》」、というよりは「資本新世」のひとつの帰結でもあるからである。一九八〇年代から、とりわけ二一世紀に入ってから、人獣共通感染症の発生率はひたすら増大をみてきた。HIV、H5N1鳥インフルエンザ、SARS、豚インフルエンザ、MERS、エボラ、そしてCOVID−19などなどであるが、これがすべてではない。そしてその背景には、畜産の工業化、都市化の拡大（農村の消滅）、第三世界のスラムの人口爆発、森林伐採などの環境破壊、人間やモノの移動の激化などがある。要するに、経済と健康の美しい和解というヴィジョンは、いまのわたしたちには望みえない「ユートピア」であって、今回の事態は、二一世紀がどのようなものであるのか、わたしたちの直面する破局とはどのようなものか、それを（先進諸国のすべての人間にも）真にグローバルで実感できるかたちでかいまみせた最初の出来事ということになる。ある心理学者の言葉をもじっていえば、「資本新世の世界へ、ようこそ」というところだろう。[6]
ボルソナロが、人類のみならず多数の生物種の生存の要であるアマゾンの大規模火災をよろこばしいものとして放置した出来事が、人を戦慄させたのは記憶にあたらしい。しかし、それもゾンビである〈資本〉の宿主の声と考えるならば、わかりやすい。それればかりではない。今回のパンデミックのなかで、それに乗じて、「日常の継続のため」に環境規制がゆるめられ、すでに先住民の土地の収奪、環境破壊、野生動物の乱獲、ファヴェーラの解体、都市のジェントリフィケーションがはじまっている。もちろん、無慈悲な大量解雇や不安定雇用者の危険労働への従事も蔓延している。このような従来の趨勢をさらに悪化させた状況が、収束した先にある美しき調和した「経済」の輪郭を予示している。

3──あらたな可能性か、復帰か

他方で、このおもわぬ経済の停止は、二酸化炭素やそれ以外の工業廃棄物の排出量を劇的に低下させてきた。それは、中国の工業地帯の死者数をも大きく減少させ、コロナによる死者数をも埋め合わせるほどであるという報告もある。

それだけではない。わたしたちが最も注目すべきは、リーダーの動きでも、国家の政策でもなく、人びとがこのような危機的事態にあって、なにを考え、どう行動し、なにを要求しているかである。たとえば、まだ数多くの人びと──左派もふくめて──が混乱しているなか、メキシコのサパティスタ民族解放軍は、三月一六日のコミュニケで、反乱軍の領土での厳戒態勢を宣言し、評議会と自治体にカラコル（地域センター）を閉鎖するよう勧告し、世界の人びとにこの感染症の深刻さを受け入れ、進行中の闘争を放棄することなく「例外的な健康対策」を採用するよう呼びかけている。そのあと、サパティスタ自治区は、この感染病にかんする知識や情報を共有し、隔離や予防的封じ込めの措置を推奨しながら、各地域の判断にゆだねている（これは、「社会的距離」というわたしたちの親密さの基盤と矛盾する措置を、強制ではなく別のケアのかたち、自発的なケアに転換させていくひとつの方法とみなされている、そしてこの問題設定は、その後、アナキストのみならず多くの領域に拡がったようにみえる）[7]。このような先駆的な対応は、おそらく、長期にわたるアメリカ先住民の悲惨な歴史的経験と不可分ではないだろう。また、世界中のさまざまな場所から、「自由市場」ではまったく対応できないこの緊急事態を、みずからのものにしようとする努力が生まれている。そして、その声の多数が、ウェブでわたしたちに届けられ、たがいのアイデアの触発の場を生みだしている。

　この事態は、もちろん無条件給付のように、あるいは先ほど述べた、ときならぬ環境危機の改善のように、すこし前には不可能とおもわれたことを、可能なものとしてもいる。やればできるということでもある。しかし、これが不可逆の可能性の地平の拡大となるのか、それとも、収束すれば以前の（おそらくより劣悪な）止まらない「経済」に復帰するのか、いま最も重要なのは、ポスト・パンデミックの世界の軌道を定める、この抗争である。

1 Tom Phillips and Dom Phillips, Bolsonaro dragging Brazil towards coronavirus calamity, experts fear, the Guardian, 12 Apr 2020,（https://www.theguardian.com/world/2020/apr/12/bolsonaro-dragging-brazil-towards-coronavirus-calamity-experts-fear）.

2 Alexander Main, COVID-19 in Brazil: Favela Residents and Indigenous Communities Among Those Most at Risk, 14 Apr, 2020.

3 ウラ（一井不二夫）「ボルソナロ、検疫隔離政策への不服従を呼びかける（3月28日）」『ラテンアメリカの政治経済』二〇二〇年三月三〇日（https://ameblo.jp/guevaristajapones/entry-12586078055.html）。

4 Tom Phillips and Dom Phillips, op. cit..

5 Kristalina Georgieva and Dr Tedros Adhanom Ghebreyesus, Some say there is a trade-off: save lives or save jobs – this is a false dilemma, The Telegraph, 3 Apr 2020,（https://www.telegraph.co.uk/global-health/science-and-disease/protecting-healthandlivelihoods-go-hand-in-hand-cannot-save/）.

6 https://medium.com/@rolfsystem/a-few-words-about-covid-19-and-the-anthropocene-the-new-age-of-man-cc75b2aa744c

7 https://enlacezapatista.ezln.org.mx/2020/03/16/por-coronavirus-el-ezln-cierra-caracoles-y-llama-a-no-abandonar-las-luchas-actuales/、またここにみられるケアの転換の意味についてはQu'est-ce qu'il nous arrive? par Jérôme Baschet, in *lundi matin* #238,（https://lundi.am/Qu-est-ce-qu-il-nous-arrive-par-Jerome-Baschet）をみよ。

18

「世界の終わりは資本主義の勝利とともにはじまった」

——文明に生の欲動をもたらすもの

初出—『福音と世界』二〇二〇年一〇月号、新教出版社

1 〈資本〉の拡大、大地の喪失

やはりボルソナロ、注目すべきであることはまちがいなかった。

筆者はこのかん、COVID-19パンデミックについて語ることが必要になったときは、いつもブラジル大統領のボルソナロ〔二〇二〇年当時〕に注目すべきといってきた。なんといってもかれは、感染して死にそうになったことで「改心」してみせた弱腰のイギリスの首相ボリス・ジョンソン〔当時〕とはちがい、おのれの身に陽性反応が確認されようが筋金入りのパンデミック軽視路線をつづけて、一躍、この時代のなにか核心部分を象徴というか濃厚凝縮する存在となった。

現地の医者などは、かれを「シュール」な「狂人」呼ばわりもしているのだが、それがそうみえるのは、わたしたちのようにもともと「不真面目」な人間の目にのみなのであって、かれ自身は、いささか常軌を逸して律儀なのである。その点では、敗戦直後、闇市で食糧を確保することをみずからに許さず、栄養失調で死亡した日本の検事と似ている。みずからの生命よりも法の遵守のほうが優先するわけで、ボルソナロのばあい、それが国家ではなく、資本の法であることがちがうだけである。「初歩的には」、法と呼ばれるものであれ、経済と呼ばれるものであれ、もともとは人間の生に奉仕するためにあったともいえるとしておこう。[1]それが転倒して、むしろ人間が法や経済のために奉仕する、そして犠牲になるといったことは、人類史においては日常茶飯である。

わたしたちの生に埋め込まれているような諸機能が自律して、経済とか国家といったような「実体」として生成し、それが独自の法則をもって作用するとき、このような「転倒」は起きる。そしてそのプロセスは、わたしたちが「大地」を喪失するプロセスでもあるといえるだろう。

なにか大仰なことをいっているようだが、要するに、それらの仕組みが自動化すればするほど、わたしたちは生きるにあたって、いわば「危険察知能力」や偶発的事態への判断能力を喪失してもかまわなくなるということだ。それに、支配する側からすれば、そんなものは失ってもらったほうが好都合である。人びとが勝手に判断して、勝手に行動するおそれがあるからである。その意味では、国家が生業のモノカルチャー化をその成立の必須の条件としていたことや、初期国家がたいてい城壁を有していたことは、その論理をよく示している。現在の研究が教えるのは、人類は初期国家形成にいたるまでの数千年間（そしてそれからも国家に属さない人類の大部分）、狩猟、採集、遊牧、農業といった生業様式を、比較的自由に横断していたということである。そして、そのような生業の選択肢の存在こそが、定住の一定の定着が国家の形成とは必ずしもむすびつかなかった理由であった。

もし国家の形成を文明形成のひとつのメルクマールとするならば、文明とは人類のこのような能力の喪失のはじまりにほかならない。風や光、空気の匂い、動物の痕跡の微細な変化を感受し、それとともに行動を変容させていた人間は、このプロセスを通すなかで、ある日本人たちのふるまいをその到達点として生み出した。すなわち、津波の危険がわかっていたにもかかわらず上からの指示を待つために運動場にみずからと子どもをとどめおき、そればかりか、みずからの判断で逃げようとした子どもを追いかけて引き戻し、結果として一緒に流されてしまった日本人教師たちである。もちろん、そのような痛ましいプロセスを加速させたのは、窮極的には、資本主義とその官僚制である。資本主義は、生業のモノカルチャー化を極限まで拡大させるシステムなのであり、資本主義のもとにおける労働が奴隷制にたとえられてきた（賃金奴隷制）根拠はここにあるのだ。

この意味で、ボルソナロを筆頭にした現在の〈資本〉の論理をよりよく体現した指導者たちが、こうした危険察知能力や判断能力を喪失していること——実体としては必ずしもそうでなくとも、そうふるまわねばならないこと——、さらにそれをスペクタクルに強調してみせること——ボルソナロはこれみよがしに、テレビカメラの前でマスクをせず人と抱擁してみせる——は理解できる。〈資本〉の法に忠実であればあるほど、そうした能力は（あらかじめ）喪失されていなければならないのであり、またその喪失を人にも促さねばならないからである。あるいは、より正確にいえば、すべての危険察知能力は、資本蓄積への脅威に翻訳されねば知覚されることはないし、知覚されるべきでもない。これはまさに、日本では原発事故のあとにも起きたことである。「放射脳」という現代日本の腐食的シニシズムを凝縮したグロテスクな揶揄の形象は、資本蓄積への脅威へと翻訳されない、いまだ「大地」とむすびついた危険察知能力への攻撃の一環であった。

2 常態化した例外状態としての近代

その点で対極にあるのが、もちろん、チアパスのサパティスタ自治区である。今回のパンデミックのはらむ（いまだ計り知れない）深刻さが、ある程度認知された春頃の時点で、あらためておどろきをもって注目されたのがメキシコのサパティスタのすばやい対応だった。[2] 今年〔二〇二〇年〕の三月あたり、ヨーロッパでは、たとえばジョルジオ・アガンベンのあきらかに「大ハズシ」の見解——パンデミックなど存在しない、それはスペクタクルによるねつ造である、例外状態を常態化させる権力の肥大化を警戒すべし、などなど——などによって左派陣営も大混乱をみせていた時点で、すでにかれらは、そのインパクトを正確に理解し、反乱軍の支配地域での厳戒態勢を宣言し、評議会と自治体にカラコル（地域センター）や学校の閉鎖を勧告し、世界の人びとにこの感染症の深刻さを受け入れ、進行中の闘争を放棄することなく「例外的な健康対策」を採用するよう呼びかけている。デヴィッド・グレーバーによれば、興味ぶかいことに、サパティスタとおなじような対応をすばやくとった地域がもうひとつあって、それはロジャヴァである。[3] ロジャヴァは、シリア北東部を拠点とする大部分がクルド人の居住する地域で、トルコやシリア、あるいはISにいたるまでのさまざまな圧力に抗しながら、アナキズムの影響の色濃い諸原則をもって社会を自律的に運営する実験がおこなわれている。グレーバーいわく、チアパスとロジャヴァは「アナキズムの原則が医療労働者を効果的に調整するためにも有効に活用できることを示して」いる事例にほかならない（もとより日本語圏ではそのような動きに注目する機運はほぼみられないが、それはわたしたちの思考が徹頭徹尾「国家」化していること、すなわち、「国家のごとく世界をみる」習慣が徹底しているせいがひとつあろう）。

サパティスタについてもうすこしいえば、このようにすばやく反応しえたのには、かれらがいまだ、多かれ少なかれ「大地」を喪失しきっていないことを要因のひとつとしてあげることができよう。そこにはたとえば、植民地主義と感染症にまつわるいまわしい歴史の記憶とその継承もふくまれている。

重要なことだが、かれらにとって、パンデミックの重大さは、先進国にとってのそれとはかなり意味がちがっている。かれらにとって、暴力と収奪、そして感染病とともにやってきた近代文明とは、いまの言葉でいえばまさに「資本新世」なのであって、その意味で、かれらは「資本新世」の強いる長期にわたる「緊急事態」を生き延びてきたのであるから。サパティスタのものとして流通していた、あるテキストはつぎのようにいっている。

世界の終わりは、資本主義の勝利とともに、わたしたちの惑星をささえる自然的要素やわたしたちの生を破壊する資本主義の複雑なシステムが勝利したときに始まったのです。[4]

パンデミックは先進国では人類史的危機であるが、かれらにとってはさまざまの危機のひとつにすぎない。

わたしたちが体験しているのは健康危機だけではありません。気候危機、水不足、生態系の破壊による気候難民、中東の戦争やラテンアメリカの麻薬密売からの亡命者、こうしたことにも立ち会っているのです。大陸全土におけるフェミサイド（女性を標的とした男性による殺害）の数が指数的に増大していることや政府のあらゆる水準に恥知らずな汚職がなおも存在していることもわかっています。危機がシステムによっているのだから、解決法も当然そうでなければなりません。

そういう意味では、かれらにとっては、この近代文明そのものが、常態としての「例外状態」だったのである。あたかも、いつでも復帰できる「正常状態」があるかのように語られる「例外状態論」が、いまどこか現状とズレてしまう理由だろう。

3　資本のタナトスに救済を

ボルソナロの破壊的「鈍感」は、〈資本〉の命法への忠実さに由来するものであって、その残酷も冷淡さも猥雑さも、すべて〈資本〉のものである。これは何度も確認すべきだが、『資本論』の洞察によれば、「資本家」とは生身の人間ではなく〈資本〉の人格化である。欲望するのは生身の資本家ではなく、資本蓄積を駆動させるシステムなのである。したがって、資本家の貪欲は生身の資本家のものではなく、システムそのものの貪欲である。「貪欲資本主義」という語法が自家撞着的で意味がないのは、そこに理由がある。

その意味では、〈資本〉はウイルスであって、資本家をはじめとするそのエージェントは〈資本〉の宿主なのである。しかし、ちがいもある。〈資本〉とウイルスは、宿主に寄生しながらみずからを延命させるという点で似ているが、ウイルスは宿主の絶滅を望まない。ウイルスにおいては「種としての」生存本能が優っているのであって、宿主が絶滅すればみずからも死んでしまうからである。ウイルスが時間の経過につれて弱毒化するといわれるのは、そのためである。

ところが、いわば人間の「幻想」の壮大なる実質化であり、ウイルス程度の生命的実体すらも有していない〈資本〉は、当然ながら、そのようなウイルスの生存本能を共有していない。〈資本〉が、もしみずからのエージェントである宿主らの世界の破滅を前にして停止するとすれば、それは外的な要因によってさえぎられるばあいのみである。これは偉大なる経済史家カール・ポランニーの議論の核心的論点である。資本主義の論理のもとにおかれた市場は、みずからを食い潰すように、つまり自己免疫不全を惹き起こすようなかたちで作動をはじめる。他方、それまでの社会では、市場は社会のなかに「埋め込まれて」いた。つまり全体社会のうちに統御され、市場以外の論理に従属していた。資本主義にいたって、市場は自己にむかって、自己の論理を全面化するかたちで作用をはじめるのである。ところが、現実の社会は複雑である。それは人間の長期にわたるいとなみによって積み上げられてきたもろもろの巨大な堆積なのである。貨幣換算に還元できないやりとり、自己利益の追求になじまない感情、あるいは、利潤を生まないどころかその障壁となる人間の行動や共同体の慣習、そして、これまで述べてきた危険察知能力などが、その堆積の内実である。ネオリベラリズムは、その〈資本〉にとっての障害をとりはらい、資本蓄積の運動をさえぎる障害物をいかなる手段を使っても除去するための統治技法である。現在に直接流れるネオリベラリズムが最初に実践として定着したのがチリであり、その定着に軍隊（クーデター）と独裁を必要としたのは偶然ではない。市場社会の実現とは、人間社会の「本性」に逆らうプロセスなのであり、それを定着させるためには、暴力の動員が必須なのである。

こうして〈資本〉の自己破壊作用は解き放たれる。ポランニーによれば、これまでそれを防止してきたのは「社会」である。たとえば、歴史的にみれば、二〇世紀はじめの〈資本〉の自己破壊から〈資本〉を救済したのは、強力な労働運動であった。あるいは、一般的にいえば、生存本能を欠いた〈資本〉を自己破壊から救うのは〈資本〉ではないということである。別に人間の集合体にかぎらなくともよい。自然もふくめた、人間も織り込まれた生の平面が、それを阻止してきたともいえる。さらに、〈資本〉がその肉体を借りるところの資本家の生命をもそれにふくめてよいだろう。というのも資本家は、革命によって縛り首にされるという肉体的恐怖によって（これは資本主義の歴史のなかで不思議なほどに強力に作用してきた）、貧民や奴隷、あるいは労働者階級と妥協してきたのであるから。

ポランニーのいうように、この〈資本〉に対する外的な要素の「抵抗」こそが、資本主義を延命させてきたのであって、〈資本〉それ自体には生命存続の本能はない。したがって、〈資本〉は、その運動のなかで、みずからの宿主を全滅させることもいとわないであろう。そして、それに付随するみずからの死滅もいとわないだろう。

ところで、〈資本〉には「反生産」という破壊的要素があると指摘したのは、ドゥルーズとガタリである。そのいうところを、あらためて確認してみよう。


反生産の装置の浸出こそは、資本主義の全システムの特徴である。資本主義の浸出は、その過程のあらゆる次元において生産のなかに反生産が浸出することである。一方では、この反生産の浸出のみが資本主義の至高の目標を実現しうるものなのである。この目標とは、反生産による過剰資源の吸収によって、大集合のなかに欠如を生産し、余剰のつねに存在するところに欠如を導入することである。他方で、この反生産の浸出のみが、資本と知識の流れを、資本と［知識の流れと匹敵する］愚かさの流れによって二重化［裏打ち］する。そしてそれ［資本と愚かさの流れ］がまた、吸収と現実化をおこない、集団や個人がシステムのなかに確実に統合する。たんに余剰そのもののなかに欠如が生ずるばかりではなくて、知識や科学のなかに愚かさが生じるのである。ここで、国家と軍隊の次元において、とりわけ科学技術の知識のもっとも進歩的分野と、現実の機能をもっとももよくはたす愚かな復古主義が、どうしてむすびつくのかは、いまやあきらかであろう。[5]

ここでいわれていることが、「資本蓄積の脅威」へと翻訳されたかぎりでの危険という、これまで論じてきた問題と関連していることはあきらかである。わたしたちは原発事故以降、とくに、科学的言説の体裁をとりながら、あるいはそれと並行して、あるいは科学者自身の言説として――SNSなどを介して――あらゆる「愚かさ」が流通しているのを目の当たりにしてきた。いまもそうである。専門家会議とアベノマスク、分科会議とGo Toキャンペーン、K値、イソジンなどなど（ものすごくおおざっぱにいっている。さらに「惑星的ブルシット機械」[6]が壮大なる「反生産」の装置であることもあきらかである）。

さて、「文明の終わり」とはどういうことだろうか？　おもいだすのは、ジグムント・フロイトが一九三〇年に「文化への不満」というテキストで提起した有名な議論である。第一次大戦から大恐慌、ファシズムの擡頭といった期せずして文明世界を侵食する破壊性の上昇をみながら、フロイトはそこで、タナトス（死の欲動）にエロス（生の欲動）を導入する救済のモメントを、文化のうちに探ろうとしていた。要するに、資本主義において、生産と反生産の契機がつねに浸潤しているように、人間の欲望にはつねにタナトスとエロスとが浸潤している。資本主義において、ときに反生産の契機が生産を食い尽くすように、たとえば戦争において、タナトスがエロスを食い尽くし、ひとつの社会を自滅にみちびく。フロイトは文化（ひとまずここでは文明とおおよそ等しいものとみなす）[7]を、そのような破壊衝動とエロスの格闘のプロセスとみなしていた。そして破滅衝動による自滅から、人類を救うのはエロスの強度であるというのが、おおよそのフロイトの結論であった。

フロイトは、やはり晩年、別のテキストのなかで、みずからが強力な反戦主義者である理由として、戦争を生理的に嫌悪するからだと述べた。要するに「**嫌だから嫌なのだ**」といったのである。とはいえ、それは「老人のくりごと」ではない。フロイトによれば、実は、その生理にまで食い込んだ嫌悪感は、文化によって蓄積されてきた長年にわたるエロスによるタナトスの抑え込みのひとつの効果なのである。そしてフロイトは、それが脆弱であることもよく理解していた。

「文明」について、これでなにがいえるのかわからないが、危険察知能力についてもおなじようなことがいえるだろう。それはたんに生物学的本能であるばかりではない。フクシマ以降の「放射脳」といわれる人たちの危険への反応が、やはりエロスに淵源をおいていたように、である。エロスは、「資本蓄積への脅威」に翻訳されないわたしたちの生存の能力を保持し、ときに発展させるともいえるだろう。たしかに、疫病のときに、わたしたちが勇気づけられているのは、サパティスタのコミュニケに表現されている、そのようなエロスに由来するいたわりあいのグローバルな展開であった。

1 なぜ「初歩的には」というかというと、たとえばフロイトのように、法にはもともと破壊という死の次元が内包されているという見解もあるからである。

2 この点について、第17章や、「危機のなかにこそ亀裂をみいだし、集団的な生の様式について深く考えてみなければならない」『コロナ後の世界を生きる——私たちの提言』岩波新書、二〇二〇年を参照のこと。なお、チアパスではいま現在、感染が拡大しており、危機感がもたれている。

3 https://www.disenz.net/en/david-graeber-on-harmful-jobs-odious-debt-and-fascists-who-believe-in-global-warming/

4 DEPUIS LE CHIAPAS :《COMMENT VIVONS-NOUS LA CRISE SANITAIRE MONDIALE?》: Avec tranquillité, conscience et prudence,（https://lundi.am/Depuis-le-Chiapas-Comment-vivons-nous-la-crise-sanitaire-mondiale）［「チアパスより——われわれはどのようにグローバルな健康危機を体験しているか」（http://hapaxxx.blogspot.com/2020/05/blog-post.html）］。

5 Gilles Deleuze, Félix Guattari, *L'anti-OEdipe : Capitalisme et schizophrénie*, Les Éditions De Minuit, 1972, p.280（宇野邦一訳『アンチ・オイディプス——資本主義と分裂病（下）』河出文庫、四二 - 四三頁）.

6 これにかんしては、デヴィッド・グレーバー『ブルシット・ジョブ——クソどうでもいい仕事の理論』（酒井隆史、芳賀達彦、森田和樹訳、岩波書店、二〇二〇年）の、訳者あとがきをみよ。

7 「文化とその不満」は、ドイツ語ではDas Unbehagen in der Kulturであるが、英語やフランス語ではcivilisationの訳語があてられ、日本語でも「文明」と訳されてもきた。ここでは、そのはらむ含意については詳述できない。

19

すべてのオメラスから歩み去る人びとへ

――反平等の時代と外部への想像力

初出―『世界』二〇二二年二月号、岩波書店

1　明快なジレンマではない

『ゲド戦記』で有名なSF作家アシュラ・ル・グインに、「オメラスから歩み去る人びと（The ones who walk away from Omelas）」というタイトルの短編小説がある。[1] 一九七三年に書かれたこの名高い短編は、いまのわたしたちのこの社会をふり返るためにもとても役に立つようにおもうので、ここでまず概略を紹介してみたい。

オメラスという架空の都市がある。そこには、王も戦争も奴隷も秘密警察もない、法律や規則も最小である。すばらしく幸福な世界に生きる人びとがいる。

ところが、そのある公共建築物の地下あるいはだれかの邸宅の穴蔵には、ひとつの部屋がある。それは錠がおり、窓はなく、壁板のすきまからわずかの光がさしこむのみである。じめじめしていて、殺風景な部屋である。

その部屋にはひとりの子どもが座っている。男の子か女の子かもわからないが、年はもうすぐ一〇歳になる。

その子は知的障害児である。どのようにして知的障害児なのかわからない。だがその子は、鼻をほじり、ぼんやりと足の指や陰部をいじりながら、猫背ですっぱだかのままうずくまっている。

錠はときどきあき、人がやってきて、けとばしたり、嫌悪のまなざしで寄りつかなかったりする。

一日に一度、鉢に半分ほどのトウモロコシ粉と獣脂とが盛られ、水差しに水が流し込まれると、そそくさと扉は閉じられる。

「おとなしくするから、出してちょうだい」子どもはときおり叫ぶがだれも応じるものはない。だんだん口もきかなくなり、やせほそり、腹だけがふくらんでいる。排泄物の上に座るために、尻や大腿部にははれものができ、膿んでいる。

オメラスのだれもがその子がそこにいることを知っている。そして、そのオメラスの美しさや、かれらのやさしさ、知恵、技術、気候までが、すべてこの子ども一人の不幸を代償にしてはじめてありうることをだれもが知っている。

このことは、八歳から一二歳のあいだに、大人から説明される。見学にくる人間も、その年頃の子どもが多い。

たいてい、かれらは衝撃を受け、気分をわるくする。怒りと、無力を感じる。なんとかしたいが、どうしようもない。もしこの哀れな子どもを部屋から脱出させ、この子どもの不幸な状態を解消させるや、オメラスの幸福はすべて崩壊してしまう。ひとりの人生のささやかな改善のために何千何万の幸福を引き替えにするのが正しいのだろうか。

子どもをみたあと、何年もひきずる人間もいる。それでも多数はやがて、いろいろな理由を探して、心をなぐさめる。もし脱出できたからといって、満足に食事をして、あたたかい環境があって、その程度ではないか。もうこの子どもは取り返しようもなく痴呆化がすすんでいるから、いまさら救ってもどうしようもないではないか。その心の傷は解消しようもないだろう、などなど。

ところが、ここでこの物語の作者はこう語る。もしかすると、かれらの流す涙と怒りが、オメラスの輝かしい生活の源泉なのではないか、あの子の存在を知っているからこそ、かれらの建築物の品格を、音楽の激しさを、科学の深遠さを可能にしたのではないか。

そして最後に、もうひとつ信じがたいだろうが、と前置きして語り手はこういう。しばしば、こういうことが起きる。子どもをみにいった少年少女が、家を出てしまうことがある。あるいは、年をとった人間が、ふさぎこんでいたかとおもうと、ふいと家を出ることがある。そしてかれらはオメラスを出て行く。ひとり旅である。二度と帰ってこない。

おおよそこのような、本当にみじかいお話である。

この短編を日本で有名にしたひとつの原因は、マイケル・サンデルが自著（『これからの「正義」の話をしよう』）でとりあげたことにあるようだ。サンデルは、正義論を思想史的に概説していくというこの本の流れのなかで、功利主義へのひとつの反論として、すなわち、それが人間の権利というものをときにないがしろにするということ、少数の権利に多数の幸福を優先させてしまうことに対する反論のひとつの具体例として、この作品を紹介している。それもそっけないもので、とりたてて分析を展開したり評価をくだしているわけではない。

ところで、この作品の日本語タイトルをウェブで検索すると、ほとんどトップにあがるブログがある。おそらく、この作品に興味をもった人、あるいは読んでみた人に、多く読まれているのだろう。このブログの書き手は、もしじぶんがオメラスの住民だったらと仮定して、みてみぬふりをすると、結論をくだしている。そして、その理由は二つである。

ひとつは、じぶんは功利主義の立場をとるからというもの。ひとりの犠牲で多くが平和であるならすばらしい（「すばらしい」という表現である）。

ふたつめは、子どもは知性が発達していないからみずからの境遇が理解できていないというものである。ブログの書き手は、それをプラトンの洞窟の比喩をもちだして、正当化している。この子どもはイデアにあたる実体（みずからがオメラスのために拘束されていること）を知らずにいるのだから、そのままにしておけばなにも疑問をもたないというのがその根拠である。

このブログの書き手がどのような属性をもっているかはわからないのだが、社会科学や倫理学に関心をもち、さらに映画批評や、海外のポピュラー音楽の和訳をするような、そういう、いわば人文的指向の強いものであることはわかる。そのような指向性のブログがこのようなコメントを書いていることもさることながら、これがこのル・グインの物語についてのウェブ上のテキストで、おそらく最も読まれていることにも、すこしばかりのショックを受けてしまうのである。

というのも、この物語は、そうした精神性に対するささやかな抵抗として書かれているものだからである。

そもそもこの物語は、もちろん功利主義的な思考への批判であるが、しかもそれだけではなく、リベラルな倫理学の思考実験のような形式そのものへの強い反発として提示されている。つまり、それは多数の幸福と少数の権利の対立といった明快な「ジレンマ」として、パズルを解くように解決できる問いとして提示されているわけではない。このような事実に直面したときに、人間がどのように衝撃を受け、どのように葛藤するのか、そしてどのように行動するのか、そのような人間のありようをみつめようとするものだからである。それは多数の幸福の側に立つのか、ひとりの不幸の側に立つのか、どちらを選択するのか、といったものではなく、だれかをふみにじりながらみずからが安逸であることに、人間はどう心が乱されるのか、どのようにふるまうのかといったありようをみつめ、そのように心を乱され、ときに行動に移す、その人間の存在のしかたに、ある種の希望を賭けているのである。このブログは、こうした核心部分にはほとんどふれることなく、無邪気に多数の幸福はすばらしいとうたっている。

功利主義的思考に対し人間はそう割り切れるものではないというかたちで抵抗した文章に、功利主義的思考を対置して「反論」になるわけはない。この子どもには知性がないし疑問も抱くはずがないから虐待も正当化されるといった「反論」は、残酷である。みずからに苦痛を与える状況に疑問を抱くことがなければ、その苦痛は考慮しなくてもよいというのであるから。そしてもうひとつ、この物語の深い問いは、人間の創造するすばらしい芸術作品のようなものも、このような子どもの存在のうえに成立する幸福に人間がどうしても安穏とできないからではないか、としている点にある。つまり、もしこの状況を割り切れるような人間ばかりであれば、すばらしい音楽や映画も存在しないだろうといっているのである。

とはいえ、ここでこのブログをとりあげたのは、いま述べたような読み込み不足や矛盾といったことを指摘したいがためではない。ブログの運営者としては、サンデルのリベラルな思考実験のようなものに反応しただけである、ということなのかもしれない。しかし、むしろこのような問いへの反応に、現在の典型的ななにかがみえるようにおもうからである。つまり、このような反応がウェブ上で最も読まれているかもしれないという事実はたしかにいささかのショックではあるが、しかしただちに、これが見慣れた風景であることはわかるのだ。ル・グインですら、そして「オメラスを歩み去る人びと」ですら、このような見慣れた風景のうちに違和を惹き起こすことはない、という意味では、たしかにショックではある。しかし、だからこそ、このような態度の現在の日本における強さとしてのしるしにはなる。

2 この世界を変えること──ル・グインとグレーバー

ここにみられるような知的態度を、内容をカッコに入れて身ぶりに還元してみよう。まず、いくつかの生の重みがぶつかる場面を「思考実験」的にとりあげる。それを複数の抽象的概念の対立する「ジレンマ」と定式化し、海外論文などの知的成果なるもの、あるいは「科学」を根拠にしながら、どちらかの生を斬ってみせる、と。

これはもちろん、ホームレスとネコの生の重みを比較してみせ、前者を斬ってみせた「メンタリスト DaiGo」の身ぶりと酷似している。ひんぱんに海外論文を引いてみせることで、みずからの議論が「エビデンス」ベースであることを強調しながらくりだされるこの「メンタリスト」の饒舌な発言であるが、そのみせかけにもかかわらず、ほぼ「疑似科学」にあふれてはいるとしばしば指摘されている。たしかに、かれが根拠としてあげてみせる論文なるものにそもそも問題があったり、あるいはその読解におおきな問題があったりするのだろう。しかし、それを、かれがアカデミズムの訓練を受けていないといった立場に還元することもむずかしい。たとえば、ちょうど同時期に問題になったのが、「進化政治学」なる「先端的学問」の名の下に、そして科学を根拠にしながら「粗野」にしかみえない差別発言をふりまわしていた、大学にポストをもつ若手研究者である。そのあいだに区別を設けるほうが、むしろなにかを見失うことになるのではないだろうか。

見慣れた、といったが、おそらくわたしたちの世代の研究者ならば、同時代的に経験してきた人文社会科学の急速な変化――おそらくそれは「ネオリベラリズム」改革を大きなフレームとした「ネオリベラリズム」への順応の過程であったといえよう――のなかで経験してきた、あれこれの風景と重なるからだ。「オメラス」から歩み去るような人、なにかいまあるものへ抵抗するような動き、そのシステムのなかで少数であることなどを「切って捨てる」態度を好ましいとする雰囲気は、いつのまにかとても拡がっていった。

オメラスを歩み去る人びとが、先ほど述べたように、かれらのように「スマート」にふるまうことはない。定式化されたジレンマに沿って合理的に判断しているわけではない。ル・グインが驚嘆をもってまなざしているオメラスを去る人びとは、誤解をおそれずいえば、別の世界をめざす衝動によって、まるで本能によってみちびかれるようにえがかれているのである。

住人たちの多くは、このブログの書き手とおなじように、みずからこの子どもの状況とそれを放置することについての知的な正当化をおこなっている。しかし、かれらだってよくわかっているのである。そうした正当化によっても、どうしてもおさまりのつかないものがある、と。その衝動は、そのような知的な正当化の働きの限界にあるのだ。

それにしても、このような時代の雰囲気がどこからあらわれるのだろうか?

「オメラスから歩み去る人びと」において、オメラスを「歩み去る」とは、そのオメラスという世界をトータルに拒絶することでもある。ル・グインは、この物語をこう締めくくっている。

かれらの向かう先は、この幸福の都市よりも、わたしたちには想像がむずかしい場所である。作者にはそれを描写することがまったくできない。それは存在しない可能性だってある。だがかれらは、じぶんたちがどこにむかっているのかわかっているようにはみえる。オメラスを歩み去る人たちには。

オメラスを拒絶してむかう先はわからない、あるのかどうかもわからない、かれらにはわかっているようにはみえるが、それだってわからない。だれひとり不幸な人間がいない世界なのか、だれもがこうした不幸を少しずつ分かち合う世界なのか、それとももっと別のものなのか。わかっているとしたら、おそらく、もはやじぶんはこの世界に居つづけることはできないし、それを望まない、ということだけだろう。

この「歩み去る人」が、ひとつのアレゴリー、つまりこの世界を変えるということのアレゴリーとしても読めることはあきらかだ。もちろん、独特の仕方でアナキストであり、SFの多数の傾向とは逆に、ディストピアよりも、ユートピアをえがきつづけ、その意味を問いつづけたル・グインのその志向性が、ここにあらわれていないはずはない。この作品全体が、なぜ、人はどのような苦難があろうとも、この世界を変えようとしてやまないのか、という問い、というより、そういう人間の性向への驚嘆の表現のようにもみえるからだ。それがほとんどベストにみえる世界ですら、それがだれかの不幸をもたらすのならば、人はそこに居心地の悪さをおぼえずにはいられない。そこに、ル・グインは、いまだこの世界に希望をもちうる根拠をみいだしているようなのだ。[2]

先ほども述べたように、知的ソースをあげながら、「スマート」に、なにかを切って捨てる態度、利得と犠牲の計算のような知的操作で「割り切」ってみせるような態度は、それこそYouTuberから研究者、そして政治家まで、現代においては見慣れたものである。そして、こうしたテクノクラート的態度がとるかまえは大きくいえばリベラリズムに属するものであるが――ゴリゴリの右翼のような「粗暴さ」はおもてむき不在である――、内容はさておき、形式としてそれがしばしばとる攻撃性は、もちろん、その標的として、社会主義とか、福祉国家とか、大衆運動とか、あるいはフェミニズムとか、いずれにしてもなにがしか「平等」のしるしをもったもののかたちをとるのだろうが、根本的には、オメラスの物語のもつこの次元、この世界とは別の世界にむかう衝動であり想像力に対してむけられているようにおもわれるのである。

こうした、いまある世界以外の可能性へむかうすべての想像力を封殺することにネオリベラリズムの最優先課題をみたのは、人類学者デヴィッド・グレーバーであった。

ネオリベラリズムは経済的には失敗しているし、ほとんどの約束をはたしていない。さらには、その唱える理念をみずから露骨に裏切っている。その正当性の命脈は尽きている。ところが、あいかわらずそれは生き延びているどころか、失敗すればするほど強力になって、より強圧的にその失敗した施策を押しつけようとする。こうしたネオリベラリズムのゾンビ化がなぜ可能になるか、というと、ネオリベラリズムがそれ以外の世界の可能性、それにむかう想像力を封じてきて、それには成功したからである。ネオリベラリズムは経済を活性化したいわけではない。「純粋に経済的観点からすれば、労働市場の労働市場のネオリベラル改革の帰結は、ほとんど確実にネガティヴなものである。一九八〇年代と九〇年代の、世界のほとんどあらゆる地域での、経済成長率の全般的な低率が、この印象を高める傾向にある」。ところが、ネオリベラリズムは別のもの、政治的目標についてはめざましい成功をあげてきた。すなわち「いまあるものとは根本的に異なるであろう避けがたい救済的な未来への感覚の可能性を窒息させること」[2]である。こう考えると、すべてのつじつまがあう。グローバルなネオリベラリズム状況に対抗する世界的連帯を志向した民衆運動が「もうひとつの世界は可能だ」というスローガンを掲げたのは、冷戦崩壊を具体的文脈にしてターボをかけたこうしたネオリベラリズムの傾向に対抗するためだったのである。

日本ももちろん、このようなグローバルな文脈のなかにある。社会的問題がおしなべて国内問題へと内閉化する傾向の強いなかで、そのことを強調することは重要である。とはいえ、その傾向とも関係しているようにおもわれるが、日本において、とくにこのネオリベラリズムによる可能性への窒息の感覚が強力であることは否定できない。ひとつの原因は、あきらかに、その趨勢に対する抵抗力の弱さに原因がある。たとえば「もうひとつの世界は可能だ」というスローガンは、日本ではついにあまり浸透せず、知的にも実践的にも共有の課題とならなかった。あるいは、ネオリベラリズムのひとつの特徴を批判的に表現するＴＩＮＡ（「There is no alternative：オルタナティヴは存在しない」――サッチャーの有名な言葉である）という用語も浸透しなかった。このような文脈がないなかで、「オルタナティヴ」が「政権交代」にまでスケールダウンしてもおかしくはない。それほどまでに、日本では「オメラスを離れる衝動」のようなものが不可視化する傾向が強力ではある。

たとえば、なぜ日本ではＣＯＶＩＤ－19パンデミック初期の時点で、ＰＣＲ検査と隔離というグローバル標準の方法が避けられたのだろう。もちろんそれが権力内部のごたごたが一因であることはふまえたとしても、建前としては、しばしば医療崩壊を回避しなければならないといった理由があげられた。しかし、海外の諸国で標準的にみられた施策は、可能なかぎり感染を食い止めるために緊急に病床を増大させること、たとえば、プレハブの病院を建築する、野外にベッドを並べる、公共施設を療養所に変えることなどがおこなわれた。もちろん、長期にわたるネオリベラル政策がほとんどの諸国で医療体制、とりわけ感染症対策を脆弱化させていて、それが今回のコロナ禍の災厄を加速させていることはまちがいないし、そうした施策はあきらかにその政権のネオリベラリズムへの傾きの度合いに左右されている。とはいえ、わたしたちのこの日本が異様だったのは、緊急医療体制の拡充を通しながらＰＣＲ検査と隔離を充実させるという方向にはむかわず、あいかわらず医療崩壊を避けるためといった口実をそのままに、感染症対策を最低限ですませようとしたことである。つまり、そこには、人びとの健康を守る制度の現状保持のために人びとの健康を犠牲にするといった倒錯がある。そして、それが医療崩壊をもたらすという、ものの道理からしても理解しがたい状況がある。知的な努力も、そうした状況を変えるといった方向での努力ももちろんみられるが、それ以上に、そうした動きを阻止するために異様なまでの情熱が注がれる。世界的には、ポストコロナ世界をネオリベラリズムの終焉と位置づけるほどの、社会政策的「政府介入」の動員とのコントラストが印象づけられたようであるが、日本でそれをどれほど共有できるだろうか。

医療崩壊のなかで、「トリアージ」がことさら口にされるといった状況が生まれるのはこうした文脈だろう。いまある状態がほとんど動かせないとなれば、その稀少な資源のなかで、どう優先順位をつけるか、危機に瀕した生にどう順番をつけるかに発想がなるのは当然である。その文脈にあるのは、このいまある世界以外の世界は不可能であるという揺るがすことのできない前提と、厳格なそのフレームの内部で「最善」をもとめるという発想である。ただし、このたがの外れた現代日本は、そのような「常識的レベル」にとどまってはいない。たとえば医療現場の人間は、もちろんその都度の状況のなかでモラルや義務として「最善」をもとめるしかないだろうが、好んでこのような思考実験への嗜好性をみせる現在の日本の空気には、なんとしても生に序列をつけたいというサディスティックな欲求がなによりもまず透けてみえる。ここにもまた倒錯がある。こうした序列好みの言説には、やむにやまれぬという切迫した態度などない。そこにあるのは、それを口実に序列をつけたい、生に線引きをしたいという欲求である。稀少性があるから序列が生まれるのではない。序列をつけるために稀少性がなければならないのだ。つまり、稀少性はあえて稀少性のままでなければならないし、それがないところには人工的に稀少性を構築しなければならない。それがなければ、賢いふりをしたまま差別することができないからだ。

3―マルクス、賃金奴隷制、野生の自由

このような知的雰囲気と「反平等という想念」のようにみえるようなものがむすびついていることはまちがいない。しかし、ここですこし分析してみる必要がある。だれしも、それがどれほど制約つきであろうが、ひとまずフレームとしては近代のあれこれの理念を前提とした社会にわたしたちも生きている。「平等」という理念の恩恵も、わたしたちの大部分がこうむっている。その恩恵の諸項目をつきつけられて、それを否定できる人間はそうそういないようにおもわれる。したがって、どれほど差別的で、平等に反対しているようにみえても、それ自体に反対する人間はいないだろう。

どのような教科書にも記されているのが、平等概念のむずかしさである。もともと、平等という概念はあいまいである。それが法の下の平等というばあい、法の及ぶ範囲が限定されており、そこから排除されるならば、差別も正当化される。

ここですこし、いまわたしたちの「平等」のイメージを形成している前史にさかのぼってみよう。たとえば、リベラルからは、平等思想と全体主義の結節点にいるようにみなされているマルクスである――ハンナ・アーレント的にいうならば形式的平等概念に対して実質的平等概念を優越させ全体

主義を裏づけた――が、かれはむしろ平等概念には冷淡だった。たとえば、とりわけ二〇世紀からわたしたちの現在にいたるまで、平等のひとつの強力なイメージは、たとえば賃上げによる「格差解消」であろう。しかし、これはいうまでもないかもしれないが、マルクスが「格差解消」というような発想を重視したことはない。かれは晩年の『ゴータ綱領批判』(一八七五年)で、当時のマルクスの影響のもとにあったドイツ社会民主党の綱領を根本から批判している。

それが最もはっきりあらわれるのは、晩年の『ゴータ綱領批判』である。このテキストでマルクスはこのようにいっている。

全資本主義的生産制度の中心問題は(…)この無償労働――搾取される労働――の増大にあるということ。したがって賃労働制度は一つの奴隷制度であり、しかも労働者の受け取る支払いがより良くなるか、より悪くなるかとは無関係にますます苛酷なものになっていくような奴隷制度だ。ところがこの洞察がわが党内にますます広まったのちに、ラッサールが賃金とは何かを知らずにこの問題の外観をその本質と考えたということはいまではとっくにわかっているはずなのに、ラッサールの教条に逆戻りするのである。(…)それはちょうど、奴隷制の秘密をついに見破って叛乱を起した奴隷のあいだで、時代遅れの考え方にとらわれたひとりの奴隷が、叛乱の綱領に「奴隷制度は廃止されなければならない。なぜなら奴隷制度のもとでは、奴隷の給養はある低い最大限を超えることができないから」

と書くようなものである。[3]（傍点引用者）

マルクスを系統的に読んだことのある人ならば、晩年にいたるまで、かれが賃労働制度を奴隷制になぞらえていることに気づくだろう。それればかりか「賃金奴隷制」という表現もしばしばみつけることができる。ただし、この表現方法は、マルクスの発明物ではない。というのも、この時代からある時期までの労働運動のなかでもさかんに用いられている。むしろ、マルクスに固有のものというより、マルクスが労働運動のなかでもちいられている表現を受け止めて独自に練り上げたのだろう。とすれば、それは闘争が強いるある種の説得話法、つまり誇張だろうか。けっしてそうではない。当時、じっさい、賃労働制は労働者たちに一種の自由の剝奪として感じ取られていた。定時に規定の場所に出かけ、定時まで閉じ込められ、そこで、時間いっぱいボスの指示通りの挙動でもって、極端なばあいには、いったいじぶんがなにを生産しているのかわからない作業をもって肉体を動かさねばならない。極度に労働条件が悪かっただけではなく、そこにはじぶんの自発性も創意工夫も不要であるし、じぶんの生産したものもよくわからないのだ。

この引用でマルクスが批判しているのはつぎのような発想である。労働者はみずからが生産に関与した生産物に対応する価値分の報償、すなわち相応の賃金をえていない、というものであり、当時この発想は「労働全収権論」ともいわれた。この引用でも批判されている、ドイツ社会民主党の指導者でありマルクスの弟子を自任していたラッサールという人物が中心となって唱えた発想である。一見したところ、マルクスの『資本論』での剰余価値論に似ている。不払い分をよこせ、なるべく多くよこせ、というのでもおかしくはない。実際、マルクスは賃上げの要求を否定はしていない。しかし、綱領というのはひとつの政治集団の原理原則が述べられるところである。そこでこのような目標達成の手段のレベルにとどまってはいけない。奴隷制度は廃絶しなければならない、なぜならば、奴隷制度では給与の上げ幅に限界があるからだ、というのはどこかおかしい。これだと、相応の給与が支払われるなら奴隷は奴隷でいいということになる。ふつう奴隷制度は奴隷制度だからおかしいいし、奴隷制度だから廃絶されなければならない、とわれわれも直感的に感じる。人が他者の力のままに服従し、意のままになり、みずからの選択肢を最小限に集約する。そういう不自由な境遇に人間がおかれていいはずがない。いかに待遇が手厚かったとしても、奴隷は奴隷なのである。このような人間の自由にもとづく、つまり、マルクスが資本主義社会の変革を考えるとき、根本に据えていたのは（格差是正という意味での）平等よりも、こうした賃労働からの解放であり、つまるところ自由なのである。

マルクスは、ここでそのいわば自由によって賦活された平等のありかたを、これも当時の労働運動に伝えられてきた標語「各人は能力に応じて、各人は必要に応じて」によって定式化した。賃労働のフレームのなかにある平等は——のちにレーニンによって社会主義段階と定式化された——いまだ「比例的」なものにとどまっていた。つまり、だれかの労働力の支出に応じて、そのだれかは財を配分されるといった具合に。ところが、それを克服した段階では、もはやだれがなにを獲得するかは、だれがなにを支出するかによらない。アナキストやのちに人類学者は、そのような倫理を人類社会の基盤にみいだした。

　最近の研究があきらかにしているように[4]、近代における平等の概念そのものが、近代初期にヨーロッパがネイティヴアメリカンによる知的伝統に遭遇し、その革命的インパクトを浴びて動揺するなか、ひとつの懐柔として定式化されたのかもしれない。ヨーロッパ人たちは、アメリカのインディアン社会に遭遇し、そしてインディアン社会の知識人たちと会話を交わすなかから、かれらによるヨーロッパ社会への批判に直面することになる。インディアンの知識人たちは全重量をかけて、ヨーロッパ社会に乏しく、みずからの社会には全面的に開花している要素を強調した。それは自由である。かれらは、支配服従関係によるヒエラルキーを認めない組織のありよう、政治における合意の過程の透明性と言葉による説得の重視、富の多寡を権力へと転化させないモラルなどをヨーロッパ社会につきつけ、それを自由社会の条件であるとした。それは、自由と相互扶助とをたがいの条件にしたような社会のありようである。この会話が初期の啓蒙主義を駆動させていき、またのちの西洋近代思想の骨格となる強力なバックラッシュを惹き起こす、というのだ。

　このような知見がどこまで妥当かはいま検討する余裕はない。未開社会の平等といわれるものは、ヨーロッパ社会の知らなかった自由をめぐる議論が、所有権を基礎とした伝統的かつ資本主義的システムに適合した自由の概念によって抑圧される過程で、それと区別してあらわれた。平等概念が、あやふやであるのはひとつにはそこに理由もある。そしてヨーロッパ社会を震撼させた「野生の自由」

は、分業と技術と知性において未熟な、個性に乏しい社会のみ享受できる「未開の平等」と化したのである。

しかし、その力強い脈流は、さまざまな思想的脈流や民衆運動のなかに息づいてきたのであり、マルクスのそれは、そんな脈流のひとつの噴出である。二〇世紀のはじめまで、労働運動で優勢を占めたアナルコ・サンディカリズムの潮流は、富の再配分よりも自由時間の確保、つまり賃労働からの解放に比重をおいた。そして、おそらくそのような自由への衝動によるシステムへの圧力がロシア革命のインパクトなどとあいまって、その懐柔として、あるいは妥協として、「フォーディズム的妥協」といわれるものをもたらした。それは福祉国家という、たしかに人類史に残るひとつの遺産を生んだ。しかしそれは、生産性の上昇とそれによる富の増大分の分配といったイメージのうちに、自由と平等の複合のもたらすインパクトを封じ込めもしたのである。わたしたちは、ネオリベラリズムがその弱点を巧みについて大々的に展開したことを、いまおもい知らされているはずだ。

ここからみえてくるのが、平等をめぐる想像力の意味である。平等には、最悪のばあい、運動会のかけっこでテープをいっせいにきるという貧困なイメージがつきまとう。それは奴隷のまま条件をよくするといった道筋の貧しい極にあるといえるだろう。「反平等」（たとえば反ルソー、反社会主義、反ケインズ主義、あるいはレイシズム、差別など）というようにあらわれる議論であっても、封建的身分制を擁護するものはほとんどない。それはむしろ、自由と平等が不可分にからみあうことで既存の社会を組み替えようとする想像力がもたらすその攪乱的インパクトへの反動でもあり、その範囲を厳密に管理しようとする努力なのかもしれないのである。

「オメラスから歩み去る人びと」のイメージが想起させる別のイメージがある。インディアンに幼い頃にさらわれ囚われたまま成人を迎え、複数の首長の妻となったあと、ヨーロッパ社会へと逃亡してきたスペイン系の女性、エレナ・ヴァレロである。その証言は、いまでもアメリカ・インディアンにかんする一級の観察記録となっている。[5] ところが、ヨーロッパ社会へ帰還した彼女のその後の人生はあまり知られていない。エレナ・ヴァレロはふたたびインディアン社会に戻っていったのである。そして、わたしたちの想像に反して、そのような境遇におかれたヨーロッパ人の多数が、インディアン社会を選んだらしいのだ。

1 このテキストはフリーでウェブでも読める。翻訳としては、『風の十二方位』小尾芙佐ほか訳、ハヤカワ文庫に所収されている。

2 David Graeber, *The Utopia of Rules: On Technology, Stupidity, and the Secret Joys of Bureaucracy*, Melville House, 2015（酒井隆史訳『官僚制のユートピア——テクノロジー、構造的愚かさ、リベラリズムの鉄則』以文社、二〇一七年）.

3 山辺健太郎訳「ゴータ綱領批判」『マルクス＝エンゲルス全集』一九巻、大月書店、一九六八年、二六頁。

4 David Graeber, La sagesse de Kandiaronk : la critique indigène, le mythe du progrès et la naissance de la Gauche, in *Jounal du MAUSS*, 2019,（http://www.journaldumauss.net/?La-sagesse-de-Kandiaronk-la-critique-indigene-le-mythe-du-progres-et-la）.

5 エレナ・ヴァレロ『ナパニュマ——アマゾン原住民と暮らした女』上・下、竹下孝哉、金丸美南子訳、早川書房、一九八四年。

20 あとがき

本書は、いくつかの書きおろしをのぞき、二〇一二年から二〇二二年までに書かれた、時事的おもむきの強いエッセイをまとめたものである。

以下、各章について、すこし追記しておきたい。

序文は、書きおろしである。

第1章「現代日本の「反・反知性主義」?」。『現代思想』二〇一五年二月号に掲載された。なるべくそのままにしたいとおもったが、結局、ある程度の加筆修正をおこなっている。そのときの状況や意図などについては、書きおろしである第2章「「反知性主義」批判の波動——ホフスタッターとラッシュ」で補足している。

第3章「ピープルなきところ、ポピュリズムあり——デモクラシーと階級闘争」。初出は雑誌『福音と世界』二〇一七年一二月号である。その後、小さな勉強会での報告の機会に文体をあらため注を豊富化し、それをもとに以文社ブログに掲載した。したがって、このヴァージョンに最も近いのは以文社ブログ版である。

第4章「「この民主主義を守ろうという方法によってはこの民主主義を守ることはできない」

――丸山眞男とデモスの力能」は、本書を構成する諸テキストのなかで最新のものである（『世界』二〇二二年二月号に掲載）。若干の修正をくわえている。

第5章「一九六八年と「事後の生（afterlives）」――津村喬『横議横行論』によせて」については、述べておかねばならないことがある。津村喬さんが、その後、この世を去ったことである。このテキストを書いたあと、一度だけ、あるイベントでお会いしたが、宴席でのなんというのか、わたしたちの小さな、しかし二〇一〇年代らしい「抗争」を、「大人《たいじん》」のごとく悠然と眺められていたことが記憶に残る。この機会にもっと聞かねばならないことがあったのに、どうしようもない話である。本心でなにを考えられていたのかは、おそろしいので想像しないことにしている。

第6章「「穏健派」とは、世界で最も穏健じゃない人たちのことだ」――「エキセン現象」をめぐる、なにやらえらそうな人とそうじゃない人の「対話」」。これは書きおろしである。二〇一〇年代を考えるときに不可欠であるとおもわれるこの「過激中道（エキセン）」概念について、どうしても書いておきたかったが、じっくりと展開している余裕はなかったので、こんなかたちになった。

第7章「「放射脳」を擁護する」。二〇二一年、いわゆる「3・11」から一〇年後の『現代思想』での特集に掲載されたものに、若干の修正をくわえている。タイトルについては、安倍彰氏に示唆を受けた。記して感謝したい。

第8章「「しがみつく者たち」に」――水俣・足尾銅山・福島から」は、おそらく本書のなかで最も古いテキストである。もともと『歴史としての3・11』（河出書房新社、二〇一一年）に掲載され、『完

全版 自由論』（河出文庫）に補論として再掲しているが、ある意味で、本書を構成するテキストの起点となっている論考でもあるので、修正と注をくわえて、ここでさらに再掲した。

第9章「自発的隷従論を再考する」は、もともとピエール・クラストル『国家をもたぬよう社会は努めてきた』（酒井隆史訳、洛北出版、二〇二一年）の解説として書いたテキストの一部をもとにして、とくに天皇制に主題をおいて展開させたものである。

第10章「「自由を行使する能力のないものには自由は与えられない」――二〇一八年「京大立て看問題」をどう考えるか」は、二〇一八年に「京都大学新聞」に掲載された。

第11章「「中立的で抑制的」――維新の会と研究者たち」は、二〇一九年に釜ヶ崎で与えられた機会に話をした内容の書き起こしのパンフレットをもとにして、手をくわえたものである。本書のテーマに即して大幅に書き直しているので、もとのパンフレットの内容からもかなり変わっている。ほとんど別物であると考えていただいてもかまわない。

第12章「この町がなくなれば居場所はない――映画『月夜釜合戦』と釜ヶ崎」。二〇一八年に『現代思想』に掲載された。若干の修正のみにとどめている。本書からは基本的に文化的作品にかかわる議論は省いているが、このテキストだけは例外としてふくめることにした。

第13章「「ブラジルでＦＩＦＡのブレザーなんて着たがるヤツはいない。殴り倒されるからだ」――二〇二〇年東京オリンピックをめぐる概観」は、二〇一三年に『10+1website』に掲載された。若干の修正をおこなっている。依頼を受けたのは、開催地決定を目前にした時期である。ウェブ記事だけで構成した文章を一度書きたかったので、それをこのさい実行に移してみた。周知のように、東京オリンピックは二〇二一年にズラして開催されたが、タイトルは変えていない。

第14章「戦略しかない／戦術しかない――二〇二〇年代の路上における二つの趨勢」。これもおなじ『10+1website』に、二〇一六年に掲載された。かなりの加筆修正をおこなっている。

第15章「「わたしは逃げながら、武器を探すのです」――ジョージ・ジャクソン、アボリショニズム、そしてフランスにおける「権力批判」の起源について」。これは二〇二〇年の世界的パンデミックの初期にあたって、米国におけるジョージ・フロイド殺害事件をきっかけにしてレイシズムへの国際的民衆抗議にまで発展した状況を背景に、河出書房新社から公刊されたムックに掲載された。緊急出版という条件もあって、時間的制約も分量的制約も強いなかで書いたので、いずれより発展させたかった。今回は大幅に加筆修正を施してはいるが、本当はもっと時間をかけて展開したいテーマではある。ミシェル・フーコーの系譜学（権力分析）が、そもそも一九六八年前後のラディカルな諸運動とそこからあらわれたあたらしい分析を参照（ある意味で「横領」だが、フーコーはそれをすべて隠しているわけではない）するなかから生まれたことに力点をおいている。

第16章「ポリシング、人種資本主義、#BlackLivesMatter」。これも二〇二〇年の『現代思想』に掲載された。若干の修正以外、ほとんど手をくわえていない。15章とテーマはおなじだが、こちらは現状分析的視点に重点をおいている。#BlackLivesMatter に注目が集まったとはいえ、その裾野にはけっして「統一」も「団結」もしていない多様な運動潮流があること、さらにその裾野には大衆の自発的抵抗のうねりがあることをここでは強調しておきたい。

第17章「パンデミックと〈資本〉とその宿主」と、第18章「世界の終わりは資本主義の勝利とともにはじまった――文明に生の欲動をもたらすもの」は、COVID-19パンデミックの初期にあたって、前者は、河出書房新社から公刊されたムック、後者は『福音と世界』二〇二〇年一〇月号に掲載された。これらも、若干の修正にとどめている。

第19章「すべてのオメラスから歩み去る人びとへ――反平等の時代と外部への想像力」。『世界』二〇二二年二月号掲載の原稿に若干の修正をくわえている。これは同年公刊された、考古学者デヴィッド・ウェングロウと人類学者デヴィッド・グレーバーの共著『万物の黎明（The Dawn of Everything）』の衝撃をもろに受けながら書いたものである。しかし、この書物が展開している「平等」概念に対する根本的批判の含意を十分に汲みとる余裕はなかった。

もともとこうした書き散らしてきた時事的文章をまとめるなど、想像もしていなかったが、じぶんなりにあれこれ試みてきた、この社会の崩れ落ちるさまの同時代的な観察記録、危機の深度の同時代的な測定記録をいったんまとめることなしには、要するに、おとしまえをつけないことには、つぎにすすめない気もしてきた。

本書のあちらこちらで示唆しているように、総じていえば、この時代にこの社会で起きたのは、ネオリベラルな世界秩序への遅ればせながらの全面的順応の過程であった。単一のゲームの勝敗、取り分の大小の競い合いにほとんどが収斂し、それをはみだしていく動きは、全方向から取り締まられてしまう。この世界のありようをひらいてみせるよりは、「政権」やそれを「支持する人びと」に与えるダメージを狙ったようなフレーズが知的にも好んで流布されたのは、そのような態度のあらわれにもおもわれた。内向と保守化が、批判的言説をも覆い尽くしていったようにみえたのである。それまでの実践や知的いとなみがカッコに括っていった、躊躇なしにはいえなくなったはずの（そう、おもいこんでいた）語彙から、つぎつぎとカッコが外されていった。二〇二一年の「三重の破局《トリプル・カタストロフ》」の直後に爆発的にひらかれたようにみえた諸可能性が、なぜそのような空気へと転じていくのか、茫然としながらも、せめて大勢とはちがってもじぶんの考えを記しておかなければと書かれたのが、ここに収めたテキストの大半である。

いっぽう、二〇一一年以降、世界をみわたすならば、民衆的実践が世界的に呼応し合いながら別の世界のありかたの模索をさらに深めていくにともない、わたしたちがいまどういう時代に、どういう世界にあるのかを大きくつきとめようとする動きが、知の基盤の変動を加速させていったようにみえたし、そこにはしばしば興奮を誘うものがあった。この世界はやはりおもしろいのである！

しかし、もういっぽうで、パンデミックを転換点として、本書でみてきた悪しき趨勢もより強化され、よりむきだしになっている。世界のエリート層は、破局を富のさらなる蓄積の機会に転じつつ、一手に集中させた膨大な富の防衛のために地球上の多数の人びととたたかう意欲をますます隠さなくなってきた。富裕層とその同盟者は、システムの正当化が困難になればなるほど、「切腹」や「安楽死」などを口にしながら、「たちどころ」の解決、つまり暴力による解決をもとめていくだろう。

それと同時に、膨大な富を投入して、システムから振り落とされていく人びとになおこのシステムには維持する価値があると夢想（魯迅＝竹内好のいう「夢から醒めないことの救い」）を提供し、システムを回すにあたっての邪魔者をつくりだしてはそれへの憎悪を注入していくだろう。老いた恐竜の悪あがきに巻き込まれることなく、わたしたちが生き延びるためには、その「若づくり」に幻惑されないようにしなければならない。本書の目標は、成否はともかく、その幻惑に抵抗すること、そして、すでに地球上のあちこちではじまっている、つぎの世界の組み立ての過程に、いささかなりとも参加することにある。

などといってるとキリがないので、ここでしめくくりたい。このように、どうしても時流に背をむけたかたちになり、ときに意図したテーマに沿わない内容になったであろうこれらのテキストに、それでも舞台を与えてくれた編集者の方々には感謝しなければならない。『現代思想』の押川淳さん（当時）、村上瑠璃子さん。『福音と世界』の堀真吾さん、河出書房新社の阿部晴政さん（当時）、岩本太一さん、柄にもない媒体（雑誌『世界』）にスペースを与えていただいた熊谷伸一郎（前）編集長。そして、話しをする場をつくって、さらにそこで話をした内容を小冊子にしていただいた「はなま」の尾崎美代子さんをはじめとしたみなさん。また、本書には収められなかったが、これも話をする場をしばしば提供し、考えをまとめる機会をつくっていただいた『人民新聞』の山田洋一さん、園良太さん。そして『京大新聞』や『10＋1』といった媒体の方々。ブログに場所を提供していただいた、以文社の前瀬宗佑さん。
個々のテキストを書いている時点でお世話になった人はたくさんいるが、もうあげている余裕はない。まとめる段階で、テキストの紹介や情報の提供など、いろいろ便宜をはかってくれた、原口剛、中村葉子さんには、ひとまずここで感謝の意を伝えたい。また、友人の竹内晴正、森幸久、そして今村昌平研究会のみなさんにも、有益な助言をもらった。ありがとう。

そしてもちろんだが、的確な構成や適切な小見出し、章のタイトル、そして細部にわたるチェックなど、亜紀書房の西山大悟さんの配慮と熱意なしには本書はとても成立しなかった。声をかけていただいてから、おおよそ五年くらいたっただろうか。ようやくかたちにすることができた。これもすべて、西山さんのおかげである。

最後に、どう表現したものか、こうした「気取った」表現がふさわしいものか、いまだ躊躇したままなのだが、いささかの「うしろむき」の感傷をもおゆるしいただきつつ、ともかく、書き留めておきたい。
本書を、いまは亡きぺぺ長谷川こと塚原活、そしてあの時代のわたしたちの記憶に捧げたい。

二〇二三年二月二二日

酒井隆史
SAKAI TAKASHI

大阪公立大学教員。専門は社会思想史、都市社会論。主要著作に『通天閣――新・日本資本主義発達史』(青土社、2011年)、『完全版 自由論――現在性の系譜学』(河出文庫、2019年)、『暴力の哲学』(河出文庫、2016年)、『ブルシット・ジョブの謎』(講談社現代新書、2021年)。訳書に、ピエール・クラストル『国家をもたぬよう社会は努めてきた』洛北出版、デヴィッド・グレーバー『ブルシット・ジョブ――クソどうでもいい仕事の理論』岩波書店(共訳)、『官僚制のユートピア――テクノロジー、構造的愚かさ、リベラリズムの鉄則』以文社、『負債論――貨幣と暴力の5000年』以文社(監訳)、マイク・デイヴィス『スラムの惑星――都市貧困のグローバル化』明石書店(監訳)、デヴィッド・ウェングロウ、デヴィッド・グレーバー『万物の黎明』光文社(近刊)など。

賢人《けんじん》と奴隷《どれい》とバカ

2023年4月28日　第1版第1刷発行

著者――――酒井隆史
発行者―――株式会社亜紀書房
〒101-0051　東京都千代田区神田神保町1-32
電話 (03)5280-0261　https://www.akishobo.com

デザイン―――加藤賢策(LABORATORIES)
DTP――――山口良二
印刷・製本――株式会社トライ
https://www.try-sky.com

ISBN 978-4-7505-1787-2　C0030